Ruptures et constantes

Cet ouvrage a été publié grâce à une subvention de la Fédération Canadienne des Sciences Sociales, dont les fonds proviennent du Conseil des Arts du Canada

Éditions HURTUBISE HMH, Ltée
380 ouest, rue St-Antoine
Montréal, Québec, Canada
H2Y 1J9

ISBN 0-7758-0104-6

Dépôt légal / 4e trimestre 1977
Bibliothèque Nationale du Québec
Bibliothèque Nationale du Canada

Ruptures et constantes

Quatre idéologies du Québec en éclatement: La Relève, La JEC, Cité Libre, Parti Pris

André-J. Bélanger

Hurtubise HMH

Table des matières

« Une exigence plus ancienne,
profonde, familière et tyrannique,
me laisse entrevoir pour plus tard (...)
les joies indéfinies d'un accord parfait
du social et du particulier »

P.-É. BORDUAS
Projections libérantes

Avant-propos

Le présent ouvrage s'inscrit en prolongement d'une réflexion déjà amorcée sur la nature apolitique des projets collectifs qui ont animé les années de la crise[1]. Cette fois, il oriente son champ d'observation non plus sur les représentations de repli mais sur celles de l'ouverture. L'interrogation se veut dès lors plus englobante, se proposant d'embrasser un tout en mouvement. Problématique plus ample que la précédente. Cette dernière se fondait en partie sur le modèle de Louis Hartz[2] dans l'explication des déterminismes idéologiques. Sans jamais la renier, nous préférons adopter en ce cas-ci une plus grande flexibilité dans l'exposé, d'autant plus qu'avec l'éclatement de l'ancien mode de perception, son modèle devient d'une utilité moindre. En revanche, nous reconnaissons d'emblée avoir sérieusement négligé dans le passé la part du cléricalisme comme facteur occultant du politique. C'était une erreur. Effectivement, la trajectoire libérante des idéologies de ruptures, au Québec, va se poursuivre en contestation de l'ascendant clérical.

Nous présentons ces pages bien conscient de l'opinion que déjà bon nombre de lecteurs se sont faite sur au moins une ou deux des idéologies retenues quand ce n'est pas sur les quatre. La tradition veut par exemple que *Cité Libre* ait été au Québec l'illustration du personnalisme et *Parti Pris*, du marxisme... appréciations parmi tant d'autres qui demandent peut-être un examen critique. C'est à cet examen que nous nous engageons en compagnie plus souvent qu'autrement d'un lecteur tout autant critique, parfois lui-même visé.

---

1. *L'Apolitisme des idéologies québécoises, le grand tournant de 1934-1936*, Québec, P.U.L., 1974.
2. Louis Hartz, *Les Enfants de l'Europe*, Paris, Éditions du Seuil, 1968. L'usage de ce modèle a donné lieu à un malentendu que l'on retrouve dans *Nationalismes et politique au Québec* (Éditions H.M.H., 1974) de Léon Dion, auquel nous avons apporté des précisions dans *Le Devoir* du 18 septembre 1975.

C'est à cet aréopage d'auteurs aux options souvent opposées que nous dédions ces pages ; à ceux-là qui, selon des voies très différentes, avec les détours qu'elles comportent et aussi les raccourcis, ont participé au mouvement d'éclatement au Québec.

Nous sommes reconnaissant à nos collègues de l'Université Laval et de l'Université de Montréal, André Kuzminski, Vincent Lemieux, Guy Bourassa, Gérald Bernier et Fernand Dumont, directeur de la présente collection, qui nous ont assuré de conseils fort judicieux. Il va sans dire qu'ils n'ont aucune part de responsabilité aux erreurs et faiblesses que pourrait contenir le présent ouvrage.

Enfin, nous saluons, au passage, Guillaume-André qui voit le jour en ce 6 juillet 1976.

Introduction

Parler de changement au Québec, c'est presque automatiquement se référer aux années qui ont suivi la défaite de l'Union nationale en 1960. Qu'il s'agisse de réalisations politiques ou encore de revirements des mentalités, cette même année fatidique revient à la mémoire comme un tournant-clef dans la détermination des représentations et des objets collectifs. Sans minimiser l'opération de retournement engagée par l'accession des libéraux au pouvoir, il y a lieu de s'interroger sur ses antécédents idéologiques au point même d'en déceler leur continuité bien au-delà de leur existence propre. S'il y a eu rupture en 1960, c'est que cette dernière tire probablement son origine des sources d'un changement dans la lecture des faits sociaux dont on a enregistré plus ou moins fidèlement les modifications profondes.

En vingt ans, le Québec est secoué par deux événements-chocs dont les effets ne pouvaient, à court ou à long terme, laisser indemnes les représentations traditionnelles du milieu. La crise des années 30, de même que l'intense industrialisation à laquelle a donné suite la deuxième grande guerre, ont laissé certaines empreintes dont les idéologies plus progressistes ont rendu compte avec les moyens du bord. Elles marquent, à leur manière, l'ouverture au monde après un Moyen Age amorcé près de cent ans auparavant.

Les idéologies de rupture dans quelque société que ce soit prennent leur plein sens dans la mesure où elles sont confrontées aux idéologies de conservation qu'elles combattent. Or, au Québec, il ne s'agira pas seulement d'un affrontement avec une idéologie dominante mais presque avec une culture, à savoir, le cléricalisme.

Il n'y a pas lieu en ces pages de retracer l'histoire du cléricalisme québécois, mais simplement de faire quelques rappels afin de mettre en relief toute la signification du processus de rupture opéré par les nouvelles idéologies qui viennent rompre une structure idéologique très ferme. Il est relativement établi que l'emprise du clergé auprès des Québécois se raffermit sous les épiscopats de Mgr Lartigue et surtout de Mgr Bourget. Il ne nous appartient pas ici de tenter une explication articulée de cet événement capital dont les ressorts n'ont pas encore été complètement mis à jour. À partir de 1830 environ, le haut clergé (d'abord à Montréal) engage une stratégie qui se fixe pour objectif de récupérer et renforcer ses instruments d'influence dans la socialisation du Québec. Avec l'afflux massif de clercs étrangers (Français pour la plupart) qu'il a lui-même sollicités, l'épiscopat rétablit une présence physique qui était en voie de s'effacer progressivement. Imbues d'ultramontanisme, ces recrues contribuent à consolider l'inquiétude des nôtres face au péril libéral. La fondation de communautés autochtones contribue également à cet effort de relève. Sur un second front, le clergé obtient dans les faits un monopole quasi exclusif sur l'éducation à tous les échelons. Il s'impose en outre auprès des instruments seconds de socialisation que sont les institutions de secours social : maisons de charité, hôpitaux etc. En mesure d'offrir des services à meilleur compte, le clergé parvient, dans ces domaines, à supplanter les laïcs[1] ou encore à se maintenir en place. Il y a tout lieu évidemment de se demander si au-delà d'une certaine situation économique qui les plaçait en position relativement bonne par rapport aux laïcs, les clercs ne jouissaient pas déjà un préjugé favorable : une société ne saurait se *recléricaliser* de la sorte sans l'appui de représentations qui sous-tendent ce choix.

Grâce à cet appareil de socialisation qu'ont été l'école et le collège, le clergé s'est imposé de plus en plus, au gré de générations successives qui progressivement ont dû oublier leurs origines plus laïques. C'est ainsi que d'idéologique, la vision cléricale du monde s'est subrepticement insinuée puis imposée dans la culture. Le combat d'hier entre le cléricalisme et le rougisme, qui était de nature idéologique, fait place au consensus sinon à l'unanimité propre aux cultures. Le champ conflictuel est en pratique aboli. Le nationalisme, qu'à l'occasion il a appuyé, dérivait d'un besoin de consolidation stratégique lorsque certaines valeurs traditionnelles se trouvaient menacées : la grande symbiose franci-

1. Les compétences conférées en matière d'éducation et de sécurité sociale aux provinces, par la création de la fédération canadienne (1867), n'ont que renforcé l'autonomie du clergé.

té-catholicité appartient à ce monolithisme garant de l'ascendant social des clercs. Mais ce même nationalisme se devait de prolonger l'aire du non-conflictuel, c'est-à-dire hors du politique, dimension proprement laïque de l'action sociale...

L'apolitisme qui se dégage du nationalisme que nous qualifions de classique — en ce qu'il a traduit parfaitement l'image traditionnelle qu'on s'est fait, autant au pays qu'à l'étranger, d'un Canada français — se situe alors à la jonction de deux impératifs sociaux. En premier lieu, l'Église, en tant que force politique réelle, impose avec le temps une représentation cléricale qui en soi se propose de maximiser sa présence auprès de l'État. De là son insistance à désinvestir l'État du plus grand nombre de compétences possibles. Certains écrits de Mgr Laflèche en sont les témoignages les plus éloquents. Dans la pratique, l'abolition du Ministère de l'Instruction publique en 1875 et l'échec au Conseil législatif, en 1898, du projet de loi qui prévoyait son rétablissement,ne sont là que deux exemples. Dans cet effort de participation (maximisée) au politique où les structures libérales avaient été imposées dans une certaine mesure de l'extérieur, le clergé est réduit à une stratégie de coexistence vis-à-vis des titulaires de l'État. Ici s'insère le second impératif. À défaut d'une structure idéologique totalement cohérente où en somme le politique renverrait aux autres éléments du social selon une hiérarchie propre à un ordre d'Ancien Régime, l'Église se résigne à oblitérer cette dimension plutôt que de la céder aux laïcs. Le modèle idéal aurait été, il va sans dire, une forme de monarchie modérée par les accessoires de temporisation et de contrepoids dont s'était dotée l'ère médiévale.

L'idéologie cléricale s'est donc efforcée d'implanter une vision traditionnelle de la vie sociale: la ruralité à l'ombre du clocher. S'il était possible de réintégrer une conception révolue de l'activité économique en imaginant une réappropriation de la vie agricole et du petit commerce, il était par contre inconcevable de reproduire la structure politique correspondante. L'idéologie se heurtait de front à une pratique libérale avec laquelle il fallait composer. Dans *l'abstrait*, on s'est tout simplement soustrait du champ politique: à l'endroit du public plus instruit, on a proposé un idéal coulé dans un nationalisme apolitique. Dans le *concret*, cette exclusion de principe permettait l'exercice agrandi de l'influence cléricale auprès des gouvernants en se constituant interlocuteur privilégié.

Cette opération stratégique — qui relève d'une dynamique proprement sociale et non nécessairement voulue ou consciemment engagée — a eu certes des conséquences importantes. Le nationalisme qui, règle générale, est essentiellement discours politique, s'est vu confiné au strict social. Ironiquement, la mobilisation cléricale de la petite bourgeoisie de type intellectuel s'est opérée en fonction d'une désaffection du politique. C'est ainsi que cet encadrement idéologique,tout destiné à maintenir en quelque sorte une disposition d'apolitisme, a eu pour effet de regrouper hors du politique une opposition officieuse et tendue vers une expression *symbolique* du conflit avec le libéralisme des *autres* . Cette manoeuvre de dissociation aura eu pour effet de départager deux domaines d'influence : le politique et l'idéologique. Le premier devient par le fait même le monopole d'une formation, quelle qu'elle soit, le Parti conservateur de 1867 à 1888, le Parti libéral de 1897 à 1936, l'Union nationale de 1944 à 1960 (compte tenu des transitions parfois nécessaires), qui l'occupe souvent dans sa totalité. Le second devient progressivement la propriété exclusive d'un nationalisme clérical, *idéologie-carrefour*, qui se loge au strict niveau des représentations, au-dessus de la mêlée. Il est plus souvent qu'autrement opposition au politique, mais hors du politique. À partir de ce moment-là s'opère la scission parfaite qui, à son paroxysme durant l'entre-deux-guerres (en dépit de la fondation de l'Action libérale nationale en 1934), conduit à la cristallisation de structures idéologiques en total isolement de la pratique. Alors se constitue un univers uniquement idéologique, lieu de production du nationalisme classique dont la pensée de Lionel Groulx sera l'expression la plus accomplie.

Si ce nationalisme s'est posé comme idéologie-carrefour d'origine, il a suscité un type d'intervention qui lui a survécu. L'autonomie consacrée du niveau idéologique, propre d'une société divisée dans ses champs d'action, va susciter la configuration de nouvelles représentations en rupture avec l'ancienne orthodoxie, qui essaient tant bien que mal de rejoindre ce réel évacué depuis si longtemps du discours. Elles auront en commun avec le nationalisme classique de polariser, à un moment donné, le milieu intellectuel en leur faveur. Pour cette raison nous les qualifions d'idéologies-carrrefours ; autour d'elles graviteront les éléments progressistes de leur temps. À l'instar du nationalisme, elles monopoliseront chacune à leur tour le réseau proprement idéologique du Québec.

Quelles sont-elles ? Nous estimons qu'il s'en dégage quatre : la *Relève*, le mouvement de la *Jeunesse étudiante catholique* (JEC), *Cité libre* et finalement *Parti pris*. Quatre idéologies qui successivement s'approprient pour un temps donné l'exclusivité du discours progressiste. Quatre idéologies qui ouvrent à leur manière le *débat* sur la place publique. Trente années à tenter de reprendre en main un destin appelé à se réaliser cette fois dans le monde. Il va de soi que d'autres systèmes de représentations, parfois même infiniment plus hardis, se sont manifestés au cours de cette période, mais ils n'ont pas eu la propriété, semble-t-il, de constituer autour d'eux un véritable champ d'attraction. Tout comme il est bien entendu que ces quatre idéologies maîtresses se sont chevauchées dans le temps. Cependant, on peut affirmer, du moins comme hypothèse, qu'elles se sont imposées en succession. La JEC serait la seule susceptible de faire problème de par l'extension de son existence sur les trente années observées ; mais comme point de ralliement idéologique, sa présence s'insère en une durée de beaucoup réduite, en dépit de son influence sur les constructions à venir.

Il y a assurément, en la matière, sujet à discussion sinon à débat. D'aucuns s'empresseront de mettre de l'avant d'autres productions qui, à leurs yeux, ont cristallisé, au même titre, l'intelligentsia. Reformulons, pour plus de clarté, la séquence de nos propositions qui tiennent lieu d'hypothèses (aux fins d'analyse) : nous posons, en premier, qu'il a existé un champ idéologique relativement autonome par rapport à la pratique politique. Nous posons, en second, que ce champ, dissocié du politique, s'est trouvé approprié par une intelligentsia à dominante cléricale. Dissociation sociale et emprise idéologique qui ont correspondu, il va de soi, aux intérêts du clergé. Nous en arrivons, en troisième lieu, au moment où effectivement le monopole clérical s'est brisé à l'avantage des laïcs qui se présentent comme leurs remplaçants. Avant de rejoindre le politique qui depuis un siècle sinon davantage lui est fermé, l'idéologique se défait d'abord de l'emprise cléricale tout en gardant cependant cette propension à se polariser autour d'un discours unique.

Le débat est susceptible de porter sur le bien-fondé de ce monopole idéologique. A-t-il existé d'autres productions idéologiques qui, au cours de la transition des années 30 à 60, ont galvanisé la classe intellectuelle au point de rompre, à un moment donné, le monopole d'une des quatre principales idéologies retenues? Il y a là matière à appréciation qui, nous en convenons, n'est pas toujours facile à trancher. Il ne saurait s'agir, en premier lieu, de ne s'arrêter qu'à l'aspect diffusion immédiate, comme le tirage brut d'une revue. Les relais ont, en l'occurrence, une grande importance. Que, par exemple, *Parti pris* ait eu ses entrées faciles dans certains milieux étudiants est à retenir. Le halo d'influence est primordial, même s'il est d'appréciation difficile. En second lieu, cette présente idéologique doit s'inscrire dans une lignée progressiste par rapport à son temps. Elle doit, enfin, s'assurer une audience reconnue surtout auprès d'agents en mesure d'en renforcer intelectuellement le contenu. À partir de ces trois coordonnées, il est possible de faire une revue-éclair de la période proposée.

Pour fin de mémoire, il est indiqué de rappeler que, dans le passé, il est demeuré en filigrane des expressions militantes d'avant-gardistes libéraux qui, en leur temps, ont fait figures de radicaux. La revue *Les Idées* (1935 - 1939) et l'hebdomadaire *Le Jour* (1938 - 1946), qui surgissent vers la fin de la crise, renouent avec une vieille tradition libérale. Déjà, avant eux, s'étaient manifestées, à la fin du siècle dernier, des représentations fort militantes comme *La Lanterne* d'Arthur Buies, puis *la Patrie* et *Canada Revue*. Quoique souvent plus audacieuses que *la Relève*, par exemple, ces publications n'offrent pas l'aspect de véritables carrefours intellectuels: *le Jour* gravite, grosso modo, autour d'un seul homme, J-C. Harvey, et à l'autre extrême, *les Idées* regroupe une trop large diversité d'opinions pour prétendre à une quelconque cohésion idéologique. Ni l'un ni l'autre ne sert de lieu d'attraction véritable. Peut-être de rayonnement immédiat plus restreint, *la Relève* sert néanmoins de noyau générateur, propriété dont sont privés ses concurrents[2].

L'après-guerre donne lieu à une variété d'expériences éparses mais à la fois sans structuration très ferme. C'est pour une peinture et une poésie naissantes, la traversée du désert... Dans un quasi-néant sur le plan idéologique où le nationalisme classique est en perte de vitesse et où toute forme de progressisme est tenue en suspicion, la JEC connaît auprès de la génération montante une popularité qui la range à part.

---

2. Durant la guerre paraît *Amérique française*, revue qui par sa présentation pourrait prétendre rivaliser avec la *Nouvelle Relève*, mais déjà les temps ont changé et leurs présences respectives ne sont plus que littéraires.

Sous la protection de l'épiscopat de Montréal, mûrit une jeunesse qui se retrouve quelques années plus tard dans *Cité libre*.

Lieu de rencontre aux multiples relais, *Cité libre* s'assure un rayonnement que ne légitimerait probablement pas son tirage. Elle prolonge son action à la télévision qui, à partir de 1952, offre un nouvel instrument de diffusion dont les collaborateurs de la revue savent se servir. Outre *Cité libre*, il y aurait *le Devoir*. Sous la direction de Gérard Filion, ce journal a combattu, souvent avec beaucoup de courage, les politiques de Duplessis. A-t-il par contre servi de plaque tournante à une idéologie d'avant-garde (pour son époque)? Nous ne le croyons pas. Fidèle à sa tradition, il sert surtout de censeur des moeurs politiques; les années 50 sont pour lui l'occasion d'une campagne de moralité publique engagée sur la scène municipale à Montréal, puis d'une croisade contre l'arbitraire du régime de l'Union nationale. *Le Devoir* renforce, à un rythme quotidien, une opposition qui, auprès d'un public plus averti, trouve son assise idéologique ailleurs, c'est-à-dire, auprès de *Cité Libre* et de son entourage.

Parti pris (1963 - 68) double une *Cité libre* qui, en état de décélération, cède le champ à de plus audacieux. À nouveau, on peut s'interroger sur le rayonnement privilégié dont a joui *Parti pris* en milieu intellectuel. Les années 60 sont fécondes en publications: la revue *Liberté* précède chronologiquement *Parti pris*: en concomitance, s'active *Maintenant*, *Socialisme*, et, plus orientée en terme de mouvement, puis de parti, *L'Indépendance* du Rassemblement pour l'indépendance nationale (RIN). Il y en a bien sûr d'autres: une presse clandestine, la *Cognée* du F.L.Q. D'autres également qui succèdent à *Parti pris*, comme *Presqu'Amérique*, etc. Qu'il s'agisse de *Liberté* ou de *Maintenant*, les deux plus sérieux concurrents à l'ascendant de *Parti pris*, ils ne nous apparaissent pas avoir fait le poids. *Liberté* s'est assigné une vocation surtout littéraire sans se fermer tout à fait au politique. En terme de place, ou encore de position d'influence politique, elle n'atteint pas, nous semble-t-il, un public aussi vaste que l'autre. (Ce n'était peut-être pas non plus dans ses intentions). Ce ne sont pas les tirages, répétons-le, qui serviraient d'indice déterminant, mais davantage le halo d'influence auprès d'un auditoire-relais. À ce point de vue, *Parti pris* y est mieux parvenu que *Liberté*. Quant à la revue *Maintenant*, il est indéniable qu'elle a contribué à raccrocher tout un segment de la tradition chrétienne au mouvement vers la gauche. Elle a servi de trait d'union. On peut dire qu'elle a facilité pour certains un passage ou une adaptation. Idéologie d'appoint, elle ne s'est jamais posée comme fer de lance. Enfin, il y a *Socialisme* qui s'est définie plutôt comme un chantier à l'intention de spéculations plus abstraites. *L'Indépendance*, par ailleurs, n'a jamais prétendu dans les faits supplanter *Parti pris*. Que par la suite d'autres publications ou mouvements aient pu prétendre à sa succession ne nous regarde pas dans la mesure où aucun n'est parvenu à s'affirmer au même titre.

La position privilégiée des quatre idéologies-carrefours étant établie, il demeure à fixer la manière de les aborder. Plusieurs possibilités s'offrent à l'observateur dans la façon d'analyser un système de représentations. Lorsqu'il s'agit d'une revue ou d'un mouvement, le réseau très dense des interventions impose un certain ordre de sélection, un choix méthodologique. À vouloir tout reproduire on risquerait de ne réfléchir qu'une mosaïque sans autre signification que celle laissée par la succession des signes. Au-delà des discours individuels et des divergences qui leur sont propres, au-delà également des circonstances immédiates et même de la conjoncture, nous croyons qu'il est possible de dégager une certaine cohérence, bref, un discours collectif. Il ne saurait s'agir d'une nature supérieure du discours qui en serait pour ainsi dire l'essence... Non. Notre objectif vise plutôt la saisie d'un *produit social* qu'est l'idéologie. C'est-à-dire une structure qui dépasse les circonstances biographiques des intervenants, et même dans une certaine mesure, leurs intentions conscientes.

Qu'on le veuille ou non, cette saisie globale se doit de reconnaître tout de suite sa nature propre de *construit*. Elle est à sa manière, *reconstitution*, discours sur le discours. Construit qui tente de décoder à travers des discours successifs une logique qui les lie, une structure idéologique. Ce faisant il propose un idéal-type, à savoir un profil-type qui *sélectionne* en vue de produire une cohérence qui antérieurement n'était pas apparente. Ici intervient toute la part d'arbitraire qui peut être accusé de ne retenir que ce qu'il veut bien retenir. N'est-ce pas néanmoins le propre de toute interprétation? Pour notre part, nous nous sommes fixé certaines règles de lecture. Puisqu'il s'agit avant tout d'une analyse d'idéologies québécoises nous n'avons retenu que les écrits d'auteurs proprement québécois, c'est-à-dire, socialisés au Québec francophone; en un mot une «fabrication» québécoise. Il n'y a là croyons-nous aucune xénophobie, mais simplement rigueur dans l'identification de l'objet[3]. De même, les collaborations d'occasion ont-elles été jugées d'après leur degré d'insertion à l'esprit de l'ensemble. Toute revue ouvre par moments ses pages à des spécialistes qui n'engagent que leur propre responsabilité et ne sauraient engager la publication qui leur sert de tribune. Il y a bien sûr des cas où parfois la responsabilité est partagée...

L'analyse se veut donc rivée sur un objet socialement défini, celle de quatre idéologies aux contours déterminés. Quant à l'observation de leur contenu propre, elle ne se propose nullement d'en narrer l'histoire, à savoir, les circonstances qui ont amené leur création, les querelles intestines s'il y en a eu, etc. Tout en tenant compte de certains grands virages dans leurs trajectoires respectives, elle entend faire ressortir, en dépit des réorientations et des retournements, quand ils ont eu lieu, la pérennité des grands axes par-delà l'histoire singulière de chacun de ces systèmes. Par contre, nous comptons bien interroger ces systèmes de représentations quant à la classe sociale qu'ils privilégient de par la position qui est assignée aux agents affectés au changement, là où le contenu prend finalement tout son sens.

L'analyse se propose de dégager, au terme de sa démarche, la portée sociale et politique de ces idéologies. Néanmoins les cheminements pour y parvenir seront appelés à varier. Pour *Cité libre* et *Partis pris*, dont l'engagement social est manifeste, le mode d'approche est plus direct : l'interrogation porte très tôt sur l'identification de l'adversaire, puis sur la définition que l'idéologie se donne en quelque sorte d'elle-même vis-à-vis de cet affrontement, c'est-à-dire, la perception d'un « nous » de combat, son assise, et finalement la portée de cette action sur les divers plans social, économique et politique. Cette mise en marche implique une stratégie d'ensemble qui révèle les points d'appui sociaux auxquels les agents-porteurs se réfèrent, ou plus précisément, les intérêts à la défense desquels ils se portent consciemment ou non. Dans le cas de *la Relève* et de la *JEC*, la manière de les aborder est un peu différente. Moins combattantes, ces idéologies gravitent autour de conceptions sur

3. Retenir par exemple les propos d'Emmanuel Mounier dans *la Relève* ne constituerait finalement qu'un emprunt fort contestable. Le fait d'ouvrir ses pages à cet auteur a certes une signification importante. Or, précisément, il sera permis d'évaluer la portée d'une telle intervention étrangère dans la mesure où elle sera relayée ou reprise par des Québécois.

l'homme ; la dimension proprement sociale n'intervenant qu'en second, il est normal dans un premier abord de consacrer davantage à cette même conception, quitte à mettre ces systèmes de représentations en demeure de produire un humanisme à contenu social. Les premiers déblocages amorcés par *la Relève* et la *JEC* constituent des percées ayant pour objectif l'homme en situation sociale relative, tandis que le discours tenu par *Cité libre* et *Parti pris* s'articule plus immédiatement au social comme objet de référence. Il y a donc pour chacune des quatre idéologies observées des variantes dans le mode d'observation. Cependant, elles sont toutes soumises, en dernière analyse, à la même interrogation quant à leur saisie du social et du politique.

Ces idéologies-maîtresses sont entendues comme succession l'une par rapport à l'autre, et aussi comme enchaînement et mouvement. À cet égard, elles constituent une séquence en progression. *La Relève* et la *JEC* font figure de pionnières ; aussi sont-elles plus exposées à la réprobation cléricale. Pour s'en défendre elles recourent à ce que nous convenons d'appeler le *visa* idéologique, sorte de sauf-conduit qui permet d'échapper à la sanction de l'orthodoxie. Le *visa* sert à légitimer une rupture importante dans l'ordre des idées ; nous verrons qu'il peut prendre des formes diverses : emprunts à des mouvements ou des personnalités catholiques de l'étranger, reconnaissance ecclésiastique de l'action engagée etc. *Cité libre* et *Parti pris* incarnent par contre une plus grande plénitude dans l'expression ; avec ces deux publications, la laïcisation se veut plus ferme et conduit à l'éclatement ultérieur du niveau exclusivement dévolu à l'idéologique.

Trois des quatre idéologies retenues, se rapportent à un discours écrit, fini, donc immédiatement identifiables en termes de contenant. Ce sont des revues accessibles à quiconque en bibliothèque. Il en est tout autrement de la *JEC* qui, mouvement, ne dispose pas d'un discours-témoin exhaustif et reconnu comme tel. Pour pallier cette lacune nous avons consulté ses archives qui nous ont été d'ailleurs spontanément ouvertes[4]. Nous avons retenu les éléments qui nous ont paru les plus significatifs : publications officielles, procès-verbaux, documentation de travail, échanges, etc., exception faite de la correspondance personnelle (qui de toute manière était remisée en un lieu inaccessible).

---

4. Nous remercions le secrétariat de la *JEC* d'avoir si aimablement mis ses archives à notre disposition. Sans cet accès, il nous aurait été impossible de « couvrir » ce volet si important dans la formation d'idéologies ultérieures.

Quelques entrevues ont finalement servi à nous assurer de la juste représentativité de certains textes. Il faut noter cependant que ce n'est pas l'action comme telle que nous avons retenue (quoiqu'une étude de celle-ci s'imposerait), mais *l'image* qu'on s'en est faite en tant qu'idéal ou projet.

Dans l'ensemble, répétons-le, nous nous sommes attaché à découvrir la structure logique de ces représentations eu égard à leur insertion sociale, mais sans égard à la conscience (ou non) que les principaux acteurs aient pu en avoir.

Chapitre premier

Les idéologies pionnières : la Relève et la JEC

Les idéologies pionnières : la Relève et la JEC

La Relève

Un produit de la crise

La Relève doit sa raison d'être à un refus. Elle est en premier lieu rupture avec son entourage idéologique. Cette revue se présente comme l'expression d'une nouvelle génération, celle de la crise. Jeunesse d'abord inquiète. Inquiète de son destin, de l'insertion de l'homme dans son histoire. Elle se définit d'emblée en fonction du monde et non plus d'après les frontières de la petite patrie. C'est ainsi que dès ses origines, *la Relève* n'aura que très peu en commun avec cette autre expression de la génération montante que furent les Jeune-Canada. Le recul du temps permet aujourd'hui de mesurer toute la distance qui sépare dès leurs origines ces deux rejetons de la crise. Le mouvement des Jeune-Canada ne fut jamais plus qu'une tentative réussie ou ratée de ressaisir le Canada français selon l'équation du nationalisme classique de son temps ; aussitôt que prend forme l'Action libérale nationale, son rôle va en s'estompant. Il en est bien différemment de *la Relève* qui, moins tapageuse, aura certes une influence beaucoup plus profonde et durable.

Sous la direction conjointe de Robert Charbonneau et Paul Beaulieu, la revue paraît pour la première fois en mars 1934 ; elle se poursuit sous la même étiquette jusqu'à l'été 1941, après quoi, transformée sous le titre de *Nouvelle Relève*, elle adopte une facture plus littéraire ; elle cesse de paraître à l'automne 1948.

Isolée des autres mouvements de son époque, parfois attaquée avec une certaine violence par une autre jeunesse un peu plus pressée qu'elle... [1], *la Relève* opère au Québec un changement important dans l'orientation des choix idéologiques à venir. C'est à ce titre que nous l'abordons et non en tant que pièce de musée dans notre histoire récente ou encore à titre de vague précurseur. On retrouve dans ce mouvement un bon nombre des éléments premiers qui composeront les représentations appelées à lui succéder, à commencer par celles de *Cité Libre*.

Refus et angoisse, la revue amorce sa réflexion en scission parfaite *à cet égard*, avec le réconfort qu'apportait la tradition au nationalisme de son époque. Elle intente en premier lieu un procès à l'homme et à son produit qu'est la société. C'est par le biais d'un humanisme idéaliste qu'elle pose sa problématique. Il s'agit en somme de regénérer l'homme à partir d'un diagnostic approprié. Ainsi, lui est-il aisé de dégager les grands axes du mal: conjugaison de matérialisme et de rationalisme suscitée par un individualisme forcené, lui-même issu de la Renaissance. Le *bourgeois* en serait l'incarnation vivante dans notre milieu. Mais il y a davantage puisqu'il s'agit bien d'une crise de la civilisation tout entière. Les prédécesseurs de *la Relève* s'étaient volontiers portés à l'offensive contre les valeurs libérales véhiculées en particulier par la Réforme. Ce qui la distingue d'eux c'est, à n'en pas douter, cette *implication* « au monde ». *La Relève* ne se pose pas en juge au-dessus du monde (quoiqu'elle le fasse parfois), elle est «au monde», ou enfin, tente-t-elle de l'être. Et à ce titre, elle brise avec la tradition du milieu qui se contentait d'expédients idéologiques et de solutions de repli. La revue propose en quelque sorte un vécu à partager qui se traduit par une inquiétude, sinon une angoisse.

Quelle est cette angoisse? D'abord, elle repose sur une communauté de situation. L'homme présent serait engagé dans un engrenage qui le nie. À l'origine de la revue, l'exposé est passablement bref à cet égard. On se contente d'évoquer un état de décomposition sociale sans en

1. En riposte à une critique de Robert Charbonneau contre *Jeunesse* de Jean-Charles Harvey, publiée dans la collection « Cahiers noirs », Jean-Louis Gagnon saisit l'occasion pour attaquer vivement *la Relève*. Celle-ci lui rendra d'ailleurs la réplique. Robert Charbonneau, « Les Cahiers noirs », 2e cahier, 2e série, octobre 1935, pp. 56-58; Jean-Louis Gagnon « Lettre à Charbonneau », *Les Idées*, Vol. III, no. 1, janvier 1936, pp. 43-54; Robert Charbonneau « Réponse à Jean-Louis Gagnon », 6e cahier, 2e série, février 1936, pp. 163-165; Jean-Louis Gagnon, « Deuxième lettre à Charbonneau », *Les Idées*, Vol. IV, no. 3, septembre 1936, pp. 159-168; Pierre Mackay Dansereau, « Lettre à Robert Charbonneau », 2e cahier, 3e série, décembre 1936, pp. 58-62.

préciser la nature. C'est l'individualisme en vrac que *la Relève* condamne. On le cerne d'abord auprès de soi, c'est-à-dire ancré dans son entourage social immédiat : la bourgeoisie. Là se révèlerait le libéralisme qui se consume dans le matérialisme, point de référence à ce désordre envahissant.

Au gré des années, certaines constatations apportent des précisions sur cette condition de l'humanité en état de crise. Le constat amorcé vers 1937 rend compte d'une jonction possible dans l'avenir avec une pratique économique mieux circonscrite. Le *travail* comme lieu de la production de l'homme sur lui-même commence à être reconnu, un peu timidement, il va sans dire. C'est un nouveau visage de l'homme qui subrepticement s'insinue dans cette pensée par le truchement d'une démarche pourtant idéaliste dans ses intentions les plus profondes. Ainsi, Robert Élie, déjà touché par l'esprit de la communion comme finalité idéale du social, et Guy Frégault, recrue d'une espèce de seconde vague, sont entraînés par leurs lectures et leur évolution propre, à finalement atteindre un niveau somme toute plus concret d'analyse : l'homme et sa réalisation ou sa négation dans le travail.

Il ne sera cependant question que d'un homme campé selon des axes universels. Ces auteurs s'arrêtent en somme sur des caractéristiques de l'homme universel en situation de travail. Déjà, est-il nécessaire de le noter, la progression est notable puisque auparavant le milieu idéologique se préoccupait au contraire de démontrer le caractère hautement original, pour ne pas dire transcendant, de l'activité agraire (comme lieu privilégié de réalisation) qui était censée revenir au Québécois respectueux de sa vocation de peuple élu. Tout, en réalité, contribuait à retirer les nôtres des axes universels et du mouvement suscité par l'industrialisation, au profit d'une marginalité soigneusement entretenue. Or, replacer le Québécois dans l'humanité, et par surcroît dans l'humanité laborieuse, c'était rompre avec une tradition bien établie. Le double pas que *la Relève* franchit de la sorte constitue alors un bris.

Au fond, Robert Élie et Guy Frégault s'attachent à récupérer l'homme, à le sortir d'une *impasse*. Ce faisant, ils se rapprochent bien sûr de leurs aînés qui se préoccupaient de relever la société québécoise en la soumettant à un modèle de référence puisé dans le passé. Toutefois, ils s'approchent plus que quiconque avant eux d'un *donné* social. Ils tentent, pour tout dire, de cerner un rapport qui leur échappe largement, celui du lien même que provoque le travail : ils s'arrêteront à une appréciation métaphysique de l'homme générique en situation de travail, celui qui ne se retrouve pas dans ses oeuvres :

> Qui aujourd'hui, demande R. Élie, *vit* par son travail de l'industriel au petit employé et à l'ouvrier ? Pour qui le travail est-il autre chose qu'une corvée pénible et stérile qui asservit pour toute la vie à gagner et à garantir ses titres qui n'a de fin que dans une vie intime préservée de la misère des autres, et séparée de la vie...[2].

Dans le même ordre de réflexion, Frégault propose de mettre la machine au service de la personne humaine. Chez lui, par contre, la démarche s'articule par voie de disjonction : c'est ainsi que le machinisme sous l'impulsion du capitalisme conduirait à un clivage entre la production axée uniquement sur le profit comme régulateur et, d'autre part, la consommation. Le capitalisme lui-même est dans le même souffle identifié comme « force de désintégration et de dissociation sociale ». Le « système machinique » serait né en effet de la « dissociation des rapports humains, elle-même conséquence du capitalisme »[3]. Ce système tirerait son origine du divorce de l'esprit et de la matière...

> Il faut que soit brisée la structure inhumaine d'une civilisation qui, pour le primat de l'argent sur l'humain, l'institution du salariat et la prolétarisation généralisée, sépare l'homme de son oeuvre, coupant, par là même, son activité démiurge de toute racine spirituelle et affective[4].

Le lecteur atteint avec ces dernières lignes le point le plus rapproché de la pratique économique. On voit bien que l'observation s'en tient à un constat portant sur des objets sociaux encore indistincts, ou à peine différenciés. Dans le même sens, Robert Élie exprime sa pensée en termes d'une classe, la plus nombreuse, qui est sacrifiée au profit de la prospérité bourgeoise. Néanmoins, la question principale pour lui se pose tout autrement, car il s'agit plutôt de savoir à qui le travail n'est pas un péril mortel pour la « vie intérieure » ?

---

2. Robert Elie, « Espérance pour les vivants », 3e cahier, 3e série, janvier-février 1937, p. 79.
3. Guy Frégault, « Au-delà du machinisme » (commentaire à propos du livre du même titre, par Marcel Marcor, *La Relève*, 7e cahier, 2e série, novembre-décembre 1938, pp. 206-207)
4. Guy Frégault, « Le travail et l'homme », 3e cahier, 4e série, mars 1938, p. 76. (commentaire d'un ouvrage de E. Borne et F. Henry du même titre).

L'état de l'homme conditionné, littéralement assujetti, est celui-là même qui s'impose comme modèle-type de notre civilisation[5] : il surgit en fonction d'une subordination bien identifiée, au niveau privilégié de la conscience. L'analyse s'en tient pour cette raison au *sort* réservé en particulier à l'ouvrier, comme *destin* singulier ou singularisé, comme *histoire* particularisée. Le travail à la chaîne et les loisirs abrutissants éloignent l'ouvrier de sa réalisation comme homme. La démarche s'éloigne, comme il est permis de le constater, d'une conception de classe, ou encore d'une perception de société en tension ou encore en lutte. L'ouvrier est constamment abordé comme un cas singulier en communauté de situation avec d'autres, mais susceptible de rachat seulement par son appartenance à l'humanité, collectivité de référence quasi unique. *La Relève* tente en définitive de réintégrer l'ouvrier à l'universalité de l'homme. C'est sa seule préoccupation véritable : une réhabilitation de l'homme où qu'il soit.

À l'origine, la revue penchait plus spontanément vers certaines solutions du cru : Paul Beaulieu pouvait ainsi proposer le retour aux valeurs éprouvées : la famille, la propriété, la patrie. La famille était censée susciter l'échange entre les êtres alors que la propriété devait permettre de recouvrer «ce foyer de vie» et aider à «la collaboration dans la conquête des forces de la nature». Quant à la patrie, pièce assez négligée de cet ensemble, elle ouvrait sur une communion plus ample[6]. De manière encore plus concrète, Roger Duhamel renforçait la fonction régénérescente de la corporation. Plus globalement, la revue faisait sienne, en ces années, la vision médiévale remise à la mode par Berdiaeff, aspiration vers une réconciliation entre le spirituel et le temporel.

Sans nier ces antécédents, *la Relève* évolue tranquillement vers une conception moins tournée sur le passé — du moins en apparence — mais tout autant absorbée par une intention de *totalité* dans l'ordre des questions et des réponses. *La Relève* entend s'attaquer à l'ensemble du phénomène comme réalité indifférenciée car c'est toute une civilisation

---

5. Robert Elie écrit dans «Espérance pour les vivants», 3e cahier, 3e série, janvier-février 1937, p. 78 :
«Société construite avec des morts, des hommes prêts à tous les consentements pourvu qu'on ne leur demande que d'abdiquer leur volonté personnelle devant une volonté collective, ou devant les suprêmes décisions d'un chef».

6. Paul Beaulieu, «Orientations» *La Relève*, 2e série, 3e cahier, novembre 1935, pp. 94-95.

qu'on préfère ainsi viser et condamner sans retour. La globalisation du mal est ici nécessaire ne serait-ce que pour donner accès à un contre-projet aussi global qu'indifférencié. L'erreur à la source de ce mal multiforme étant censée s'expliquer par une méprise sur l'homme et sur sa fin, méprise qui aurait suscité l'exercice d'une pratique économique et politique hautement répréhensible, il conviendrait tout naturellement d'opérer un revirement dans les esprits. Il faudrait en quelque sorte renverser le cours de l'histoire.

> L'ordre nouveau, écrit Guy Frégault, doit restaurer la personne dans sa dignité... L'ordre nouveau est personnaliste, c'est dire qu'il se situe d'un seul coup aux antipodes de toute forme d'impérialisme : celui de la race, de la nation et de l'État (fascisme de droite) ; celui de la classe et de l'État productiviste (fascisme de gauche), celui du tube digestif et des banquiers (exemple typique : l'impérialisme britannique)[7].

Ce refus des divers impérialismes pré-cités s'inspire à n'en pas douter de la problématique sociale que Emmanuel Mounier avait déjà introduite au mouvement Esprit. Là où cette prise de position par contre prend du relief, c'est eu égard à son recul par rapport à la « race » et à la nation. Face au nationalisme traditionnel, la revue prend ses distances, distances qui, comme il y aura lieu de le constater plus loin, vont aller en s'agrandissant.

Dans un ultime effort, *la Relève* présente en 1936 une livraison spéciale consacrée tout entière à ce problème sous le titre de «Préliminaire à un manifeste pour la patrie». À cette occasion, la direction tente de situer le problème en fonction déjà d'un ensemble idéologique beaucoup plus vaste. En vérité, cette tentative parvient presque à démontrer, à son corps défendant, l'irréductibilité de sa démarche humaniste (aux implications universelles) à un nationalisme un peu étriqué et aux résonances singularistes. Robert Charbonneau condamne d'ailleurs toute intention d'insérer le mouvement dans une dynamique messianique de type classique au Québec. Dans cet ordre d'idées, Guy Frégault

7. Guy Frégault, Lettre à *La Relève*, 1er cahier, 4e série, janvier 1938, p. 28. Robert Elie (dans « acte de présence », 7e cahier, 4e série, novembre-décembre 1938, p. 199) rejoint Frégault : « Il faut aimer le monde. Les fascismes et le communisme le condamnent, s'en détournent et se cherchent une réalité ! Les libéraux l'ignorent et pleurent sur eux-mêmes dans l'intemporel. Nous, nous saurons reconnaître ce pauvre ; l'éternel pauvre qui lève son regard sur ceux qui l'aiment et les ravit ».

désapprouve explicitement ces appels répétés au chef-sauveur. C'était de toute évidence se poser en contre-pied des aspirations fortement nationalistes de l'intelligentsia québécoise. Dans son opposition au « cheffisme », l'auteur pousse beaucoup plus loin que bien des libéraux qui se contentaient de pourfendre l'aspect strictement autoritaire du phénomène. Il lui donne au contraire une amplitude humaniste: à partir de l'illusion que suppose l'aspiration au chef garant d'une sécurité et d'un confort intellectuel tout autant que moral, l'auteur met en lumière le conformisme et l'aveuglement dont les adeptes seront les premiers à faire les frais. Au nom de la condition humaine, de l'accomplissement et du dépassement de l'homme par lui-même, Frégault écarte la solution séduisante à l'époque de s'en remettre à un sauveur national. Tout le danger d'embrigadement reposerait sur cette *unité* artificielle réalisée dans la personne, sous l'égide du chef[8]. En revanche, comme l'annonce l'auteur à la suite de tant d'autres avant lui à la revue, le marxisme n'offre aucun attrait.

Effectivement, la solution marxiste est d'office exclue: l'« homme total » proposé par le communisme « matérialiste » et « tyrannique » est dit étranger à la personne. D'après une démarche opposée au marxisme, la revue propose plutôt de renverser la vapeur. Et pour ce faire il faudrait opérer une révolution. Tout le problème repose alors sur la nature de cette révolution. L'affranchissement se trouverait dans un homme nouveau régénéré de l'*intérieur*. Il revient encore à Guy Frégault d'exprimer en quelques mots bien synthétisés la stratégie humaniste et idéaliste du mouvement :

> Une révolution n'en est pas une qui n'est pas spirituelle. Une révolution est sanglante dans la mesure où elle est mal préparée, dans la mesure où il y a, à sa base, un défaut, une carence de l'esprit[9].

L'esprit, (le spirituel), doit regagner sa primauté sur les autres ordres de valeurs : qu'ils soient sociaux, économiques ou politiques. C'est ainsi que la revue propose comme issue, une *mystique*. Mystique qui demande d'être explicitée pour être bien comprise.

La tangente presque naturelle serait d'interpréter cette démarche

---

8. Guy Frégault, « Du côté des chefs », 10e cahier, 4e série, janvier 1940, pp. 311-314.
9. Guy Frégault, Lettre à *La Relève*, 1er cahier, 4e série, janvier 1938, p. 27.

comme tout à fait compréhensible dans le milieu saturé de religion qui était celui de *la Relève*. Explication qui pour plusieurs ne susciterait aucune objection. N'est-il pas tout à fait attendu qu'une tension idéologique suscite un retour en arrière, une récupération de valeurs susceptibles de garantir la stabilité d'une structure ébranlée? Or, en dépit des apparences, la preuve est loin d'être faite. Aussi surprenant que cela puisse sembler, les attitudes du milieu ne sont pas autant propices à la mystique qu'on serait en droit de le croire. Il serait évidemment très long d'entreprendre une démonstration en bonne et due forme. Aussi, ne le posons-nous qu'en termes d'hypothèse à savoir que: 1) rien encore ne permet de conclure à l'émergence naturelle d'une mystique au Québec à partir des éléments religieux pré-existants, compte tenu du fait que: 2) au contraire, les représentations religieuses se sont constamment cramponnées à des *rites* rassurants, à des formules ou des recettes de salut. Tout, en revanche, incitait à se garder de quelque aventure que ce soit, serait-ce même au niveau des représentations. La fixité de ces dernières, même en matière religieuse, servait de contre-fort à une structure idéologique préoccupée au maintien de valeurs qui constituaient l'*image* d'un passé déformé à loisir, mais constamment retenu comme seule référence valable à notre identité collective et garant de l'emprise cléricale aux divers niveaux de la socialisation (l'éducation constituant la pièce maîtresse) au Québec. Voilà comment, en constraste avec la rigidité des valeurs reçues, l'aventure mystique de *la Relève* se situe en rupture avec le milieu.

La mystique nationaliste propre à Lionel Groulx, celle-là aussi en son temps perçue comme audacieuse, mais plus respectueuse des canons de l'orthodoxie, fixait un idéal lointain, donc peu compromettant pour le présent, et proposait l'exaltation des âmes vers la réalisation d'un mythe historique qui venait consacrer notre être collectif en fonction de dispositions propres à nos ancêtres. *La Relève* à cet égard rompt dans ses aspirations profondes avec cette vision étroite du Québécois. Elle est dans ce sens éclatement au monde. Contrairement à la pensée conservatrice qui voit en l'homme une diversité d'êtres selon les sociétés qui les construisent[10], le mouvement recherche plutôt à travers cette inquiétu-

10. Joseph de Maistre affirme qu'«... Il n'y a point d'homme dans le monde. J'ai vu dans ma vie, poursuit-il, des Français, des Italiens, des Russes, etc ; mais quant à l'homme, je déclare ne l'avoir rencontré de ma vie; s'il existe, c'est bien à mon insu». *Considérations sur la France, Oeuvres complètes*, tome I, Lyon, Librairie générale catholique et classique 1891, p. 74.
Lionel Groulx, au XXe siècle souscrira entièrement à cette conception du social.

de partagée par tous, une mystique à l'intention de tous. L'essentiel n'est plus dans le repli de sociétés compartimentées, mais dans *la* société des hommes.

Or c'est au stade de la réalisation de l'homme et,nous devrions dire, au stade de son affranchissement *par* et *dans* la société que *la Relève* freine sa mystique au point de la loger au strict niveau de la communauté des âmes. Souvenons-nous bien que c'est une civilisation que la revue juge et condamne ; c'est aussi par conséquent « la » société dans laquelle les auteurs sont insérés et se perçoivent comme tels. Mais rendue au stade de l'action dans le social, la revue s'oriente sur une piste individualiste dans ses conséquences, en dépit de ses appels multipliés en faveur de la communion. La revendication à la communion n'est point fausse, elle n'est que fort restreinte. Car au lieu de déboucher sur une solution collective comme antidote à une crise, sinon à une angoisse subie, elle, collectivement, *la Relève* adopte une vision asociale du relèvement de l'homme ; elle se rabat sur une conversion individuelle des personnes.

La revue propose une rédemption des âmes, et c'est bien en termes religieux qu'elle compte réaliser sa *révolution*. Elle innove au plan religieux dans la mesure où elle introduit une valeur mystique qui était en somme inexistante au plan des expressions ouvertement affichées dans le milieu. Ce sont des laïcs qui, en la matière, ouvrent la porte aux clercs. Par le biais donc de sa formation religieuse, la revue puise son renouveau là où elle se devait de le trouver, c'est-à-dire auprès d'*un* catholicisme, un catholicisme français.

La France au cours de cette période sert encore de société de référence. Que ce fut dans le passé pour défendre au XIXe siècle la séparation de l'Église et de l'État, l'émancipation des tyrannies d'où qu'elles viennent, bref les libertés dites fondamentales, ou encore que ce fut à l'inverse pour légitimer un étroit ultramontanisme ou un nationalisme traditionnaliste, la France a presque toujours servi de point d'ancrage, mais de différentes manières. La distinction portait, il va sans dire, sur la France à laquelle on se référait. Les uns identifaient la France au mouvement, cette France que des notables de profession libérale avaient confectionnée au gré des affrontements avec la tradition où l'influence du siècle des lumières n'était pas négligeable ; les seconds, dont le nombre s'accrut avec le temps, Tardivel, Bourassa, Groulx etc., voyaient dans la France d'hier, celle du classicisme et souvent du

Moyen Age, un *ordre* à recouvrer, précieux trésor dont la Providence nous aurait pour ainsi dire rendus légataires, mission de sauvegarde, de prolongement. Ces derniers auteurs percevaient en cette fille aînée de l'Église, une société dévoyée ; il revenait aux nôtres de rétablir dans une certaine mesure ce que plus de deux siècles avaient dévasté.

Pour *la Relève*, il ne s'agit point d'opter pour l'une ou l'autre de ces deux versions opposées et irréductibles de l'Hexagone, ou encore de tenter une résolution des contraires. Un peu à la manière des libéraux d'autrefois, ceux qu'on a appelés les rouges, qui au siècle dernier faisaient appel à des principes élaborés en France, la revue, dans la mesure où elle est progressiste, s'inspire de certains mouvements français sans vouloir reconstituer une image de la mère-patrie susceptible d'être reproduite au Québec. Au lieu de s'enfermer à l'intérieur des horizons bloqués de la droite monarchiste française, *la Relève* participe à la France de la remise en question. Cette tentative apparaîtra certes timorée, mais il n'en demeure pas moins que cet effort de *la Relève* marque pour la première fois depuis de nombreuses décennies un recours au pays d'origine en vue d'une interrogation sur soi plutôt que d'une consolidation de notre identité collective. Cette ouverture occasionnée par la crise remet en cause le repli sur soi qui avait immobilisé nos idéologies depuis la victoire de l'ultramontanisme.

Il semble probable que ce processus réponde à un jeu dialectique d'action-réaction ; la crise économique de par sa nature éveille chez les jeunes un doute sur la validité des représentations anciennes, et en contrepartie, toute une littérature en provenance d'outre-mer contribue à provoquer ce doute. La jonction devra se réaliser là où le rapprochement est le plus propice, c'est-à-dire entre l'angoisse totale et l'assurance garantie par un support religieux.

Ici intervient l'hypothèse des *visas idéologiques* qui dans notre esprit rendent possible en un encadrement clérical l'accès à d'autres valeurs. *La Relève* parvient à s'affranchir de l'orthodoxie cléricale et nationaliste de son milieu grâce à la caution morale qu'offre le catholicisme français. Il y avait toujours le recours possible à la rupture totale d'avec l'orthodoxie, mais ce faisant, la revue se serait plongée dans la marginalité la plus absolue ; par ailleurs, cette option n'a jamais été envisagée par elle ; c'était de toute évidence extérieur à ses schèmes. C'est donc en vertu de la légitimité garantie par un catholicisme plus universel — en l'occurrence l'aile progressiste française — que *la Relève* débouche sur une problématique élargie de l'homme en société.

Certaines valeurs interviennent cependant pour faire écran à une ouverture plus grande ou encore totale. Même à l'intérieur d'une vision catholique, la revue fait intervenir des considérations prétendument thomistes qui ont pour rôle d'atténuer l'élan premier, et ce faisant, d'établir une hiérarchie rassurante propre à confiner la mystique à l'étage supérieur là où elle n'engage ni ne compromet le social. L'homme intérieur se place comme *origine* et *fin* de sa réflexion. La fin rejoint l'origine en ce sens que la trajectoire poursuivie forme une boucle dont l'homme, en dépit de sa fusion à la communion, est reconnu comme point d'aboutissement dans le cheminement de l'esprit. La pratique sociale sera toujours envisagée comme *seconde* et comme simple conséquence de principes qui, extérieurs à elle, la dirigent comme leur émanation : le social, l'économique et le politique sont saisis comme les appendices d'une pratique spirituelle. Celle-ci se pose comme largement sinon complètement marginale au travail de la société sur elle-même. Pour cette raison, le lecteur chercherait en vain dans cette publication une étude à peine valable sur les problèmes posés par la crise. Entendue comme événement d'ordre moral d'abord, puis secondairement d'ordre économique, et enfin d'ordre socio-politique dans ses rebondissements, la crise n'est envisagée qu'à la manière d'un vague problème de civilisation qui devrait se résoudre grâce à un réaménagement dans la hiérarchie des valeurs entendue comme vécu personnel[11]. À ce titre, *la Relève* se distingue des autres idéologies au Québec en ce qu'elle renvoie *immédiatement* à l'homme en tant que conscience, c'est-à-dire, en tant qu'*évaluateur* habilité à se prononcer sur sa situation ; position bien différente du schéma classique qui prévoyait un *retour* pur et simple à des aphorismes de sens commun ou encore à des principes véhiculés par la tradition. Par voie de contraste, les recommandations d'un Henri Bourassa qui prescrivait la tempérance (en tout), la justice et la charité comme remèdes à la crise économique[12], de même que les affirmations constamment reprises par les nationalistes à savoir que la crise était

11. Claude Hurtubise écrit que : « La misère n'est pas une question politique comme le dit Daniel-Rops, elle est une question de révolution, mais il faudra beaucoup d'amour de Dieu et des hommes à ceux qui la feront. En définitive, la misère est une question du spirituel », dans *La misère et nous* de Daniel-Rops, *La Relève*, 2e série, 7e cahier, mars 1936, p. 201.
12. Henri Bourassa, *La crise... trois remèdes*, Québec, l'Action sociale 1932.

nationale avant toute chose, révèlent l'écart qui les sépare de la vision de *la Relève* tournée vers une réalisation plus proprement humaniste. Que la morale y ait occupé néanmoins une place de choix, il ne fait aucun doute.

Appelée à remettre l'homme en question, et l'homme comme action sur le social, *la Relève* restitue progressivement la personne à sa propre conscience, en espérant des conversions singularisées qui n'atteignent la communion qu'en esprit. Cette communion retenue dans de hautes sphères éthérées ne pénètre donc jamais le social. Celui-ci se conforme toujours à un *ordre* qui n'offre strictement rien de nouveau. La question qui vient alors spontanément à l'esprit est de savoir pourquoi on en est demeuré au stade d'une universalisation de situations retenue à l'intention des *individus*. C'est à la jonction (propre à l'analyse) entre les représentations et la pratique sociale que se révèle le point de freinage. Laissée à sa dynamique propre, la communion comme solidarité reconstituante est théoriquement susceptible de se prolonger dans la prise de conscience que font les participants dans l'appréciation des faits sociaux. Le cran d'arrêt ne peut donc se situer qu'au niveau des intérêts propres à une *position* sociale. *La Relève* se refuse donc à compromettre la structure sociale existante. Les intérêts d'une classe ni capitaliste ni ouvrière se font jour : la « révolution » n'est appelée à se réaliser que dans les esprits. Quant au social, dans son ensemble, il est repoussé comme élément accessoire. De l'aveu même de Robert Charbonneau... « à la revue, nous voulions la révolution, mais nous nous sentions sans prise sur la vie » [13].

> Les dîners Chez Stien, en 1934, restaient à la portée de la bourse de jeunes gens que la crise économique avait touchés certes, mais d'une façon oblique, surtout en retardant le moment de leur entrée dans le « struggle for life ». Pendant que nous hésitions ainsi au seuil du travail, nous profitions des loisirs que nous laissait notre situation d'hommes en marge pour poursuivre nos études et faire l'apprentissage du monde [14].

Le renouveau est proposé par une génération, celle de la crise, issue d'une classe sociale, qu'à défaut de mieux on pourrait désigner comme une bourgeoisie de profession libérale dont il est permis de croire qu'elle

---

13. Robert Charbonneau, *Chronique de l'Âge amer*, p. 23.
14. Robert Charbonneau, *ibid.*, pp. 9-10.

fondait sa position sur le respect d'un certain étagement du social. En termes concrets, sa perception du social conduit *la Relève* à tenter de rétablir, d'après un ordre ancien, un état de choses détérioré, c'est alors le recours spontané à une structure mentale traditionnelle, c'est-à-dire le rétablissement de *la* hiérarchie dans l'ordonnancement du temporel. Il n'y a donc dans cet univers rien de la mystique ou de la communion, mais plutôt une recherche un peu crispée vers des formes rassurantes. Bref, la révolution est appelée à se dérouler dans les esprits et non dans les rapports sociaux.

La Nouvelle Relève produit de la guerre

Produit de la crise, *la Relève* se transforme à l'occasion de la guerre en *la Nouvelle Relève* et adopte à cette occasion une facture nettement plus littéraire. Ce passage est révélateur puisqu'il signifie non pas un retournement de la revue par rapport à ce qu'elle a été, mais à la fois un prolongement et, dans l'immédiat, une retraite stratégique vis-à-vis de la guerre et de ses conséquences au Québec.

Est-ce pure coïncidence ? Les livraisons se font carrément irrégulières dès l'automne 38, c'est-à-dire avec Munich. Et il en sera ainsi jusqu'à sa métamorphose (septembre 1941) en *la Nouvelle Relève* qui se trouve renflouée par la collaboration d'auteurs français évincés de leur pays quelques mois auparavant. Au-delà des problèmes possibles de publications, de mutations d'auteurs affectés à d'autres occupations etc., il y a lieu de croire à une période d'incertitude entre 1938 et 1941 suivie d'une autre qui de 41 à 45 marque au contraire une voie *en apparence* mieux tracée. L'après-guerre constitue une sorte de dernière étape qui va de 1946 à 1948, année de sa disparition.

Avec la montée des périls la revue s'oriente progressivement vers une position de repli sur soi. Cette attitude n'offre, il va sans dire, rien de particulièrement unique puisque, au Québec, la *guerre* impliquait presque automatiquement un réflexe défensif qui renforçait chez les nôtres une forme de recroquevillement. Dans le passé, Bourassa a symbolisé on ne peut mieux cette démarche qui revendique l'autonomie canadienne pour se retourner plus attentivement sur des valeurs traditionnelles à faire perdurer. Il en est de même à l'occasion du deuxième conflit mondial, alors que le Bloc populaire reprend le flambeau à la suite du

« non » collectif prononcé lors du plébiscite de 1942. À l'instar de son environnement intellectuel, *la Relève* engage une opération de repli dès lors que l'atmosphère politique prend des allures de plus en plus bellicistes à l'extérieur.

La guerre — première phase et agonie de *la Relève* formule initiale — s'inscrit en prolongement de la crise qui fut à l'origine de sa réflexion. L'anticipation du conflit est jugée en fonction des interrogations qui évaluaient la crise et ses séquelles. À partir de 37, certains articles font référence à la guerre : l'Éthiopie, l'Espagne, puis la Chine et le Japon, enfin Munich... La livraison d'avril 40 intitulée « La guerre et la justice » rend bien compte d'une évolution des esprits. Dans la tradition bourassiste, le terme « justice » aurait renvoyé, on le sait, au droit qui nous revenait de nous soustraire des conflits externes à notre sécurité en terre d'Amérique. Dans le cas présent, le terme ouvre sur un tout autre horizon. L'interrogation porte sur le *sens* de la guerre dans ses résultats ultimes c'est-à-dire, dans le retour de la paix. Pour leur part, Bourassa et sa suite remettaient en cause la guerre comme instrument d'expansion coloniale ou encore de protection de l'empire. On était habitué depuis le début du siècle, avec la participation canadienne au conflit du Transvaal, à se situer en opposition au phénomène guerre dans la mesure où il signifiait pour nous un coût humain et financier. Cette fois-ci, alors qu'on en est encore au stade de la drôle de guerre, à la veille même des grandes invasions hitlériennes en Europe occidentale, *la Relève* soulève si on peut dire le problème de la paix. Claude Hurtubise parle ainsi de « gagner » la paix ; cette paix, elle s'obtient, écrit-il, lorsqu'elle se fonde sur une « justice sociale ». Celle-ci postule une distribution équitable des richesses d'abord à l'intérieur des sociétés puis, par voie de conséquence, entre elles.

> Le paradoxe monstrueux de notre monde, ajoute-t-il, de capitalisme impérialiste, de féodalité financière, c'est qu'à mesure qu'augmentent les conquêtes et l'hégémonie d'une grande nation, l'écart se fait de plus en plus injuste entre les fortunes, les moyens du pauvre n'augmentent pas dans la même proportion que ceux du riche.[15]

Dans l'esprit de l'auteur, il ne fait aucun doute que les « misères sociales » et les « déséquilibres politiques entre classes et nations » seront

15. Claude Hurtubise, « La guerre et la justice », 1er cahier, 5e série, avril 1940, p. 24.

à l'origine du conflit suivant, si au moment de la paix revenue, on ne remédie pas à « l'injustice politique et sociale » qui est une des causes profondes de la présente guerre.

Quant à la participation éventuelle au conflit, *la Relève* s'était déjà prononcée dès la livraison qui avait suivi Munich. Position conforme dans ses conséquences à ses antécédents idéologiques, elle s'éclaire cependant d'un jour bien différent. La revue s'oppose donc au mouvement qui s'amorce déjà en faveur de la guerre, mais au nom cette fois du primat accordé à la « personnalité » et à la « culture » et non plus, comme auparavant au Québec, en vertu de principes nationalistes qui de toute manière passent dans ses schèmes comme postérieurs aux valeurs mêmes de la personnalité et de la culture. Refusant la peur comme ressort de son argumentation, la revue fonde son refus de la guerre sur un *pacifisme humaniste* : une civilisation (celle de l'Europe), affirme-t-elle clairement, ne vaut pas la peine d'être conservée au prix d'effroyables boucheries.[16]

Par contre, il n'est pas sans intérêt de constater la reprise en main de notre mission en cette terre d'Amérique :

> Nous avons une vocation plus grande que celle de faire des guerres étrangères : cette oeuvre de civilisation chrétienne qui nous échoit tout particulièrement à nous catholiques français d'Amérique.[17]

Il y a donc repli, mais la nature de ce repli a pour qualité première de se démarquer du réflexe bourassiste que le mouvement anticonscriptionniste et le Bloc populaire par la suite reprennent à leur compte. En outre, quelques années suffiront pour que la préoccupation sociale de *la Relève*, dans la mesure où elle en avait une — et par voie de conséquence, le politique — s'évanouit presque totalement, laissant en présence, la *personne*. Car la tendance se dessine à la fin des années trente vers une forme d'approfondissement de soi, mais cette fois, non plus nécessairement à partir d'une mystique, mais d'un vécu très personnel ; la poésie et le roman surgissent dans ces pages qui conduiront progressivement la revue à se tourner exclusivement vers l'esthétique, et surtout l'esthétique littéraire.

16. La direction, « Notre position sur la guerre », 7e cahier, 4e série, novembre-décembre 1938, p. 196.
17. *Ibid.*, p. 196.

Dès les tout débuts de la revue, la dimension poétique et plus globalement littéraire était déjà présente. Petit à petit, des écrivains qui devaient se faire un nom plus tard, assurent une collaboration assez assidue. Saint-Denys Garneau compte parmi les premiers d'entre eux. À partir de 1938, Robert Charbonneau présente sous forme de feuilleton ses romans *Ils posséderont la terre* et *Fontile*. La période forte coïncide avec la guerre ; elle se caractérise par l'apport d'Anne Hébert, Robert Élie, Gilles Hénault, Pierre Trottier, Réginald Boisvert à *la Nouvelle Relève* qui s'est retranchée complètement dans le littérature-refuge.

Cette littérature de la mise entre parenthèses se place par rapport à la guerre en situation dirions-nous d'intemporalité. Le conflit mondial n'a en définitive aucune prise sur ces auteurs, du moins en ces pages. C'est ainsi qu'on peut affirmer qu'ils sont en dehors de leur temps ; non en arrière cette fois, mais à côté. Lors de la crise des années 30, l'intelligentsia s'était réfugiée dans le retour spontané aux sources rurales. *La Relève* pour sa part trouve refuge non plus dans une vision passéiste, mais plutôt en se soustrayant aux préoccupations du « profane ». Or au Québec, ces préoccupations, il faut bien l'avouer, n'offraient rien d'exaltant puisqu'elles ne proposaient à tout prendre elles aussi qu'un repli dans la négation défensive, le refus traditionnel de participer aux guerres de l'Empire. Pour le commun des mortels tout comme pour l'intelligentsia nationaliste de cette époque, la *guerre* fut celle des *autres*, celle qu'on tentait au pays de nous imposer par le biais de vains artifices. Implicitement, le poète s'est donc tenu à l'écart d'une problématique aussi étroitement posée. Plutôt que de s'engager dans des sentiers stériles cent fois rebattus, il a préféré la voie de l'interrogation sur lui-même. Il aurait pu, bien sûr, remettre en question tout ce cadre étriqué : mais c'était, faut-il croire, prématuré.

Si *la Nouvelle Relève* servit d'instrument à tout un aréopage de la poésie québécoise, elle fut aussi, durant la guerre, l'affaire des exilés français. Consécutivement à l'occupation allemande en France, la revue ouvrit ses portes à des écrivains célèbres momentanément évincés de leur terre natale. Or, cette présence ne fut pas tant marquante en termes d'influences, du moins dans l'immédiat, mais plutôt en termes d'espace occupé. C'est ainsi que de l'automne 1941 à l'hiver 1945, la revue adopte les allures d'une grande publication. Cette période s'assure la collaboration d'auteurs prestigieux : Georges Bernanos, Daniel-Rops, Jacques

Maritain, Gabriel Marcel, Jean Wahl, Gustave Cohen auxquels s'ajoutent des chroniqueurs de bon cru. Cette percée française ne sera pas sans conséquences. La revue semble dès lors ne plus vraiment s'appartenir. Auparavant, elle accueillait généreusement les écrits français d'auteurs de calibre, mais tout en demeurant maîtresse de son orientation générale. Le lecteur attentif y détectait certes des décalages de perspectives, mais dans l'ensemble il était apparent que l'initiative provenait de la direction. Il n'en est plus tout à fait ainsi avec la nouvelle formule. Largement alimentée par l'apport français, la revue semble débordée par lui. Elle l'est d'abord par le volume des écrits qui par leur quantité et leur longueur créent tout de suite un certain déséquilibre. Mises à part quelques pages de poésie (ou parfois de contes) prévues à chaque livraison, la tranche de roman sous la plume de Robert Charbonneau, et les propos de l'intarissable Berthelot Brunet, le contenu de *la Nouvelle Relève* revient largement aux « émigrés » de la guerre. En gros, la revue subit l'occupation française jusque dans ses chroniques régulières si bien qu'il ne reste aux « autochtones » qu'une zone libre parfois assez restreinte. S'ajoutent des collaborations étrangères autres que françaises qui à tout prendre ne contribuent en rien à rétablir l'équilibre. La revue est également débordée par la diversité des champs d'intérêts qui sans être nécessairement contradictoires projettent le lecteur en de multiples directions. En comparaison, *la Relève* des débuts s'imposait davantage par la cohérence de ses options. Ces deux facteurs contribuent à rendre en somme la revue étrangère à elle-même et au milieu.

L'aspect le plus fondamental à relever, c'est à nouveau le cloisonnement étanche entre Français et Québécois dans leurs propos respectifs. *La Nouvelle Relève* sert en temps de guerre, de tribune à des intellectuels plus disponibles qui n'attendent probablement que de rentrer au pays, le conflit terminé. Leur attention est centrée sur leur milieu littéraire ou politique de référence, la France et l'Europe. En contrepartie, les nôtres, ces hôtes qui offrent la revue comme structure d'accueil — et bien davantage — demeurent *imperméables* aux préoccupations entourant le conflit en Europe. Les lettres québécoises exprimées par *la Nouvelle Relève* ne se sentent nullement mises en demeure par la guerre même lorsque celle-ci affirme sa présence dans les pages mêmes de ce mensuel. Les chroniques produites par les auteurs français font écho par moments aux événements politiques et militaires d'outremer alors que les nôtres conservent un mutisme éloquent même sur la conscription. C'est bien en regard de ces possibilités d'ouverture au social et au monde par le truchement d'un discours en son propre sein qu'il est permis de parler d'un repli de la revue par rapport à l'extérieur.

Par contre, les années postérieures marquent une tentative de valorisation de la production littéraire proprement québécoise. Deux facteurs y contribuent probablement plus que tout autres. Le premier relève de la conjoncture internationale. Les Français, manifestement intéressés dans leur collaboration à la revue, retrouvent avec le retour à la normale les canaux d'expression proprement parisiens. Les revues et périodiques français de naguère reprennent leur rythme de parution, quand ce ne sont pas de nouveaux mensuels qui font leur apparition le long des kiosques du Boulevard Saint-Germain. Le second facteur tient aussi de nos rapports avec l'ancienne métropole, mais cette fois négativement. Très tôt après la fin des hostilités en Europe, Robert Charbonneau se voit la cible d'intellectuels français qui lui reprochent vivement d'avoir publié à sa maison d'édition (Éditions de l'Arbre) des auteurs sympathiques à l'Action française, célèbre mouvement de droite qui, durant l'occupation allemande en France, se montra très favorable à la collaboration avec l'ennemi. Cette querelle qui le mit aux prises avec Louis Aragon, François Mauriac, Jérôme et Jean Tharaud, de même que d'autres un peu moins connus, marqua une coupure douloureuse d'avec un milieu de référence important. Certains auteurs français poursuivirent néanmoins leur collaboration à la revue au cours des années 45 et 46. Est-ce signe de refus à l'endroit des lettres françaises ou est-ce incommunicabilité avec les nouvelles expressions de la littérature ? *Huis clos* de J.-P. Sartre, joué à Montréal, suscite de la part de Guy Sylvestre un article tout de négation envers l'existentialisme.

Se retournant à nouveau sur elle-même, en un geste de ressaisie, la revue inaugure en juin 47 une formule plus autochtone où apparaît une affirmation de la présence québécoise dans les lettres. Ce seront malheureusement les derniers moments de *la Nouvelle Relève* qui va s'éteindre à l'automne 1948.

Conclusion

La crise provoque auprès des intellectuels traditionnels de cette époque un réflexe de recours massif aux valeurs reçues : pour s'en sortir le Canada français est convié par un bon nombre à raviver sa foi nationaliste. La crise, selon leur dire, est d'abord nationale, elle ne sera donc surmontée que par une récupération des valeurs anciennes. *La Relève* à cet égard se pose comme mouvement en rupture avec son environnement idéologique. Loin de placer le mal au niveau d'aspirations collectives circonscrites par les frontières nationales, elle pose notre situation au rang de l'homme universel. Néanmoins, son cheminement n'est pas sans respecter fidèlement pour ne pas dire servilement, une autre voie tout aussi bien balisée. Ce renouveau proposé par la revue n'est rendu possible que fondé sur une légitimité idéologique, le catholicisme. Si bien qu'elle ne rejoindra jamais par exemple le mouvement Esprit qui, lui, offre une réponse assez exhaustive mais probablement trop ouverte à la pensée laïque. Formés à l'école thomiste — sinon scolastique —, ses collaborateurs freinent constamment leur élan au profit d'une pensée beaucoup moins compromettante, surtout au point de vue social. Incisive par moment, la critique de la société est vite atténuée par des visées modératrices propres au milieu. Elle se refuse en somme à tout bris dans le concret. Il n'y a révolution que dans les consciences. Or cette démarche comme démarche n'est qu'une transposition de la conversion que Lionel Groulx se proposait d'opérer dans les âmes. Ironie du sort, le chanoine prescrit une rédemption nationale, une épuration confinée à la solidarité canadienne-française comme collectivité de référence ultime.

À l'inverse, mais toujours selon un processus de nature mystique, *la Relève* vise plutôt un salut universel. Les finalités se distinguent quant au niveau d'achèvement, mais les modes d'y parvenir se ressemblent. Ils misent sur un cheminement de même nature, c'est-à-dire une mutation dans les esprits. Il n'est pas sans intérêt de noter que dans les deux cas, la société comme réalité concrète demeure désaffectée.

La guerre par contre sert de catalyseur à une attitude de repli déjà discernable dans la réaction de *la Relève* à la crise. En dépit de ses évocations multipliées à la communion des hommes, la revue se consacre à opérer des conversions qui dans les *faits* n'ont qu'une résonance personnelle et non sociale. Or avec l'avènement de la guerre, le recouvrement de valeurs exclusivement individuelles par le biais d'une vision plutôt tournée vers les lettres, se pose en continuité immédiate avec cette direction imprimée à la revue dès ses tout débuts en 1934. *La Nouvelle*

Relève débouche naturellement sur une littérature de l'angoisse et de la solitude qu'une autre génération d'écrivains par la suite reprendra à son compte, mais cette fois au moyen d'un verbe plus affranchi.

La Relève demeure à bien des égards une expression de la servilité. Malgré une démarcation assez prononcée d'avec le milieu idéologique ambiant, elle ne semble jamais parvenir à se dégager de l'emprise de ses sources. Les emprunts sont plus fréquents, ils constituent la norme. Une bonne part des articles produits à la revue sont consécutifs à une lecture d'écrivains étrangers et généralement français. Leurs auteurs ne tentent nullement de dissimuler leurs sources d'inspiration. L'argumentation s'accroche à ces textes, les commentant brièvement et les évaluant à l'aune de l'orthodoxie thomiste. Les citations s'imposent souvent par leur longueur. Ce genre d'écriture prend souvent l'allure de notes de lecture. On est d'ailleurs étonné par la brièveté des articles : quelques pages suffisent à la plupart d'entre eux. C'est dire combien *la Relève* se maintient à la remorque de valeurs sûres. Le processus d'autonomie idéologique n'en est qu'à ses débuts.

De façon plus positive, ces mêmes influences exogènes contribueront à faire pénétrer dans ce milieu des modes de réflexion qui par contre ne seront que très partiellement assimilés. Certaines percées sur le monde extérieur seront tout simplement ignorées des nôtres. Au coeur de la guerre, la revue, par l'entremise de ses chroniqueurs français, vit à l'heure de l'Europe. En revanche, elle vit également hors des affres européennes dans la mesure où ces propos n'obtiennent aucun écho chez les « autochtones ». Dès lors, il est permis d'affirmer que dans l'ensemble il n'y a eu qu'une adhésion fort timide aux nouvelles valeurs empruntées à outre-mer. Sur le plan social en particulier, le refus par le biais de l'écran scolastique est remarquable. La revue se refuse d'abord à toute proposition qui ne respecte pas une hiérarchie dans la définition des finalités. C'est dire qu'il lui sera aisé d'affirmer en tout temps que les finalités du social sont secondaires par rapport à l'achèvement de l'homme, un homme saisi dans l'abstrait, hors de toute pratique concrète. Cette auto-censure s'explique par la position sociale de ses collaborateurs qui n'ont aucun avantage à changer la société de leur temps, attitude amplement renforcée par un déterminisme idéologique qui se ferme à toute mise à jour de l'ordre social.

Aboutissement logique d'une courbe qui s'oriente progressivement vers la découverte d'une identité très individualisée, *la Nouvelle Relève*, comme mouvement, débouche sur l'univers de l'isolement qui se traduira par une expression littéraire et artistique accrue, celle d'une solitude exacerbée. Ce sera dans un premier mouvement le refuge dans le roman psychologique inspiré d'un entre-deux-guerres révolu. Simultanément, d'autres, dans une large mesure étrangers à la revue, offriront une résistance à l'absurde social, ce sera le mouvement automatiste en art...

Par le *visa* idéologique d'un catholicisme ouvert, *la Relève* aura accédé à une mystique d'inspiration européenne ; en revanche, son ancrage à la tradition cléricale l'aura tenue rivée à un aperçu du social. Avec cette publication,qui s'étale sur presque une quinzaine d'années, se révèle une couche sociale en voie d'ouvrir une brèche dans le monolithisme idéologique entretenu par l'ascendant omniprésent du clergé. Une nouvelle intelligentsia est en passe de se constituer qui progressivement va se poser en subtitut de la présence cléricale au Québec.

La Jeunesse Étudiante Catholique (JEC)

Comme *la Relève*, la JEC *au Québec* est un produit des années 30. Et comme elle également, la JEC répond à un besoin ressenti à l'occasion de la crise. Le mouvement tire ses origines plus lointaines en Europe où par le biais de la Jeunesse ouvrière catholique (JOC) du Canada — elle aussi issue de la crise — elle puise son inspiration de la Belgique et de la France, dans des mouvements de jeunesses ouvrières catholiques qui prirent vers la fin des années 20 leur premier essor. Bien que ces mouvements connurent outre atlantique leurs débuts avant la crise, il serait impossible de saisir le sens du jécisme au Québec sans le relier intimement au désarroi de la décennie qui a précédé la guerre.

En Europe, l'Action catholique s'est voulue une réponse à l'appel du pape Pie XI, qui à la suite des inquiétudes déjà exprimées par Léon XIII en 1895, propose dans l'encyclique Urbi Arcano (1922) de briser le hiatus qui avec les âges avait séparé l'Église du monde contemporain. Du côté européen, la situation est claire puisque la désaffection des masses à l'endroit de l'Église se fait sentir depuis nombre d'années. Dans cet esprit sont mises sur pied diverses expressions de ce même mouvement d'Action catholique : JOC, JEC, JAC (à l'intention du milieu agricole), et combien d'autres.

Au Québec, l'impératif de renouer avec le monde ne se fait jour qu'avec la crise. La nécessité d'accorder aux laïcs un rôle d'apostolat en prolongement du magistère clérical fait alors progressivement son chemin et préside à la fondation de ces mouvements homologues (JOC, JEC etc.) dans notre milieu. L'établissement de telles organisations prend une signification particulière puisqu'il marque dans notre société un premier bris dans le vaste réseau clérical. Malgré une certaine soumission nécessaire à la hiérarchie ecclésiastique, la direction laïque de ces divers mouvements s'assurera une part d'autonomie qui sera source de tensions constantes — à la JEC en tout cas — entre les forces cléricales et laïques[18].

Dès 1944, Gérard Pelletier, président général de la JEC, affirme que « l'Action catholique sera intégralement l'affaire des laïcs ou elle ne sera pas »[19]. C'est dire que déjà, à ses débuts, le mouvement se découvre des promoteurs aux intentions précises en ce domaine. Dans les années 50, la revue *Cité Libre* se fera plus volontiers le porte-parole du laïcat affranchi d'une certaine forme de cléricalisme. Il ne fait aucun doute que l'apprentissage d'une autonomie chaudement revendiquée (par moment) dans le cadre de l'Action catholique ne sera pas sans influence profonde sur les options anticléricales du citélibrisme qui se placera, à cet égard, en continuité avec cette amorce d'affranchissement. On ne saurait donc trop souligner l'importance qu'a représentée dans le milieu québécois cette première expérience de distanciation d'avec le clergé, *à l'intérieur* même de l'encadrement ecclésial, qu'a été pour la génération de Pelletier, l'Action catholique en général, et plus particulièrement la Jeunesse étudiante catholique. La rupture pour une bonne partie de l'intelligentsia québécoise prend là sa source. D'autres, par des cheminements bien sûr très différents, en arriveront à un anticléricalisme d'une nature bien différente : le *Refus global* de Borduas et des automatistes de son entourage pourrait ici servir d'exemple. Sans être exclusive, cette école de la laïcité qu'a été pour certains du moins la JEC mérite amplement d'être retenue. Ce qui ne revient évidemment pas à dire que la JEC dans son ensemble ait été accoucheuse d'anticléricalisme. Bien loin de là. Une distinction s'impose, à savoir que l'expérience même du

18. Il ne nous revient pas dans cet ouvrage d'établir avec précision la nature de la résistance cléricale à la poussée laïque dans le cadre de l'Action catholique.
19. Gérard Pelletier, « La responsabilité laïque : mythe ou réalité » *Cahiers de l'Action catholique*, avril 1944, no. 44, p. 350.

mouvement semble avoir surtout marqué les militants les plus engagés. Car, malgré la vaste étendue de son réseau, la JEC n'a probablement jamais misé sur les grands nombres pour exprimer son militantisme le plus profond. Ce sont ceux-là qui, plus imbriqués dans le mouvement, ont ressenti aussi plus intensément, *et* ses implications sociales, *et*, à n'en pas douter, les tensions inévitables que devait susciter la dualité d'autorité — clercs et laïcs — à l'intérieur de celui-ci. Ceci dit, on doit néanmoins retenir davantage ce qu'a été ce mouvement comme nouveau cadre de référence pour une foule de valeurs qui auparavant étaient inexistantes dans le milieu ou qui encore étaient simplement censurées par des représentations idéologiques plus restrictives. Aussi, est-il indiqué d'axer l'analyse sur ces valeurs qui surgissent tout à coup dans le champ idéologique.

Tout comme *la Relève*, la JEC se voit permettre d'introduire une nouvelle structure de représentations dans la mesure où effectivement elle se sert de l'Église comme point d'appui. L'élargissement idéologique s'opère à nouveau par le truchement, mais cette fois plus manifeste, du *visa* religieux. Le regard sur le monde s'affranchit par une levée de la censure à l'intérieur même de la structure ecclésiale. L'Action catholique dont la JEC est une composante sert de lieu d'origine à un mouvement d'émancipation qui par la suite saura parfois la dépasser. Comme dans le cas de *la Relève*, l'ouverture à d'autres valeurs s'effectue donc par l'identification à une nouvelle structure découverte à l'occasion d'une volonté d'agrandir le cadre religieux.

Suscitée par certains membres du clergé, en particulier par les pères de Sainte-Croix — dont Émile Legault —, la JEC connaît en 1935 son véritable démarrage. Elle fait vite tache d'huile, si bien qu'en plus d'un vaste réseau auprès des collèges, elle rejoint les « couvents » l'année suivante. Le mouvement fait sien au départ les idées véhiculées par le milieu. L'anticommunisme développé par l'École sociale populaire des Jésuites depuis 1931 y est largement retenu : en fait, la création même de la JEC au Québec est fondée en grande partie sur cette appréhension du spectre marxiste. Le corporatisme social — riposte au communisme — et l'antiaméricanisme sont également en ces débuts des thèmes souvent repris. D'abord mû par un enthousiasme inspiré de la JOC qui comportait des déclarations publiques enflammées sur le Christ-Roi et l'état de grâce, le mouvement s'est par la suite rassis ne serait-ce qu'en raison du peu de résonance que provoquait ce genre de manifestation. C'est ainsi qu'aperçue vingt ans après par un observateur de l'Action catholique, la JEC offre très tôt une facture bien distincte :

> La JEC (des années 30) est avant tout une secousse de la conscience et une invitation à la liberté créatrice (...) une acquisition sur le plan des valeurs humaines avant que d'être une accession à la sainteté[20].

L'auteur y perçoit un « réveil de la conscience, la reconnaissance de la liberté personnelle, la résistance positive et confiante au désespoir ambiant »[21].

En revanche, le mouvement s'est imposé deux interdits dès sa fondation. Deux interdits qui ne sont pas non plus sans liens entre eux. Primo, la JEC s'affirme comme étant apolitique : elle inscrit son action hors du champ politique. Secundo, elle rompt avec la vieille tradition de l'ACJC (Action catholique des jeunes Canadiens-français, fondée au début du siècle) en se refusant à toute action nationaliste. L'ACJC privilégiait cette dernière et tentait ainsi d'associer sinon d'intégrer la religion à la vie nationale. Vers 1937, une querelle mettant aux prises les deux mouvements se solde par une césure bien ferme entre les deux. Le nationalisme sera par la suite identifié par plusieurs comme un enrégimentement des personnes. Il est par ailleurs intéressant de noter que *la Relève* s'est elle aussi tenue à l'écart de l'orthodoxie nationaliste, et que plus tard, *Cité Libre* fera de même.

Il ne nous apparaît pas pertinent pour les fins de la présente étude de tracer l'itinéraire, même idéologique du mouvement. La JEC a bien sûr une histoire, elle a connu une évolution et subi des crises[22]. Au travers de ces mutations peuvent se distinguer cependant certains traits susceptibles d'expliquer le cheminement ultérieur des idéologies au Québec. Nous ne retiendrons donc qu'une dimension qui en soi n'offre rien de spécifiquement religieux. Nous ne nous intéresserons, en gros, qu'aux

---

20. « Cheminement d'une vocation, rétrospective et positions actuelles de la JEC », *Cahiers d'Action catholique*, nos 170-171, décembre 1954-janvier 1955, p. 210.
21. *Ibid.*, p. 211.
22. Deux ouvrages selon des perspectives bien différentes offrent un aperçu plus historique du mouvement :
Gabriel Clément, *Histoire de l'Action catholique au Canada français*, Commission d'étude sur les laïcs et l'Église (Dumont), Montréal, Fides 1972.
Marquita Riel-Fredette, *Analyse d'un mouvement social : la JEC*, thèse (maîtrise) Université de Montréal, 1962.

innovations dans le champ idéologique de notre société. L'analyse tentera rigoureusement de s'en tenir là. Ainsi nous passerons outre aux diverses étapes du mouvement pour ne retenir que certaines *constantes* significatives que nous croyons sujettes à se reproduire parfois autrement dans d'autres structures idéologiques postérieures ou concomitantes à la JEC. Cette JEC que nous soumettons à l'observation clinique c'est la JEC aperçue selon son jour de *rupture* du milieu. À cette fin, la période des années 40 et 50 constitue un moment privilégié : à ce moment-là, le mouvement a atteint sa maturité mais par ailleurs n'est pas encore dépassé. Ce sont ces deux décennies qu'il faut analyser de plus près ; elles mettent en lumière la JEC à son stade de plus grande autonomie idéologique.

L'action rationnelle sur un milieu concret

C'est dans son *action* même que la JEC trouvera à s'affirmer en rupture avec le milieu ambiant. Déjà on parle d'action, et non simplement de contemplation. Il y a là une distinction avec *la Relève*, et de plus, avec les divers mouvements antérieurs qui, au cours des années trente par exemple, s'exprimaient uniquement par le discours. Donc, dans la formulation de son projet, la JEC engage une manière d'être distincte face au réel. On tentera d'agir vraiment sur lui. Pour ce faire, on s'inspirera de l'acte prudentiel de saint Thomas d'Aquin qui prévoit une série en trois étapes : *voir*, *juger* et *agir*. Pour la JEC, il conviendra de le poser comme *méthode* débouchant sur une *stratégie*.

Voir pour la JEC ne se résumera pas en un bref tour d'horizon ou à quelques observations intuitives. *Voir* ressortit à un contact qu'on veut concret avec le réel. Il s'agit en somme d'un des premiers efforts au Québec en vue de cerner précisément certaines réalités sociales. À cette fin, on introduit l'usage intensif de l'enquête menée avec rigueur. Cette préoccupation de présence au monde est manifeste tout au long de la démarche jéciste, et dès ses origines d'ailleurs. Il est remarquable de constater que déjà au cours des années 35 et 37, s'exprime une intention bien arrêtée de se soustraire à la culture abstraite proposée dans les collèges, et de rejoindre ce que le mouvement convient d'appeler dès ce moment le « réel » ou encore le « concret »[23]. On retrouve quinze ans plus

23. Gabriel Clément, *op. cit.*, p. 206.

tard le même souci et la même observation : « En face d'une culture strictement scolaire, la JEC nous permet de nous replacer dans le monde réel »[24]. L'analyse du réel social sera assurée par le dispositif de l'enquête qui s'avèrera l'instrument le plus utilisé. De ces enquêtes multiples destinées à informer le plus fidèlement possible les militants du mouvement, prendront naissance divers services étudiants institués en vue de répondre à certains besoins bien concrets : des caisses et coopératives de toutes natures par exemple seront créées afin d'inciter également au sens de la mise en commun et de la responsabilité collective. Conçue en fonction de l'action, l'enquête s'insère au premier stade, celui de la *connaissance* préalable à la prise de décision. Cet accent mis délibérément sur la saisie rationnelle du réel implique, il va de soi, un préalable que les adversaires traditionalistes s'appliqueront à souligner, à savoir, l'acceptation de ce monde sur lequel le mouvement porte un regard attentif.

Contrairement à *la Relève* qui se situait en marge de son milieu, la JEC compte s'y insérer profondément et durablement. Il y a là un désir véritable d'épouser son siècle, propension en rupture avec ses prédécesseurs qui à l'inverse s'en tenait le plus possible à l'écart. Un monde sépare par exemple la vétuste ACJC, aux échos nationalistes souvent chagrins, des aspirations conquérantes de la JEC. Mais plus que de simplement découvrir le milieu, on propose de *faire* découvrir le milieu. Plus les jeunes seront au service du milieu, se plaît à affirmer en 1941 le père Lalande, plus ils seront de la JEC[25].

> Si le militant se coupe de son milieu, précise la direction de la JEC, il cesse d'être en rapport avec lui, il risque de ne plus le connaître et donc de ne plus répondre à ses vrais besoins... Le militant d'Action catholique doit continuer à être du milieu et être dans le milieu[26].

Tout dépend évidemment du sens donné à ce terme un peu passe-partout de « milieu ». Il nous sera donné de constater plus tard que le mot renverra à une acception très restrictive, se référant au milieu

---

24. *Contact*, Conseil de Noël, 1952, p. 5.
25. Germain-M. Lalande, csc, « Le problème des chefs », *Cahiers d'Action catholique*, no. 14, novembre 1941, p. 115.
26. « Directives de la JEC », *Bulletin des aumôniers des mouvements spécialisés d'Action catholique*, 2e année, no. 4, décembre 1943, p. 163.

étudiant[27]. Malgré ce rétrécissement du vécu étudiant, il n'en faut pas moins relever l'importance accordée à la prise de conscience de cette collectivité de référence que l'on veut la plus lucide possible. Il arrivera par moments, comme ce fut le cas vers la fin des années 40, que le mouvement s'en tienne presque exclusivement à la compréhension du milieu plutôt qu'à une action sur lui. Il y avait là, faut-il croire, une réticence à violenter autrui. La réflexion risquait donc de supplanter l'action vers laquelle elle était censée s'orienter à l'origine.

Posée en dialectique avec le savoir, l'action est néanmoins demeurée une pièce maîtresse de l'idéologie jéciste. En juin 1943, Jeanne Benoit (Sauvé) écrit que « dans sa réalisation, le mouvement est essentiellement *conçu en fonction de l'action* »[28]. Le futur ministre des communications se permet même, en pleine guerre contre les forces de l'Axe, de préciser sa pensée dans le sens d'une « mystique de l'action ». Avec les années 50, il est manifeste que l'action doit s'affirmer par son efficacité. Le terme est d'ailleurs souvent repris[29]. Il sera question dans le même sens de *rendement :*

> La JEC s'affiche pour un « rendement » maximum de la vie étudiante : pour que les cadres étudiants produisent leurs effets en tout ce qui concerne l'initiative et la responsabilité des étudiants eux-mêmes...
>
> Rendement maximum du christianisme dans la vie étudiante : pour que toutes les réalités surnaturelles produisent leurs effets dans la vie étudiante[30].

Cette action ainsi « organisée » n'est pas sans relation probable avec un univers ambiant fortement industrialisé, donc lui aussi systématiquement structuré autour de cette même rationalité.

Claude Ryan, alors très actif dans les mouvements d'Action

---

27. Nous retenons aux fins de ce chapitre le terme « étudiant » selon l'acception étendue que lui accorde la JEC, tout en nous rendant bien compte du glissement sémantique qui consiste à englober sous ce mot prétendument coupole un terme qui en français moderne ne désigne que le milieu universitaire. L'ironie du sort veut que la JEC ait surtout atteint les collégiens et écoliers et qu'incidemment les universitaires.
28. « Positions de la JEC, secondaire II », *Cahiers d'Action catholique*, no. 167, septembre 1954, p. 30.
29. *Ibid.*
30. *Positions de la JEC, secondaire* Brochure, septembre 1955, Centrale JEC, Montréal.

catholique, publie en 1958 et 1959, une série d'articles dans *Laïcat et mission*, qui tiennent un langage par moment assez ferme.

> L'action porte essentiellement *sur la réalité, sur le concret* (...) (Elle) implique toujours *une décision*, un choix, *une option entre plusieurs possiblités*, donc une coupure, une élimination (...)
>
> L'action, au sens fort du terme, est toujours *une lutte, un combat*, où il y a un ennemi, un obstacle réel à combattre et à vaincre. Elle n'est jamais un pur geste de bienveillance (...) La défaite entraîne toujours une élimination du vaincu[31].

Cette prise de position indique une propension à voir le réel sous le jour de l'affrontement. C'est l'occasion pour Ryan d'employer un vocabulaire accordé avec la notion de combat: l'action est pour lui risque, stratégie, efficacité, précision, cohérence, persévérance. Est perçue comme capitale, la «connaissance du terrain des opérations, ainsi que *de la force et des méthodes de l'adversaire*»[32]. Ainsi s'exprime le mouvement chez ses membres les plus militants. Il est bien entendu que ce discours sollicite des nuances, ne s'agissant tout de même que d'un combat symbolique. Néanmoins, ce langage traduit un cheminement appréciable. Il est à noter que ce même texte se montre très critique envers la spéculation intellectuelle en général que l'auteur identifie à des raisonnements sans rapport avec la réalité[33]. Le déplacement vers une vision plus conflictuelle du social, devant être saisi comme tel,est dans ce cas-ci irréfutable.

Cette action à laquelle s'ajuste pour ainsi dire l'observation, le savoir et la réflexion, implique dans son travail sur la collectivité étudiante une organisation communautaire. C'est par *l'équipe* que s'articule l'action du mouvement. L'individu est appelé à disparaître au profit des intérêts plus élevés du groupe, celui-ci constituant une valeur de référence en soi. Cet esprit communautaire tire sa légitimité dans le Corps mystique du Christ. Le lien social qui tient l'équipe et plus globalement la collectivité étudiante relève d'une dimension de communion proprement dite. A cet égard il se dégage une certaine affinité avec les perceptions de *la Relève*.

---

31. Claude Ryan, «Le laïc d'Action catholique dans l'Église d'aujourd'hui», *Laïcat et Mission*, no. 3, avril 1959, pp. 134-135.
32. *Ibid.*
33. *Ibid.*, no. 1, octobre 1958, p. 24.

Cependant, la JEC insère cette communion à un niveau beaucoup plus accessible alors qu'auprès de *la Relève*, elle jouait un rôle majeur mais très abstrait, donc sans prise sur le quotidien. La JEC au contraire transmet ce même modèle de sociabilité, mais cette fois elle le situe et dans une certaine mesure l'impose auprès d'un vécu susceptible d'en compromettre les adhérents. L'équipe, comme lieu de rencontre, de réflexion et d'action, fonde sa dynamique sur les vertus de l'interrelation de type communautaire. Reste à savoir dans quelle mesure l'esprit communautaire a baigné en pratique le travail entrepris par les nombreuses équipes de militants qui durant plus d'un quart de siècle se sont succédées au rythme du renouvellement des générations étudiantes.

Au-delà de l'équipe, l'intention d'instaurer un lien social de nature communautaire s'étend il va sans dire à l'ensemble de la collectivité étudiante. C'est ainsi qu'un des documents préparatoires au Conseil de Noël de 1952 envisage, comme bien d'autres textes aux visées analogues, la réalisation de la nouvelle cité étudiante :

> ....tous les étudiants pourront expérimenter des échanges sur le plan de l'amitié, de la vie spirituelle, de la culture, des loisirs etc. En dehors de cette réalisation qui exigera la solution des contradictions du milieu étudiant, le Corps mystique ne deviendra jamais une réalité vivante et réelle pour nous. Il ne sera jamais une communauté portant les mêmes rêves et les mêmes préoccupations. Une communauté à l'intérieur de laquelle la charité et l'amour soient vrais. La communauté par sa force et son dynamisme interne corrigera les écarts et les déviations de l'un ou l'autre membre[34].

Ce document précise entre autres que la JEC se propose non pas de résoudre les « problèmes personnels du gars » mais plutôt les « problèmes collectifs des étudiants du milieu »[35]. Le mouvement se porte donc sur l'ensemble comme ensemble et non pas sur une agrégation d'individus considérés séparément. Cette démarche à cette époque est assez unique car les perceptions mystiques de la collectivité auparavant s'en tenaient soit aux zones abstraites du spirituel, comme *la Relève*, ou

34. Tiré du chapitre intitulé « Déviations et objectifs de la JEC », *Documents préparatoires au Conseil de Noël 1952, Contact*, 1952.

35. *Ibid.*

soit encore à la nation selon un contenu symbolique sans prise sur le vécu. D'un autre côté, l'analyse révèle assez tôt le caractère assez limitatif de la perception jéciste du social puisque la collectivité de référence ne dépasse pas les frontières tracées par l'univers étudiant proprement dit. La communauté n'atteint au fond qu'un groupe, un «soustrait» pour ainsi dire de la pratique sociale globale, celle qui comporte une dimension économique et politique indispensable à son fonctionnement. Un peu à l'instar de *la Relève*, qui avant elle ne compromettait pas la société mais seulement les âmes, la JEC se fixe à une collectivité de référence précise mais par contre se refuse à poursuivre son raisonnement jusqu'au bout. A toutes fins utiles, elle s'arrête au seuil de la société dans laquelle ses membres seront engagés plus tard. À cet égard, elle se place à l'écart de la vraie vie. Il faudra reconnaître à la décharge du mouvement qu'en dépit de cette fragmentation du monde, il donnera lieu à certaines trouées sur la pratique sociale qu'il parviendra à rejoindre de temps à autres.

La JEC dans sa pratique apostolique introduit par l'entremise de la dynamique d'équipe, des valeurs inhérentes à l'action concertée: l'engagement, la responsabilité et la solidarité, par opposition à l'individualisme qui au moins depuis le début du siècle est largement décrié, de même qu'en opposition à l'utilitarisme identifié au profit. Cette triade de valeurs n'a jamais été dans le passé autant mise en relief et surtout portée au niveau du vécu. Il est possible d'y voir le passage d'une situation autrefois subie à une activité sur le réel.

Cette mise en train n'est pas sans soulever l'épineuse question de la dynamique à l'intérieur du mouvement, en somme, des rapports entre les membres selon leur position dans l'organisation. Or, loin de poser une vague interrogation qui serait propre à ce seul mouvement, cette question plus globale des diverses positions soit d'autorité ou soit plus simplement d'animation, sera au noeud de bien d'autres idéologies à venir qui, désireuses de supprimer les anciens rapports d'autorité, seront aux prises avec le problème du politique, c'est-à-dire des règles présidant à la désignation des responsabilités à l'intérieur d'une collectivité. De par sa prétention d'être au monde étudiant et à l'influencer si nécessaire mais sans jamais le dominer, la JEC ne pouvait échapper à un tiraillement idéologique entre un certain dirigisme considéré comme indispensable, et d'autre part, la nécessité de laisser au milieu le soin de s'exprimer et de prendre lui-même ses responsabilités. Bien qu'à l'occasion, certains se soient opposés à se laisser enfermer dans le dilemme élite-masse, il n'en demeure pas moins que la contradiction revient constamment à la surface[36].

Règle générale, on s'entendra pour convenir du besoin d'entraîner un corps d'élite mais intimement lié au milieu. De là l'importance de laisser les « chefs » « dans le monde »[37]. Nombreux sont les écrits qui traitent du recrutement des chefs ; quant à leur rôle il était plus facile de l'expliciter. Le repérage était par contre une opération délicate. On se méfiait d'abord des « bons sujets » car en vérité l'attention se fixait sur les « chefs naturels », c'est-à-dire ceux qui dans leur entourage exerçaient un véritable ascendant. À partir de cette entreprise de reconnaissance du milieu, le travail consistait à recruter ces leaders dans le cadre du mouvement. Les former puis les relancer dans l'action[38]. Il transparaît assez rapidement que les chefs servent, dans une large mesure, de courroie de transmission reliant une direction assez bien installée au sommet à une base autrement inaccessible. Les chefs ne semblent pas considérés comme partie prenante aux décisions du mouvement, mais plutôt comme relais dans l'acheminement des messages du haut vers le bas. D'un autre côté, l'exercice d'un bon leadership les rend éligibles par la suite aux postes supérieurs de direction. Le mouvement est donc activé par une élite à qui est dévolue d'ailleurs un rôle de propagande. C'est à elle que revient la responsabilité de pénétration du milieu. Dans ce sens, le travail de compréhension du milieu répond à cet impératif supérieur de transformation de l'univers étudiant. En réalité, la dynamique n'a pas toujours suivi la trajectoire prévue, et souvent loin de là. Si bien que l'aspect prise de conscience du milieu a pris le dessus à plusieurs reprises sur l'exigence strictement apostolique. Ce sont finalement ces distorsions ou encore ces écarts qui ont contribué à la richesse du mouvement, du moins dans ses conséquences. Le mouvement s'est consacré autant à l'ouverture sur le réel qu'à son action sur lui. Ce réel étudiant demande précisément à être explicité.

---

36. Hazaël Aganier, « Éternelle jeunesse de l'Église et l'évolution actuelle de la JEC », *Cahiers d'action catholique*, no. 195, octobre 1958, p. 8 ; « La JEC, y affirme l'auteur, n'est ni un mouvement d'élite ni un mouvement de masse. Elle refuse de se laisser enfermer dans le dilemme élite ou masse ».
37. *Contact*, octobre 1963, p. 38.
38. Germain-M. Lalande, c.s.c., « But de la JEC et noyautage du milieu », *Cahiers d'Action catholique*, no 12, septembre 1941, pp. 19-24.

L'étudiant et la société

La collectivité à laquelle la JEC se réfère est, nous l'avons rappelé, aux contours assez réduits puisqu'elle ne comprend que les activités identifiées comme propres à ce qu'il est convenu d'appeler la vie étudiante. Le « monde étudiant » est même officiellement perçu comme constituant un « complexe social authentique, irréductible aux autres »[39]. Cette reconnaissance se fonde sur « l'identité du devoir d'état ou de la profession »[40]. Un peu paradoxalement, une annexe au même document affirme qu'il n'existe pas au sens strict un milieu étudiant, parce que les étudiants sont déjà intégrés à d'autres milieux[41]. Règle générale, la JEC s'adresse au monde étudiant comme collectivité de référence exclusive, au point que l'expression « classe étudiante » a souvent cours dans les années quarante. De même, selon une autre perspective on en est venu dans les débuts à tenter d'assimiler l'univers étudiant à une société professionnelle à l'intérieur de la grande société, c'est-à-dire pour être plus précis, à une corporation. C'est dans cet esprit que s'est constituée d'ailleurs la Corporation des escholiers griffonneurs (affectée aux rédacteurs de publications étudiantes). Il s'agissait alors de poursuivre la visée corporatiste en vue d'instaurer un nouvel ordre chrétien. Cette dimension s'est évidemment estompée avec l'après-guerre à l'avantage d'une interrogation plus sociale et moins préoccupée d'ordre dans l'immédiat.

En tout état de cause, la JEC fait sienne une perception compartimentée du social qu'elle conservera pendant au moins vingt-cinq ans, image d'une gent estudiantine jouissant d'une franche autonomie naturelle. Par intermittence et surtout vers le milieu des années soixante — alors que la société québécoise est plus largement sensibilisée au politique — le monde étudiant sert de tremplin à une pénétration de la société comme totalité. En temps normal, la conception orthodoxe l'en tiendra fermement à l'écart. À ce propos, faut-il rappeler qu'à l'origine la JEC s'est fixée des objectifs qui excluent d'office l'action nationale et l'action politique. Se fermant à deux dimensions importantes du social, il était probablement inévitable que le mouvement ferme également les yeux sur d'autres aspects globaux de la société. En

39. *Caractères fondamentaux de la JEC canadienne*, 1951, p. 9.
40. *Ibid.*, p. 2.
41. *Ibid.*, annexe no 9.

contrepartie on doit reconnaître que dans les années trente, et même dans les années quarante, la conscience sociale de l'intelligentsia québécoise traditionnelle était réduite à des considérations apolitiques sur le recouvrement d'un idéal perdu. C'est dire qu'à bien des points de vue la JEC est parvenue en quelque sorte à s'émanciper d'une certaine tutelle idéologique par le recours du contact avec le réel. Ce réel se présentera initialement sous la forme d'un objet relativement limité puisqu'il sera contenu dans l'univers étudiant. Mais par la suite, le mouvement saisira de temps à autres l'occasion de dépasser ce découpage éminemment restrictif et susceptible de créer une disjonction profonde entre la jeunesse étudiante et le monde adulte.

À tout prendre, la nouvelle solidarité tant recherchée auprès de cette jeunesse s'appuie sur le désir de réaliser la rédemption de la classe étudiante. La vie de fraternité est d'abord offerte à un milieu auquel on désire conférer une conscience de groupe. De cette démarche découle toute l'action entreprise par les « chefs » pour le « démassifier », c'est-à-dire, affirme-t-on, le rendre responsable sur les plans personnel et social[42]. Dans ses intentions explicites, la JEC soumet un projet apostolique à très forte incidence profane, pour autant qu'elle propose une réalisation intégrale des personnes où la dichotomie spirituel-temporel s'évanouit presque complètement, si bien qu'au fond le sens du mot profane ne peut être ici qu'indicatif. *Suivant cette optique*, la vie est *une*, indivisible. Alors qu'hier encore, les modèles proposés par l'idéologie cléricale refusaient des blocs entiers de la vie contemporaine, soit l'industrialisation, l'urbanisation et les valeurs afférentes, par contraste on recherche aujourd'hui une vie mieux accordée avec son siècle, formant un tout harmonieux. Il y a bien sûr contradiction pour autant que la totalité de l'activité étudiante se résume dans les faits à un vécu extérieur à la pratique générale de la société. Mais en faisant abstraction de cette mise entre parenthèses significative (au sujet de laquelle nous nous arrêterons un peu plus tard), où la vie étudiante est dans une certaine mesure « marginalisée » par rapport à l'ensemble de la société, il est permis d'apercevoir la richesse d'une réconciliation unique auprès du milieu québécois, alors que l'épanouissement total est proposé comme modèle. En outre, cet épanouissement total est appelé à se réaliser dans un contact avec le monde présent. On se souviendra que *la Relève* faisait sienne également un projet de type humaniste, mais elle

---

42. « Les points de repère », *Contact*, octobre 1963, p. 5, tiré d'un texte de 1953.

avait le vice de s'en tenir à des abstractions qui répudiaient le monde contemporain au profit d'une vision inspirée d'un médiévalisme assez accusé ; il s'agissait à tout prendre d'un retour en arrière. Dans le cas de la JEC, il y a propulsion au contraire vers l'homme contemporain : le monde, autrefois posé comme repoussoir commode, est désormais permis et même valorisé. Il s'agit alors d'une aventure offerte à l'étudiant comme accessible et stimulante. Nous sommes bien loin de la « race » à part, de l'univers clos de Lionel Groulx qui en 1939 censurait un mode de vie « bourgeois » (à son dire) dont les activités comportaient le ski, le golf, le bridge et les «coquetels»[43].

Il faut bien reconnaître cependant que dans cette acceptation et cette revalorisation du monde, l'aspect communautaire passe au second plan. Au stade de l'édification de la cité étudiante, la dimension « fraternité » est la première reconnue ; mais dès lors que l'étudiant est situé hors de cette cité, participant plutôt à la grande cité, soit par le truchement du cinéma, de la télévision, des lettres, du sport etc., son action prend un sens beaucoup plus personnel. La publication *Vie étudiante* destinée à un public adolescent sert d'excellent témoin eu égard à cette insertion dans la pratique sociale par le biais de l'*individu.* Disposant d'une certaine indépendance à l'intérieur de la JEC, elle sert néanmoins d'organe de diffusion habilité à rendre compte de la présence jéciste en milieu étudiant. Or *Vie étudiante* offre justement un idéal d'épanouissement personnel au contact du monde extérieur. L'individu est ici invité à prendre en charge son propre destin en relation avec un univers extérieur susceptible de lui permettre cette réalisation. À son intention, on multiplie les chroniques sur la littérature, le cinéma, les arts en général. À chaque année, une livraison spéciale est consacrée en son entier, aux carrières qui s'offrent à lui. L'accent est mis d'emblée sur des vies bien remplies. Le lecteur se voit proposer des expériences *personnelles* fort riches et fort variées à la fois ; ce sont Schweitzer, Einstein, l'abbé Pierre, le commandant Cousteau et même Rocky Marciano... C'est à n'en pas douter tout un monde auquel l'étudiant est sollicité mais surtout à titre individuel. Ce monde est finalement perçu sous le jour d'aventures personnelles multiples dont la société n'en serait que la somme...

---

43. Lionel Groulx, « La bourgeoisie et le national » dans *L'avenir de notre bourgeoisie*, Montréal, Éd. Bernard Valiquette, 1939, pp. 96-99.

Le directeur de *Vie étudiante* (Jean Francoeur) déplore bien à un moment donné le caractère intéressé de la plupart des études entreprises par les jeunes qui désirent en fin de compte profiter de la société : ceux-ci sont tout absorbés par leur formation à assurer, leur culture à parfaire, leur personnalité à parachever. Il note donc la nécessité d'une réintégration à la « communauté humaine» sans quoi, conclut-il, l'équilibre serait rompu[44]. En dépit de cet avertissement et de quelques appels occasionnels à la fraternité, le visage communautaire ne transparaît pas dans les pages de *Vie étudiante* qui est presque toute entière consacrée à l'achèvement de la personne. Même la misère humaine, par exemple la faim dans le monde, est envisagée sous l'angle d'*individus* dans le malheur, et non tellement comme des collectivités en situation. La dimension sociale n'en ressort nullement. Compte tenu de cette réserve importante, le mouvement n'a pas été sans présenter aux jeunes des valeurs de réalisation autrefois mises en veilleuses.

La JEC s'est trouvée à mettre de l'avant l'aspect *action* et *engagement* dans une conscience étudiante qui en représente presque sa confection. En fait, elle a imaginé ou encore créé la *cité* étudiante, point de référence pour toute l'activité collective à laquelle le mouvement a donné lieu. Mais comme nous le faisions observer, il a été porteur de valeurs individualistes au stade de l'intégration des jeunes à la grande cité, la vraie cité. Retenant les mêmes valeurs d'action et d'engagement, il les a portées au niveau de la personne qui dans une certaine mesure est devenue, un peu à son corps défendant, le nouveau point de référence. Le thème de la campagne annuelle de 1951 est éloquent à cet égard : « Bâtir sa vie ». Voici comment s'exprime l'affiche qui l'explicite :

> Pour construire une maison, il faut
> un ouvrier,
> Pour construire ma vie, il faut
> un ouvrier,
> Cet ouvrier, c'est moi.

Les réflexions gravitant autour du même thème tentent de susciter une gamme d'applications : « bâtir ses idées », « bâtir ses loisirs » etc. Tous ces éléments concourent à fixer un modèle de responsabilité personnelle face à soi-même. Ce qui était déjà beaucoup face à une société qui antérieurement repoussait tout projet de cette nature.

---

44. Jean Francoeur, *Vie Étudiante*, 1er novembre 1955.

Comme organisation, la JEC offre des services qui grosso modo sont susceptibles de satisfaire des besoins surtout personnels. Dans ce sens, le mouvement suscite implicitement du moins l'expression d'un individualisme assez marqué. Il met à la disposition du *public* étudiant un assortiment de ressources destinées à être utilisées aux fins de parachèvement propres à chacun. Il s'y trouve au fond un encouragement à l'intention de chacun en vue d'une prise en charge personnelle, à la réalisation d'une *histoire* qui soit sienne. Dans son esprit général, le projet porte sur une société étudiante active, mais par l'initiative personnelle de chacun. Il est donc permis de croire que, du moins dans la pratique, la JEC a plus misé sur l'entreprise individuelle que sur l'entreprise collective, et ce, en dépit de principes axés sur l'action communautaire.

Par ailleurs, le travail comme tel devient source d'épanouissement, identifié qu'il est au devoir d'état dont l'accomplissement s'intègre à une réhabilitation du temporel[45]. Ce temporel permet par la suite l'accès à la société élargie, ne serait-ce que par le biais même de ce travail qui se trouve à lier en une même situation, étudiants et travailleurs.

Le thème du travail comme objet de réflexion au programme annuel de l'année 1951-52, (adopté par le Conseil central en avril 1949), coïncide on ne peut mieux avec la grève de l'amiante. Sans retrouver des références précises à celle-ci par la suite, il est probable qu'elle a au moins contribué à une certaine sensibilisation des dirigeants jécistes à la réalité du travail. La manière de voir cette réalité va apparaître sous diverses facettes et vers les années 60, suivre une évolution avec l'ensemble du milieu québécois. Retenons pour les fins de la présente analyse les traits les plus marquants. La question du travail donne lieu au départ à une enquête auprès de la gent étudiante afin de savoir jusqu'à quel point elle se livre à un travail rémunéré et en second lieu quelle est la nature de ses contacts avec le milieu ouvrier. Les résultats qui s'en dégagent sont probants, du moins aux yeux des dirigeants du mouvement :

> Le problème du travail sous l'aspect relations de l'étudiant avec le monde ouvrier ne forme pas dans la conscience étudiante un

45. *Caractères fondamentaux de la JEC*, 1951, p. 9.

problème. S'il y en a un, c'est plutôt une affaire d'inconscience générale[46]

L'enquête révélerait en outre que ces jeunes orientent leur travail scolaire en fonction exclusive de la réussite sociale, que par ailleurs le travail en équipe est très peu pratiqué. Ils ne connaîtraient pas ou peu « l'expérience du travail en commun où finit par s'établir une atmosphère créatrice soutenant les gens au travail »[47]. À la suite de ces constatations, on se proposera de démontrer l'aspect fraternité des hommes dans cette communauté de situation qu'est le labeur. Il s'agira de sensibiliser les jeunes en fonction de la pratique extérieure afin d'en arriver à penser son propre travail d'étudiant comme moyen de rendre service à la société tout entière.

Dans le même ordre de constatations, la JEC se sent obligée de lutter contre deux attitudes qui, chacune provenant de classes sociales bien différentes, tendent à se rejoindre, à savoir que les étudiants issus de familles ouvrières désirent se dégager de leur milieu mais sans travailler à la promotion de ce dernier, et que par ailleurs, les jeunes issus de milieux bourgeois ou agricoles entretiennent envers lui des préjugés parfois même franchement hostiles[48]. L'attention sera vite portée sur la nécessité d'intéresser, pour reprendre les termes de Fernand Cadieux, les classes bourgeoises à la promotion des masses[49]. L'auteur reconnaîtra également l'urgence de rendre les jeunes conscients des « forces sociales en mouvement » arguant que « les masses tendent partout à monter, s'agitent, sont impatientes »[50]. C'est dans ce vague état de tension qu'Albert Breton propose à l'intention des jeunes plus avancés en âge une expérience de vie ouvrière en usine. Au fond, toute cette démarche ressortit au principe initial du contact direct avec le réel. La prise de conscience par le toucher.

À cause de certains interdits prononcés sur lui dès sa naissance, le mouvement jéciste s'est tenu délibérément à l'écart du politique et des

46. *Conseil de Noël*, 1950, la même constatation se retrouve dans « La JEC des collèges secondaires », *Cahiers d'Action catholique*, no 147, novembre 1952, p. 72.
47. *Ibid.*
48. « Les exigences du christianisme dans le travail étudiant », *Cahiers d'Action catholique*, nos 131-132, juillet-août, 1951, p. 371.
49. Fernand Cadieux, « Le programme de l'année », *Cahiers d'Action catholique*, no 145, septembre 1952, p. 11.
50. « Les exigences du christianisme dans le travail étudiant », *op. cit.*, p. 371.

discussions sur le nationalisme. C'est donc dans un climat présumément d'aseptie politique que s'est déroulée sa réflexion. Il a fallu les années soixante, et encore, pour lever au moins partiellement le voile pudique jeté sur son berceau. Nombre de fois l'exposé s'est arrêté au seuil du politique. À plusieurs occasions on s'est réfugié dans le *civisme*, perception très apolitique de l'homme en société, qui renvoie presque naturellement à une dialectique entre la cité et *moi*: *mes* devoirs envers x, y et z. Les problèmes sociaux ont été probablement peu évoqués parce que dans leurs conséquences ils sollicitaient une solution politique. À contrario et en dialectique avec cette dernière affirmation, il serait probablement plus juste de se demander s'il n'était pas plus rassurant de censurer le politique afin justement d'interdire l'accès au social.

Au cours des premières années de son existence, l'osmose des aspirations corporatistes du milieu idéologique ambiant s'est manifestée à la JEC par l'appel à l'ordre social chrétien. Par la suite, de vagues références au bien commun et à la charité[51] laissent entendre qu'il existe une éthique sociale et politique qui se fonde probablement sur une assise morale stable. Il se dégage pour le moins l'impression d'un *ordre* de référence assez flou qui présiderait à un bon agencement du social. Mais à tout prendre, la réflexion portant sur la cité étudiante, entendue comme cas d'espèce, refoule la grande cité aux confins de la ligne d'horizon. Si bien que celle-ci demeure étrangère à la démarche intellectuelle du mouvement. Tout se déroule comme si la cité étudiante était autarcique: il y a là vraiment une mise entre parenthèses par rapport au social.

Vie étudiante renvoie également cette image. À quelques occasions, le lecteur est invité à considérer certains événements sociaux de nature conflictuelle : quelques grèves au passage par exemple[52]. Des collaborations, souvent de courte durée, permettront parfois l'ouverture de certains dossiers. La présence d'Andrée Lajoie assurera par intermittence des propos sur des sujets plus concrets : la réalité d'une grève à la Regent Knitting (dont la raison sociale est cependant omise) avec

---

51. Germain-M. Lalande, c.s.c. « Le problème des chefs », *Cahiers d'Action catholique*, no 25, septembre 1942, p. 586.

52. Le numéro de février 1949 est intéressant à cet égard même s'il ne consacre que quelques paragraphes à la grève de l'amiante. Celle des instituteurs catholiques de Montréal donne lieu à un commentaire élargi sur le social.

photos à l'appui[53]. L'auteur ira même jusqu'à susciter un débat sur l'opportunité pour les jeunes de « faire » de la politique. Le sort, le destin ou encore la fortune (si chère à Machiavel) a voulu que ce soit un dénommé Robert Bourassa qui défende le point de vue favorable. Coïncidence ou hasard — il est toujours difficile de trancher — la facture générale de *Vie étudiante* est sensiblement modifiée avec la livraison du 15 septembre 1959, (la première de la nouvelle année scolaire) alors qu'elle pratique une ouverture marquée sur l'actualité. Y voir une relation étroite avec le décès de Maurice Duplessis survenu au début du même mois serait fort hasardeux ; mais la coïncidence mérite néanmoins d'être notée. De toute manière, la fin des années cinquante se traduit dans cette publication par une plus grande sensibilité aux événements extérieurs. Ainsi y trouve-t-on en 1958 des commentaires sur le débat ouvert par le Club des Nations unies à Montréal, de même que sur la reconnaissance de la Chine. L'avènement de Fidel Castro provoque une réaction favorable en éditorial[54]. En politique interne, le grand rôle de sensibilisateur dévolu à René Lévesque dans le cadre de l'émission « Point de mire » sur les ondes de la télévision d'État, y est également retenu.

Il est bien entendu, que les années soixante présideront à une politisation du mouvement. L'amorce en est significative :

> L'étudiant *doit s'engager à fond dans sa vie étudiante* (dans son travail, dans son milieu), qui se présente à lui comme une expérience des *grandes réalités humaines* (...)
> L'étudiant est en passage d'un milieu temporaire (l'école) à un milieu définitif (la société)[55].

Plus tard, le problème se pose plus explicitement en termes de socialisation, c'est-à-dire d'intégration des jeunes dans la société[56]. On tente alors de susciter la participation des jeunes à des entreprises sociales et communautaires. L'engagement se prend désormais en fonction de la grande cité. L'attention est portée non plus seulement sur le travail de l'étudiant, mais sur le phénomène travail en général. De même, le Conseil national de 1964 se préoccupe de l'insertion des jeunes

---

53. *Vie étudiante*, 1er octobre 1956.
54. *Ibid.*, 1er février 1959.
55. « Session mondiale », « Les étudiants et leur vie professionnelle », *Contact*, p. 15.
56. *Contact*, septembre 1964.

à la société. On déplore alors leur indifférence face à une réalité qu'ils ont tendance à percevoir comme ne devant les intéresser qu'à l'âge adulte. L'incitation jéciste auprès de ces jeunes ira donc dans le sens d'un engagement auprès des « grands corps sociaux, économiques et politiques ». Cette période correspond au Québec à une valorisation sensible des corps intermédiaires comme mécanisme de dynamique sociale[57]. Il ressort d'après le contexte que la JEC a tout simplement su s'adapter aux impératifs nouveaux secrétés par le renouveau politique du début des années 60. L'adoption du droit de vote à dix-huit ans contraignait déjà le mouvement à une réceptivité plus grande envers le politique. Cet accueil au politique est également concomitant au syndicalisme étudiant qui à ce moment-là connaît son heure de gloire. De fait, certains éléments tentent de réaliser la mobilisation du milieu étudiant par l'intermédiaire du syndicalisme, instrument de pression et de formation politique, créant ainsi une forte tension entre d'une part la conception humaniste tournée sur la personne, et d'autre part, une nouvelle conception, plus communautaire, axée sur la collectivité.

Le programme d'action proposé pour l'année 1965-66 portera précisément sur la « vie politique ». Et par la suite, le thème de « l'école au coeur des transformations sociales », adopté en mai 68 alors que le torchon brûle à Paris, offrait pour l'année 1968-69 une réflexion susceptible de remettre en question le système de l'enseignement. L'occupation massive des CEGEP en octobre tombe à propos. Effectivement, bon nombre de jécistes y prennent une part active. À cette occasion l'équipe nationale s'engage dans le mouvement de contestation de même qu'un certain nombre d'équipes diocésaines, après quoi, la JEC subit un éclatement qui fut aussi le propre des organisations étudiantes en général, et dont elle ne se relèvera probablement pas — du moins dans sa forme classique. La désaffection envers l'Église devait en somme faire le reste.

Conclusion

Mouvement d'Église, mis sur pied par l'Église, la JEC a servi de structure d'accueil à un double titre. Avec le mouvement de l'Action

57. L'idée d'un prolongement ou encore d'une sublimation idéologique du corporatisme social d'avant-guerre, où le social assurait sa propre régulation hors du conflit et donc du politique, ne serait pas à exclure.

catholique dans son ensemble, elle a contribué à une plus ample laïcisation du milieu, surtout au plan des véhicules de diffusion idéologique. Ce n'est d'ailleurs pas sans résistance que la JEC s'est imposée comme mouvement laïc. Les milieux cléricaux ont bien des fois appréhendé le pire. Ceux qui en réalité ont le plus profité à tous points de vue sont probablement les militants les plus près du sommet qui périodiquement ont dû défendre l'autonomie du laïcat. La responsabilité laïque semble également avoir été plus probante à ces niveaux, tandis que la base était constamment menacée par un clergé récupérateur dans les écoles. L'émancipation s'est concrétisée au travers de heurts multiples qui ont ponctué l'histoire du mouvement. Au fur et à mesure qu'on s'enfonce dans les années 60, le rôle du laïc dans l'Église et sa spécificité face au clerc devient un sujet de plus en plus développé.

La JEC a également servi de structure d'expression à un mouvement *de laïcisation* des idées, donc à un bris idéologique important. Il y a eu rupture d'avec les représentations antérieures qui en gros refusaient le monde. Or cette cassure pouvait difficilement s'opérer dans l'abstrait, même sous la pression de l'industrialisation, de l'urbanisation ou encore de la crise économique en ce qui a trait aux débuts du mouvement. L'idéologie cléricale avait su résister aux premières secousses, fut-ce au prix d'un irréalisme à toute épreuve. Il est donc indiqué d'envisager l'hypothèse des *visas idéologiques*, à savoir que pour franchir une étape décisive dans un cheminement idéologique il est utile, souvent désirable, parfois indispensable, d'être muni d'une forme de laisser-passer. C'est ainsi que *la Relève* parvient à rompre le cercle idéologique québécois grâce à une manoeuvre obtenue du catholicisme français qui lui permet d'accéder à une mystique inconnue du nationalisme classique. La JEC pour sa part obtient son sauf-conduit des mains de l'Église québécoise qui à son tour va puiser dans le bassin idéologique de ce même catholicisme français[58].

L'adjonction de nouvelles valeurs ne s'est donc pas opérée au hasard des circonstances. Le mouvement de la JOC et de la JEC a pris forme au Québec à un moment décisif de son histoire : la crise économique a été pour sensiblement toutes les sociétés occidentales le moment d'une remise en question fondamentale. L'Église québécoise emprunte des

58. Catholicisme français offrant évidemment de multiples possibilités, de la droite à la gauche.

instruments de réintégration déjà utilisés par les Églises françaises et belges dans un tout autre contexte, soit celui d'une désaffection religieuse ressentie bien avant la crise[59]. Il y a emprunts en vue d'un problème perçu comme analogue : une distance grandissante entre l'Église et la jeune génération en proie au désarroi occasionné par la crise économique. Ainsi s'insère dans notre milieu des valeurs auparavant étrangères et souvent même refusées.

Il y a pénétration de l'extérieur par le biais des mécanismes de l'action. L'action adoptée en principe, constituant déjà un pas important — mais encore suscité par l'Action catholique européenne —, le reste suivait comme instrument à sa réalisation, à savoir l'enquête, le travail en équipe, etc. De la part de la JEC, il s'agissait du décalque pur et simple d'un mode employé par la JOC, qui à son tour a puisé dans l'expérience de ses homologues belges en particulier. Viennent s'ajouter des influences parallèles, car à défaut d'inspiration au pays, le mouvement se met à l'écoute de Congar, de de Lubac, de Mounier, de Lebret et de la revue *Économie et Humanisme,* etc. qui tout en étant conformes à la pensée chrétienne lui donnent une plus ample dimension. En contrepartie, la JEC jouira très tôt dans son développement d'une autonomie inattendue, ou pour le moins anticipée, par rapport à ses ascendances européennes : la guerre contribuera à lui assurer une évolution passablement indépendante à cet égard, tout en demeurant ouverte au monde.

Plus que la simple acceptation du monde, sa valorisation compte comme principe premier du revirement opéré par la JEC. Cette brèche dans le mur opaque d'opposition au réel prend toute sa signification lorsqu'on lui reconnaît sa nature profonde, c'est-à-dire une *laïcisation* de la démarche intellectuelle. Par voie de conséquence, la *connaissance* se substitue aux anciens processus d'évaluation des choses qu'étaient la morale puis avec *la Relève*, la mystique. La démarche analytique prend désormais place dans un milieu intellectuel tari par une vision morale du

---

59. La thèse de Marquita Riel-Fredette intitulée *Analyse d'un mouvement social :* la JEC, 1962, Université de Montréal, adopte plutôt l'interprétation d'un phénomène de bureaucratisation par lequel Rome aurait en quelque sorte imposé au clergé québécois une organisation propre à résoudre un problème européen sans qu'en somme aucun besoin de la sorte ne se soit fait sentir au Québec. L'absence de document probant permet difficilement de conclure en ce sens d'autant plus que l'ouvrage de Gabriel Clément, *Histoire de l'Action catholique au Canada français, op. cit.*, mieux documenté, laisse croire à un besoin vraiment ressenti par certains éléments progressistes du clergé.

monde, où le mode d'acquisition privilégié reposait sur la transmission non-critique des valeurs. Auparavant le savoir ne jouait qu'un rôle très secondaire dans l'action alors qu'au lieu d'avoir recours à des compétences, le nationalisme classique s'adressait plutôt à des hommes de bonne volonté : la qualité morale des personnes comptait beaucoup plus que leur science. Le contraste est frappant lorsqu'est mis en présence le thème de la campagne annuelle de 1951 : « Bâtir sa vie » où il est question de « posséder le monde » par l'intelligence ; disposition qui était absolument étrangère aux prédécesseurs de la JEC[60]. Là se résume une vision humaniste par laquelle l'homme se fait lui-même après avoir observé et compris.

L'aspect communautaire, second apport, mais cependant moins souligné, s'allie au premier lorsqu'il se veut dialogue et souci de comprendre au lieu de condamnation et d'interdiction[61]. Il se tourne en principe vers la fraternité et la charité au moment de la vie jéciste qui se pose comme vie d'équipe donc de solidarité humaine dans l'action. C'est surtout face à la grande cité des hommes que le mouvement freine son élan : la dynamique proposée à l'action de l'équipe est en somme refusée à la société entendue dans sa totalité. Les incursions dans le social seront, règle générale, assez timides. Rarissimes par exemple seront les propos touchant les effets de l'économie sur le social : le chômage, les grèves ne font pas partie du décor jéciste[62].

Un texte se distingue de l'ensemble par la netteté du réquisitoire, il s'agit d'un extrait du *Carabin* (organe des étudiants de l'Université Laval) tiré d'un article de Fernand Dumont et reproduit dans *Vie étudiante*, où l'auteur s'en prend à « l'heure dominicale ou la maladie infantile du catholicisme » :

60. « Suggestions pour la campagne des jeunes » *Cahiers d'Action catholique*, no 128, avril 1951, p. 297.
61. Claude Ryan, « Devoirs de l'Action catholique devant l'évolution présente du laïcat canadien-français », *Laïcat et mission*, no 12, août 1961, p. 260.
    Claude Ryan, « Le laïc d'action catholique dans l'Église d'aujourd'hui » *Laïcat et mission*, no 1, octobre 1958, p. 24.
62. Exception faite de quelques textes, Jacques Laliberté, « Le 2e bulletin des collèges classiques », *Cahiers d'Action catholique*, no 191, janvier-février 1958, p. 21. Texte dans lequel, entre autres est prévue à l'intention des collégiens une réunion sur le chômage, les grèves, les loyers et les revenus à Montréal, en plus de trois documents censés faire « prendre conscience de la misère qui existe au Canada et de l'ignorance où l'on est en face d'elle ».

> Tel dimanche, on invite un patron et un ouvrier chrétiens — qui représentent aussi bien le monde du travail que Gérard Raymond représentait l'étudiant. Ces messieurs parlent en termes vagues et sirupeux, de la justice, de la charité, de l'amour. Aucune allusion aux problèmes brûlants, à une lutte de classes qui dure depuis des siècles ; mais beaucoup de comparaisons, beaucoup d'optimisme...[63].

Mis à part quelques appels à la conscience sociale que l'on peut compter sur les cinq doigts de la main, la perception jéciste du milieu extérieur au cercle étudiant est sans relief aucun.

L'argument selon lequel un bon nombre de dirigeants étaient déjà sensibilisés au social mais n'osaient pas s'affirmer par crainte de représailles en provenance du clergé, a bien sûr, un certain poids. Leur marge de manoeuvre était en ce domaine peut-être étroite. Mais par ailleurs, il faut bien admettre que la perception première, et donc fondamentale, du mouvement est d'emblée *asociale* : l'existence d'un monde étudiant retranché du social sert de premier postulat à son action. La nature asociale de son engagement n'est pas fortuite, mais plutôt conséquente à une vision morcelée de la société.

La consigne d'apolitisme imposée à l'origine du mouvement a certainement contribué à projeter l'image d'une société désarticulée que l'intelligence dans l'action peut saisir par compartiments, l'un de ceux-là pouvant être le milieu étudiant. Un article de l'*Action nationale*, dont certains extraits furent repris dans une publication ronéotypée de l'Action catholique universitaire, illustre admirablement bien une conception fort rétrécie du politique. Il est de Claude Ryan cette fois :

> En dehors et au-dessus de la politique, il importe de bâtir, en partant du peuple, un réseau d'institutions qui protègeront l'âme populaire contre l'invasion du matérialisme et les intrusions de la politique. Sur le plan religieux, il faut mettre sur pied des mouvements apostoliques (...) : c'est la tâche de l'action catholique. Sur le plan économique, il faut développer le mouvement coopératif, promouvoir l'entreprise privée et concourir

---

63. *Vie étudiante*, avril 1950. « L'heure dominicale » on l'aura deviné, était une émission radiophonique d'inspiration religieuse. La vie exemplaire de Gérard Raymond a été proposée un temps à la dévotion des mièvres.

> au progrès d'organismes comme les Chambres de commerce. Sur le plan du travail, il faut intensifier l'organisation syndicale et professionnelle. Sur le plan familial, il faut créer un ou des mouvements qui se fassent les défenseurs de la famille auprès des corps publics. Sur le plan civique, il faut développer des organisations qui se donneront comme but de former l'opinion autour des problèmes relatifs à la chose publique. Il faut consolider et adapter notre système d'enseignement, trouver et vulgariser des formes originales de loisirs et de pratique des sports etc.[64].

Il y a donc tout lieu de croire que ce mouvement lancé durant la crise portait dès son origine un bagage génétique sujet à lui interdire le passage à la totalité du social. L'intervention dans le politique par un laïcat aguerri aurait signifié à court ou à long terme une mise en veilleuse progressive de l'influence cléricale auprès des gouvernants, bref une laïcisation complète du projet social[65]. On avait par conséquent tout avantage à contenir l'action des non-clercs à l'intérieur d'un cadre suffisamment restrictif. La prise en charge des destinées sociales de la collectivité leur était en principe fermée. Il fallut l'émergence de *Cité Libre* pour tenter une percée dans ce champ défendu.

L'argument d'incapacité par ailleurs invoqué dans le sens d'une oppression idéologique imposée d'en haut, c'est-à-dire du gouvernement, mérite une certaine attention, mais ne parvient pas à tout expliquer. Il semble qu'au tournant des années 50 le thème du politique fut évoqué comme sujet de réflexion au programme annuel, mais fut par la suite mis sous le boisseau. Deux tentatives antérieures en vue de remettre sur le tapis la question du nationalisme avorta de la même manière. Le régime Duplessis n'incitait certes pas au débat politique sur l'agora, mais lui imputer l'apolitisme de la JEC serait abusif. Le gouvernement avait avantage de toute évidence à entretenir auprès des diverses instances ecclésiastiques le bien fondé d'une idéologie qui faisait de *la* politi-

---

64. Claude Ryan, « Ferons-nous de la politique ? » *Action Nationale*, vol. XXXVII, no 6, juillet 1951, p. 476. Cette affirmation n'est pas sans un certain rapprochement avec la déclaration de Lionel Groulx : « Vous voulez agir sur la politique de votre province ? Commencez par agir... à côté d'elle et surtout au-dessus d'elle : sur les idées, sur les idées spirituelles et nationales » dans *Directives*, p. 74. Avec Ryan, le déplacement s'est au moins effectué dans le sens de l'action.
65. Réalisation qui s'est finalement concrétisée après 1960.

que une chasse gardée des politiciens. En contrepartie, les dirigeants jécistes[66] avaient le profond sentiment d'être de toute manière minoritaire dans la cité, ce autant auprès du clergé en général que de la société dans son ensemble. Cette situation était susceptible de renforcer une prédisposition déjà existante dans la nature intime du projet proposé par la JEC. On peut donc dire qu'un double frein idéologique et politique a contribué à empêcher ces laïcs de déboucher sur le social.

À défaut d'un point de fixation au niveau national ou politique, la réflexion jéciste a tôt fait de passer au-delà. Le militantisme aux postes de direction a été l'occasion de déplacements fréquents, divers congrès conduisaient ces jeunes tantôt dans les Amériques, tantôt en Europe. Ces expériences ne pouvaient pas manquer de tracer des voies d'ouverture sur le monde international. La JEC même très québécisée par son enracinement au pays, s'est révélée également d'une appartenance outre frontières. On pouvait ainsi affirmer qu'« un engagement vis-à-vis de la JEC (...) entraîne peu à peu à une responsabilité internationale[67].

Sur le plan idéologique, l'entreprise jéciste réfléchit à prime abord les aspirations d'une classe tournée vers les professions libérales. De ces aspirations relèvent la nature individualiste du projet. Le discours jéciste propose en somme une transfiguration de l'homme par lui-même. Toute la responsabilité ultime de l'action ressortit au dynamisme propre à chacun. Il n'y a évidemment rien d'étonnant dans ce rapprochement entre la JEC et les professions libérales puisqu'au fond l'idéal de l'achèvement du Québécois était fortement sujet à se couler dans les formes connues.

En seconde analyse, l'aspect *organisation* du mouvement apparaît progressivement. Même si en dernière instance, l'action s'adresse à des individus particularisés, elle fait appel pour sa totale réalisation à une structuration collective. Le *véhicule* de l'idéologie jéciste, c'est-à-dire son organisation, a marqué en particulier ceux qui en ont été les promoteurs les plus engagés. La JEC à cet égard a constitué une école d'organisateurs qui par la suite ont poursuivi leur action dans une

66. Bon nombre d'entre eux étaient familiers avec le mouvement Esprit et le personnalisme en France, mais ne semblent jamais avoir fait valoir une pensée sociale et politique conforme à ces aspirations pourtant très admirées. *Cité Libre* tentera pour sa part, une formulation plus proche de l'orientation personnaliste.

67. Réginald Grégoire, « Des dimensions nouvelles à notre responsabilité », *Cahiers d'Action catholique*, no 196, décembre 1958, p. 74.

diversité de champs. La présence dans le cabinet Trudeau, à un moment donné, de trois grands militants des grandes heures : Gérard Pelletier, Jeanne Sauvé et Marc Lalonde n'est probablement pas fortuite. Il en est de même pour un bon nombre d'autres organismes publics ou privés. Dans ce sens, la JEC s'est trouvée à offrir un apprentissage à plus d'une génération, et de ce fait à encourager une forme d'insertion dans la société libérale de son temps. À cet égard, les stratégies jécistes rejoignent les impératifs d'une industrialisation de plus en plus présente et massive, surtout à Montréal. Le volet consacré au phénomène *organisation*, avec ce qui en découle suivant la ligne de l'efficacité et du rendement, ressortit à un univers économique qui dépasse dans ses conséquences l'action strictement étudiante. Il est évident que par ce biais s'introduit dans le champ idéologique des composantes étrangères à la pensée traditionnelle et aussi aux représentations appartenant aux professions libérales.

Tout en demeurant enfermée dans un champ d'action déterminé par une vision cléricale du social, la JEC s'est révélée en son temps le tremplin idéal à l'intention de laïcs intéressés à l'élargissement de l'univers idéologique au Québec. Elle leur a servi en somme de laboratoire pour des expériences multiples : cheminement personnel, apprentissage de l'action concrète, affrontement au clergé etc. Plus que *la Relève*, la JEC s'est constituée en banc d'essai de la laïcisation. Compte tenu des possibilités de l'époque, il est permis de croire — peut-être en exagérant légèrement — que la JEC a été un peu pour la société québécoise ce que le parti communiste a été pour la France au cours de la même période. Les deux se sont avérés des mouvements-passoires pour leurs générations d'intellectuels respectives. (L'influence de chacun fut bien différente, mais là n'est pas la question, ni non plus le mode ou le contenu de l'action.) Bref, la JEC des décennies 40 et 50 a servi de *matrice idéologique* à toute une succession de représentations progressistes.

Chapitre deuxième

L'émergence de l'homme abstrait : Cité libre

L'émergence de l'homme abstrait : Cité libre

Fondée en 1950, la revue *Cité Libre* première formule voit le jour un an après la grève d'Asbestos et quelque deux années après la disparition de *la Nouvelle Relève*. Elle paraît à un rythme assez inégal : en tout, de juin 1950 à juin 1959, *Cité Libre* constitue un ensemble de vingt-trois numéros à fréquences diverses. À raison d'une moyenne de trois livraisons par année si on exclut les derniers moments au cours desquels l'espacement se fait plus marqué, la revue offre une présence plutôt intermittente, à l'inverse de *Parti pris* qui, à ses débuts, s'imposera par la force et la régularité de sa fréquence. Elle tire à 1500 exemplaires en 1951. Avec l'avènement de la télévision d'État en 1952, qui d'ailleurs dispose d'une présence exclusive jusqu'au seuil des années 60, les animateurs de la revue, grâce à des liens divers avec le milieu assez restreint des intellectuels, se trouvent à prolonger leur action à partir de la tribune élargie que leur offre le petit écran. La rareté des ressources obligeait d'une certaine manière la télévision à recourir à leurs services. C'est ainsi que les années 50 ont offert à l'intelligentsia québécoise une position d'influence de premier plan. À ce réseau de relais viendront se greffer les conférences de l'ICAP (Institut canadien des affaires publiques). À cet égard, *Cité libre* fait partie d'un système de discours, qui, varié dans ses formes d'expression — revue, télévision, congrès etc. —, garantissait une continuité du message. Il va de soi que Radio-Canada offrait une diversité d'expression plus grande. Néanmoins, il y a avec *Cité Libre* une concertation qui lui permet un rayonnement beaucoup plus grand que peut laisser croire la fréquence de ses parutions, ou encore son simple tirage. Il s'agit donc d'une action relayée assez tôt par des instruments autres que le simple écrit.

En perte de vitesse vers la fin des années 50, *Cité Libre* connaît un regain important grâce à un double événement : la mort, en septembre 1959, du « grand chef », Maurice Duplessis, *et* les cent jours de son successeur, Paul Sauvé, marquent un regain pour la revue. À l'occasion de ce virage important, elle change de facture et un peu de ton. C'est la « nouvelle série », reprise élargie de la première formule, qui assure cette fois une périodicité raffermie. *Cité Libre* devient mensuelle, et par sa présentation générale, s'identifie à une publication qui se propose de dépasser le cercle étroit des premiers initiés. L'amertume de l'action incertaine fait place à une sérénité plus assurée. Avec la victoire des libéraux en juin 60 et leur renforcement électoral de l'automne 62, *Cité Libre* se pose alors comme la publication-carrefour par excellence. C'est vraiment la revue des « courants d'airs » : des partipristes en puissance y exposent leurs réticences ; il en va de même pour Pierre Vallières et Charles Gagnon et bien d'autres. Ainsi se forme en son sein même un anticitélibrisme, comme son antithèse. Effectivement, la revue ne parviendra pas à surmonter ce déchirement qui, amorcé concrètement par l'apparition de *Parti pris* à l'automne 63, la conduira à une rigidité toute défensive, prodrome de sa perte. Dans un esprit de militantisme « anti-séparatiste », deux des fondateurs et constants collaborateurs de la revue, Pierre-Elliott Trudeau et Gérard Pelletier s'allient à Jean Marchand, président démissionnaire de la CSN, pour renforcer l'équipe libérale de Lester Pearson au scrutin de novembre 65. Ce mouvement assez inattendu de la part d'ex-défenseurs du Nouveau parti démocratique réduit l'équipe restante à récuser publiquement ce brusque revirement politique. Dernier coup d'estoc, *Cité Libre*, ravivée par la fin du duplessisme alors qu'elle avait fait peau neuve avec la livraison de janvier-février 60, disparaît avec la régénération un peu artificielle de l'Union nationale qui reprend fortuitement le pouvoir en juin 66[1]. La revue se transforme en cahiers pour quelques années... Mais il y a déjà un bon moment que l'âge d'or est révolu.

---

1. L'Union nationale remporte au scrutin de 1966 une majorité de sièges alors que le parti libéral rallie une bonne majorité de voix.

Situer *Cité Libre* c'est bien sûr lui reconnaître des antécédents qui ne sont pas nécessairement des influences. D'autres avant elle ont tout simplement soumis des propositions qui annoncent la concertation idéologique que représente la revue à un moment donné de l'histoire québécoise. Le trajet de *la Relève* en passant par le jécisme correspond à un cheminement relativement continu. D'autres représentations, souvent moins conjuguées et plus anciennes, comptent parmi des précédents idéologiques à retenir. Si avec le tournant du siècle le libéralisme est mis en veilleuse et qu'on doit compter sur les doigts de la main le nombre des quelques tenaces continuateurs, il en est moins ainsi dans les années trente, alors que sous l'effet de la crise, quelques esprits un peu plus libres expriment des doutes sur la société de leur temps, surtout sur la fonction de socialisation dévolue au clergé. La revue *Les Idées* sert de carrefour à ce courant de 1935 à 1939. Sans offrir la cohérence de *la Relève* qui lui est contemporaine, ou encore de *Cité Libre*, ce périodique sert néanmoins de tribune à une variété d'opinions qui à l'occasion portent un jugement sévère sur l'éducation au Québec. Jean-Charles Harvey, Albert Pelletier et Philippe Panneton (Ringuet) se rejoignent pour prononcer un dur réquisitoire contre l'enseignement à tous ses niveaux. Le langage de Jean-Charles Harvey et Albert Pelletier est péremptoire : l'emprise cléricale sur l'éducation est la première responsable de nos retards ; et de manière non équivoque, ces deux auteurs relèvent le rôle dominant des évêques dans le célèbre Conseil de l'Instruction publique. Quant à Ringuet, on lui doit une formule cruellement éloquente qu'on a parfois reprise par la suite ; condamnant la vision passéiste des nôtres et la fossilisation en quelque sorte de notre tradition universitaire, le médecin constate que : « L'Université de Toronto découvre l'insuline ; (pendant que) l'Université de Montréal, elle sur la montagne, ne découvre que sa nudité »[2]. Il est intéressant de noter par contre que bon nombre de ces intellectuels aux audaces anticléricales s'inquiètent à cette époque des réaménagements susceptibles de surgir dans l'organisation sociale. Jean-Charles Harvey appréhende en 1935 les « idées subversives » que pourrait susciter la jeunesse et Albert Pelle-

2. Philippe Panneton, « Les yeux dans le dos », *Les Idées*, Vol. IV, no 6, décembre 1936, p. 359.
Jean-Charles Harvey, « Que nous manque-t-il en affaire ? » *Les Idées*, Vol. III, no 6, juin 1936, p. 325 et s.
Albert Pelletier, « Notre conseil de l'Instruction Publique », *Les Idées*, Vol. IV, no 4, octobre 1936, pp. 196-204.

tier condamne en filigrane *la Relève* pour son collectivisme proposé sous le couvert d'un catholicisme renouvelé[3]. L'hebdomadaire *Le Jour* (1937-1946) qui, sous la direction de Harvey, poursuit cette même démarche, se fera à ses heures l'ardent défenseur du capitalisme au Québec tout en demeurant le grand avocat de la réforme de l'éducation.

La législation scolaire du gouvernement Godbout durant la guerre s'inspire, quoique de façon mineure, de préoccupations analogues : les lois sur l'instruction obligatoire et la gratuité des livres à l'usage des écoles en sont l'illustration. Un homme politique comme T.-D. Bouchard incarne le type radical en pleine orthodoxie cléricale ; sa présence dans les années quarante représente en outre le prolongement d'une continuité libérale de vieille souche relayant dans le temps l'action engagée par ses prédécesseurs au tournant du siècle. La succession recueillie par la génération des années cinquante va se structurer en un projet plus ample et davantage représentatif des aspirations propres à tout mouvement.

Aborder *Cité Libre* c'est embrasser d'un même coup d'oeil un foisonnement d'idées qui ont trouvé leur expression sur un étalement de plus de quinze ans. Revue passablement ouverte, elle a laissé dans bien des cas libre cours à des représentations qui ne rencontraient pas nécessairement le point de vue de la direction. Il y a des moments où l'écart sera apparent et parfois même souligné. Viendront s'adjoindre des collaborations d'occasion qui, comme pour n'importe quelle publication, représentent des appoints susceptibles de se situer souvent en marge de la dynamique d'ensemble. Nous nous proposons donc d'essayer une reconstitution qui sera nécessairement un *construit* de l'esprit sous-jacent au discours citélibriste. Il s'agit donc de tracer un profil qui parvienne à dégager une structure de pensée, un certain ordre dans les propositions, comme nous l'avons fait pour le chapitre précédent. Cette mise au point s'applique d'ailleurs mieux dans ce cas-ci puisque la diversité des discours est plus grande. Il est donc exclu de tout retenir, ou même encore de tenter une mise en parallèle de propos qui mettrait la revue en contradiction avec elle-même[4]. En outre, nous nous devons de recon-

---

3. Jean-Charles Harvey, « La Crise de la jeunesse », *Les Idées*, Vol. I, no 6, juin 1935, p. 334.
4. Plus d'une cinquantaine d'auteurs ont apporté leur concours (excluant les poèmes) à la seule publication de la 1ère série composée seulement de 23 numéros, ce qui représente une moyenne supérieure à deux nouvelles collaborations par livraison.

naître que l'étude de *Cité Libre* ne touche pas un terrain vierge ; la revue a connu ses détracteurs dès ses origines, et la critique de son action s'est poursuivie probablement jusqu'à son dernier souffle. Enfin, un bon nombre de thèses et de mémoires ont étudié l'idéologie citélibriste.

Il était possible, à l'instar de certains, de scinder en deux périodes distinctes l'analyse de la revue, à savoir la formule des cahiers gris de 50 à 59 et, d'autre part, la série dite nouvelle qui connut son point de chute en 66. De fait, la césure entre les deux séquences n'est que formelle puisque, du moins à nos yeux, la position de la première phase ne fait que se renforcer dans la seconde. Il y a par contre bris, ou du moins tension, entre un nouveau projet qui se fait jour avant même les années 60 et l'orthodoxie, si on peut l'appeler ainsi. En effet, le minage interne sera d'une telle envergure au moment où va paraître *Parti pris* qu'il légitime une section à part que nous désignons par l'appellation d'anti-citélibrisme. C'est ainsi que *Cité Libre* comme idéologie sera l'artisane de son propre éclatement et qu'à cet égard, *Parti pris* en sera le résultat. Dans le même ordre d'esprit, *Cité Libre* trouve sa place en fonction de prédécesseurs aussi immédiats.

La revue poursuit le discours de *la Relève* et de la JEC. De la première, il retient une ouverture au monde qui, chrétienne, se veut en discontinuité avec le milieu. Il y a également en jonction avec la JEC un coup d'oeil sur l'homme universel. De la JEC, dont Gérard Pelletier, tout en n'étant pas le seul, est le représentant le plus en évidence, *Cité Libre* reprend une conception de l'action réfléchie et concrète, biais qui permettra une rencontre avec une forme de libéralisme déjà présente, mais sous forme larvée, dans le milieu.

Comme *la Relève* et la JEC, Cité Libre — en dépit des apparences — appartient à la même foulée idéologique : elle est de la même génération ébranlée par la crise.

> Nous sommes les enfants de la crise économique, affirme Gérard Pelletier en 1958, les adolescents issus de la Grande Dépression (...) Nous crevions de misère économique, d'incertitude. Nous avons grandi devant le spectacle d'une société en faillite[5].

5. Gérard Pelletier, « Matines », *Cité Libre*, no 21, juillet 1958, p. 3.

Réginald Boisvert s'exprime dans les mêmes termes dès la première livraison. Le thème des premières réflexions de cette génération ne pouvait qu'être l'*inquiétude*. Or cette inquétude devait se muer très tôt en désarroi, car ajoute-t-il : « Il nous était impossible de donner à nos inquiétudes un visage précis. Nous nous contentions d'avoir faim et peur »[6]. Le titre de son article n'en est pas moins évocateur : « *Domiciles de la Peur sociale* »...

Le principal point de référence, explicite ou non, sera la crise. Viendront s'y greffer bien sûr, d'autres éléments d'une importance non négligeable, comme la seconde grande guerre et ses suites : une industrialisation accélérée dont la grève d'Asbestos parmi tant d'autres a été la manifestation tangible. Mais ce même phénomène d'industrialisation sera observé à la lumière des leçons subies et apprises à l'occasion de la crise. La principale leçon aura été la faillite monumentale des idéologies traditionnelles à comprendre la nature de la crise, son sens, sa portée, ses conséquences et finalement les moyens pour la juguler. C'est donc en fonction de cette banqueroute d'une élite cléricalisante que la revue pose les nouveaux problèmes d'une société désormais urbaine. Le réquisitoire prononcé par Trudeau dans son long chapitre introductif à la *Grève de l'Amiante* contre l'inanité des représentations traditionnelles relève tout à fait de cette vieille rancoeur. Face au grand défi posé par la crise économique les nôtres auraient eu le choix entre l'assurance béate hors du réel et l'angoisse de l'impuissance isolée.

Lorsque Pelletier ajoute toujours à propos de ce temps de crise que sa génération fut gavée de systèmes, qu'elle fut nourrie de solutions toutes faites, sans aucun rapport avec la réalité, c'est encore une fois en réaction à la méprise d'une génération qui perçoit son milieu comme ayant été dupe d'une intelligentsia stérile, et ce, à un des moments les plus critiques de son histoire[7].

Les adversaires

Suivant en cela la courbe normale des mouvements sociaux, *Cité Libre* se définit à ses débuts, en termes d'opposition. Une opposition qui

---

6. Réginald Boisvert, « Domiciles de la Peur sociale », *Cité Libre*, no 1, juin 1950, p. 15.
7. Gérard Pelletier, *op. cit.*, p. 3.

sera d'autant plus forte que la revue identifie l'adversaire à un ensemble omniprésent, massif et monolithique.

Le clergé, comme appareil collectif d'emprise intellectuelle et politique sur la société québécoise, a d'emblée servi de pôle à la cristallisation des revendications citélibristes contre un système de représentations et de pratiques qui entretenait au Québec un état de torpeur généralisée. En revanche, la revue a toujours maintenu une attitude respectueuse à l'endroit de l'Église, celle-ci étant entendue comme incarnation d'un ordre supérieur de valeurs. Cette position n'a pas été, bien au contraire, absente d'ambiguïté comme s'en confie Gérard Pelletier en 1960 :

> La position de notre équipe, en matière religieuse, n'a jamais été confortable. Dès nos premières livraisons, nous nous sommes trouvés pris entre les feux croisés de croyants choqués par nos propos et d'incroyants irrités par ce qu'ils croyaient être des tours de passe-passe apostoliques[8].

Certains écrits s'appliquent à ne mettre en lumière que les abus de compétences : on s'en prend alors aux excès du clergé dans la cité. P.-E. Trudeau se définit ainsi comme anticléricaliste et non anticlérical[9]. Il est manifeste que l'intention première vise à rendre aux laïcs leur dû, sans plus. Les mouvements d'Action catholique amorcés quinze ans auparavant se trouvaient à avoir préparé généreusement le terrain. Dans cette perspective, *Cité Libre* se voudra le chien de garde des laïcs contre l'extension cléricale en matière non ecclésiale. Elle entretient à cette fin des têtes de turcs privilégiées : certains Jésuites de la réaction, la droite rumillyste, le journal unioniste *Notre temps* etc. L'observation quand ce n'est pas le sarcasme, est dirigée vers des situations bien nettes de cléricalisme flagrant dans le quotidien québécois ; tantôt ce seront des criantes collusions avec le pouvoir civil, tantôt encore des affirmations d'obscurantisme indéfectible.

Outre un anticléricalisme de conjoncture, *Cité Libre* servira de tribune à une interrogation plus globale du phénomène, qui ne se cantonnera plus aux abus mais au contenu, au *sens* des représentations cléricales véhiculées dans le milieu. À des degrés divers, et selon des cheminements différents, bon nombre d'auteurs trouveront au sein de la revue

---

8. Gérard Pelletier, « Feu l'unanimité », *Cité Libre,* no 30, octobre 1960, p. 9.
9. Pierre-Elliott Trudeau, « Matériaux pour servir à une enquête sur le cléricalisme », *Cité Libre,* no 7, mai 1953, p. 29.

un commun dénominateur dans la dénonciation de cette force idéologique.

Maurice Blain extrait la portée profonde de la suffisance intellectuelle du cléricalisme sur la culture[10]. Dépourvu de sens critique et de curiosité, le Canada français s'enlise, selon lui, dans le conformisme et la sécurité apportés par les idées reçues. La pensée ainsi immobilisée, évolue vers une négation de la liberté à l'avantage d'un intégrisme qu'alimenteraient laïcs et clercs. Contre l'expression de tout son discordant, le pouvoir clérical et politique se sert de la censure et de la propagande. L'intolérance est devenue une réplique officielle. (L'auteur en profite alors pour en souligner les effets catastrophiques sur la spiritualité qui ne saurait s'instaurer dans un tel état de vacuité). Dans ses remarques sur l'enseignement secondaire, Marcel Rioux arrive aux mêmes conclusions : le système du collège produit des élèves dépourvus de sens critique et incapables d'étonnement[11]. Personne dans cette conjoncture pédagogique ne s'inquiète ni ne s'interroge : « Les parents savent tout, les curés savent tout, tout le monde sait tout autour de l'enfant »[12]. Dans le chapitre introductif à *La grève de l'amiante*, P.-E. Trudeau met pour sa part en évidence l'irréalisme et le monolithisme des représentations cléricales tout en prenant bien soin de préciser que son attaque vise la pensée officielle au Québec, « *notre* » doctrine sociale de l'Église[13] et non pas les enseignements des papes comme tels.

D'autres y relèvent un système de représentations qui non seulement se tient en marge du réel, mais également se met à l'école de la servilité, de la peur et de la culpabilité.Dès 1955, Jean Le Moyne intègre la culpabilité à l'être canadien français[14]. Il revient plus tard à André Lussier de provoquer une certaine commotion avec un texte que *Cité Libre* ne publiera pas sans réserve[15]. L'auteur stigmatise en ces pages le refus de la sexualité et ses formes de compensation.

---

10. Maurice Blain, « Pour une dynamique de notre culture », *Cité Libre*, no 5, juin-juillet 1952, pp. 20-26.
11. Marcel Rioux, « Remarques sur l'éducation secondaire et la culture canadienne-française », *Cité Libre*, no 8, novembre 1953, pp. 34-42.
12. Marcel Rioux, *ibid.*, p. 36.
13. Pierre-Elliott Trudeau, *La grève de l'amiante*, Montréal, Éd. Cité Libre, 1956, p. 19.
14. Jean Le Moyne, « L'atmosphère religieuse au Canada français », *Cité Libre*, no 12, mai 1955, p. 7. Écrit en 1951, cet article n'a paru qu'en 1955, puis a été repris par la suite dans *Convergences*.
15. André Lussier, « Notre école confessionnelle et l'enfant », *Cité Libre*, no 42, décembre 1961, pp. 8-19.

Il va de soi que l'anticléricalisme de *Cité Libre* se situe en concomitance avec une société qui opère un virage déterminant en matière d'éducation. La succession unioniste de Duplessis et plus précisément les cent jours de Paul Sauvé (septembre 59 à janvier 60) alimentent déjà le débat sur la place publique, alors que l'éducation devient un champ ouvert à un développement possible, de bloquée qu'elle était sous la tutelle prolongée du grand « chef ». L'arrivée au pouvoir du gouvernement Lesage qui s'était déjà vaguement assigné une fonction réformatrice en matière d'enseignement, ranime à nouveau le milieu intellectuel au Québec. Vient s'ajouter, par surcroît, un événement catalyseur : le projet caressé par les Jésuites de fonder une seconde université francophone à Montréal ; (une requête à cet effet est d'ailleurs déposée à la législature du Québec en vue d'obtenir une charte universitaire). La création, par la suite, de la Commission Parent sur l'éducation, le dépôt de son rapport, puis finalement, la mise sur pied du Ministère de l'éducation confirment le mouvement irréversible mis en branle à l'automne 1959.

L'idéologie citélibriste tombe à propos en cette séquence d'événements qui correspondent on ne peut mieux à son propre cheminement. Au coeur de sa démarche se maintient un double chef d'accusation : l'ubiquité du clergé dans les appareils de production idéologique et l'aliénation intellectuelle des nôtres comme contenu de cette production. *Cité Libre* à cette époque se veut à la fine pointe du combat. Tout au long de son existence elle optera pour la « déclericalisation » du projet politique. C'est dans cette optique qu'elle se tourne également contre le nationalisme.

L'antinationalisme de *Cité Libre* s'avère puisé aux mêmes sources que son anticléricalisme si bien qu'au cours des annnées cinquante en particulier, la lutte se livrera simultanément sur les deux fronts. Nationalisme et cléricalisme étaient allés semble-t-il à la même école ; ils étaient aussi frappés des mêmes tares : monolithisme, irréalisme, autoritarisme. À nouveau, c'est tout un *système* d'éléments idéologiques qui se découvrent en interrelation les uns avec les autres. Dans cette perspective, l'agriculturalisme, le syndicalisme catholique, le corporatisme et la coopération comme expressions sociales appartiennent à cette structure d'ensemble. Ainsi, la critique citélibriste se garde bien de hiérarchiser pour ainsi dire son aperçu global, disons en rendant le cléricalisme comptable du nationalisme. Au contraire, elle s'attaque à un *ensemble* d'interrelations, un état collectif que la revue se donne comme devoir de corriger et même d'oblitérer.

La primauté de la raison

Cité Libre propose alors de remplacer l'ancienne orthodoxie par une nouvelle totalité, un univers mental aussi global que le précédent. Alors que le premier ressortissait à une vision traditionnelle du monde, le second, à l'inverse, lui substitue la *raison*. Une raison qui à vrai dire n'arrêtera son regard que sur le profane, mais tout en donnant à ce profane une extension assez forte. Cette coupure n'offre rien de particulièrement inusité en soi. Le passage à l'ère du positivisme est tout simplement un peu tardif. Il y aura lieu de s'interroger sur ce retard ; d'autres idéologies soit extérieures, soit encore postérieures au citélibrisme, s'en chargeront.

Le projet citélibriste est d'abord rationaliste dans la mesure où l'action collective de même que ses représentations se mesureront désormais à l'aune de la raison. L'expression la plus achevée de cette vision du monde se trouvera à n'en pas douter dans la pensée éminemment libérale de Pierre-Élliott Trudeau. Celui-ci, un peu à l'instar de ses prédécesseurs qui au XIXe siècle se donnaient pour rôle de promouvoir auprès des nôtres le libéralisme politique d'Europe et d'Amérique, réintroduit dans le réseau idéologique québécois une argumentation puisée dans la même tradition. Gérard Pelletier et quelques autres, par intermittence, y allieront un réalisme gagné au contact d'un concret qui pour plusieurs aura été la JEC, expérience initiatrice à une forme — un peu tronquée — de personnalisme. La perception du social sera pour cette raison teintée d'une préoccupation communautaire généralement absente du libéralisme classique[16].

Quelle que soit la filière intellectuelle de chacun de ses collaborateurs, *Cité Libre* tiendra lieu durant une quinzaine d'années de carrefour rationaliste et connaîtra à tout prendre son heure de gloire avec la prise du pouvoir des libéraux à la législature du Québec même si, en principe, la revue a toujours gardé ses distances vis-à-vis du gouvernement Lesage.

---

16. Il va de soi qu'une certaine familiarité avec les formes plus « fabiennes » de la pensée politique anglaise aurait peut-être donné des résultats analogues.

La démarche suivie par la revue se conforme au modèle-type du rationalisme libéral, à savoir un déplacement analytique se fondant sur l'individu pour atteindre le social.Processus intellectuel se logeant à l'enseigne de l'atomisme classique. La réhabilitation de la société passe donc par la réhabilitation des individus. (L'anticitélibrisme s'axera au contraire sur un renversement de cette problématique, plaçant la désaliénation du Québécois comme conséquence logique de la désaliénation — nécessairement collective — du Québec, et non des Québécois pris un à un). L'effort sera tout tendu vers la réforme des individus, et ce à de multiples niveaux.

L'action rationnelle suppose une *conscience* de soi, conscience des finalités poursuivies et des moyens, conscience de l'extérieur comme mû selon des lois susceptibles d'être découvertes par l'observation et la réflexion. De là l'essentiel d'une pensée formée et informée, une pensée encline à la réflexion critique et disposant d'information en conséquence. Ce sera en fonction de ces deux objectifs hiérarchiquement subordonnés en importance que s'emploiera la revue : prise de conscience et faits à l'appui, contenant et contenu de la *Raison*, celle-ci en marche au travers de toute une société. Pénétration organisée collectivement afin de rejoindre tous et chacun comme éléments distincts. La première étape de l'opération est connue : débusquer les tentatives de réforme qui s'inspirent de l'irrationalité. Dans cette catégorie se retrouvent évidemment les structures mentales reçues du milieu, le nationalisme et la pensée sociale du temps, qui tombent sous l'empire du mythique. La seconde, positive dans son intention, ce sera l'éducation et même la rééducation de tout un peuple, outil par excellence de la stratégie rationaliste appliquée aux grands ensembles.

Gérard Pelletier tient sa génération pour celle de « l'inquiétude intellectuelle » qui serait à la recherche d'une « révolution dans la culture »[17]. En réponse à ce qu'elle considère en somme comme une mythologie dans le champ idéologique québécois, la revue fait sienne l'impérativité d'un « rassemblement rationnel ».

> Cette insatisfaction commune, de même qu'un certain esprit de révolte assez généralisé, nous donnent trop souvent l'illusion d'un accord unanime sur les fins à poursuivre, alors que cette unanimité n'existe pas en fait[18].

17. Gérard Pelletier, « *Cité Libre* confesse ses intentions », *Cité Libre*, Février 1951, p. 4.
18. Gérard Pelletier, *Ibid.*, p. 4.

Se fixant un point d'appui aux antipodes du mythique, il n'y a rien d'étonnant dès lors que les animateurs de la revue se perçoivent comme une «génération sans maîtres»[19]. Les mentors d'hier et leur postérité n'ont rien de pertinent à offrir aujourd'hui. L'entreprise rationnelle s'amorce à partir de ce qu'on croit être plus ou moins une table rase; tout est à construire, sinon à reconstruire, de fond en comble. De par sa nature, cette démarche entraîne un renversement de perspective: la *connaissance* ne renvoie pas aux mêmes modes de perception. Le recours à la raison comme mouvement de l'esprit implique en soi une coupure. Il n'existe donc pas de modèles de référence.

Il n'est pas étonnant, eu égard aux conditions de sa genèse, que le mouvement ait quelque peu tâtonné à ses débuts. S'il s'y trouve des accents anticléricaux, c'est qu'on en veut entre autres à une arriération de l'esprit canadien-français; mais au demeurant il ne faudrait pas oublier que la revue s'est presque toujours définie comme lieu d'«approfondissement religieux», affirmation reprise en 1961 par le même auteur[20]. Les visées rationalistes des années cinquante tenteront donc d'intégrer la raison à la révélation, opération de l'esprit qui s'inspire de l'expérience personnaliste en France. Il ne s'agit donc pas, du moins à l'origine, d'opposer la raison à la révélation, mais bien plutôt de les rendre compatibles. Un des textes les plus achevés à cet égard sera l'article intitulé «Jeunesse de l'homme» de Jean Le Moyne (février 1951, et reproduit dans *Convergences*), vision spirituelle, mystique même — collaborateur auparavant de la défunte *Relève* —, qui dans un très beau langage, lance l'homme quasi-prométhéen à la conquête du monde avec comme tout instrument ou boussole, sa *raison*.

Ce n'est au fond que vers la fin des années cinquante que l'enseignement entendu comme passage vers une société plus rationnelle sera saisi dans toute son ampleur. Les premières livraisons de *Cité Libre* ne rendent compte des carences en matière d'éducation que de manière indirecte. La critique de l'idéologie monopolisatrice du clérico-nationalisme semble avoir progressivement conduit la revue à un aperçu plus exclusif sur la culture produite par l'enseignement.

En novembre 1955, Jean-Paul Lefebvre met en relief l'importance

---

19. Gérard Pelletier, *Ibid.*, p. 5.
20. Gérard Pelletier, *ibid.*, p. 3.

de faire prendre conscience de la liberté auprès de la « masse des citoyens » et plus particulièrement la « masse ouvrière » qui a été négligée au profit de la petite bourgeoisie ; en outre :

> ... Lorsque l'éducation sera vraiment dépouillée d'une certaine tradition individualiste et bourgeoise, le travailleur pourra faire la preuve que la culture elle-même y gagnerait à démocratiser ses méthodes et ses institutions[21].

Ce son de cloche, parmi les premiers en ce sens, sera finalement suivi par un discours qui, règle générale, se tiendra beaucoup plus près de l'enseignant que de l'enseigné d'abord, puis ensuite des problèmes propres à l'université. À cet égard, *Cité Libre* ouvrira à la fin des années cinquante une tribune aux universitaires qui sont, il est vrai, en butte à des vexations du gouvernement.

Dans un article qui illustre admirablement bien les impératifs de cette époque, « Aspects de la condition du professeur d'université dans la société canadienne-française », Léon Dion met en garde le lecteur contre les spécialistes d'un genre bien particulier : « les spécialistes de la crise intellectuelle chez les Canadiens français »[22]. Contre le risque pour ceux-là de s'enfermer dans des idéologies négatives et stériles (anticléricalisme, antinationalisme, anti-canadianisme, anti-duplessisme) ou encore dans des modèles puisés à l'étranger (socialisme, technicisme, etc.) l'auteur soumet la contre-partie en faveur du spécialiste. Sans défendre le rôle de l'expert en tant qu'expert, Léon Dion relève le caractère polymorphe du social qui se prête de moins en moins aux intuitions globales :

> S'il existe des questions globales, précise-t-il, celles-ci sont vécues sociologiquement à l'intérieur de multiples situations. Et les questions les plus urgentes et les plus contraignantes se posent généralement dans les limites d'une région, d'une classe, d'une institution, d'un groupe d'immigrants, etc...[23].

Dans une publication ultérieure[24], l'auteur affirme de manière enco-

---

21. Jean-Paul Lefèbvre, « L'éducation populaire au Canada français », *Cité Libre*, no 13, novembre 1955, pp. 21-23.
22. Léon Dion, « Aspects de la condition... » *Cité Libre*, no 21, juillet 1958, p. 17.
23. Léon Dion, *ibid.*, p. 17.
24. Léon Dion, « De l'Ancien au nouveau régime » *Cité Libre*, no 38, juin-juillet 1961, p. 14.

re plus catégorique cette fois, que l'ère des pontifes (comme F.-A. Angers) est désormais révolue au profit des spécialistes, chercheurs et savants. Pour lui, la distinction doit être établie entre les inventeurs et créateurs d'une part, et les éveilleurs d'opinions compétents et consciencieux qui d'autre part servent d'agents de transmission et de vulgarisateurs des premiers. Cette proposition est intéressante à un double titre parce qu'elle explicite en peu de mots la perspective rationaliste poursuivie à cette époque. D'abord Dion introduit la division du travail dans la production intellectuelle alors qu'antérieurement l'élite était à toute fin utile habilitée à donner son avis sur presque toutes les questions surtout sur celles qui regardaient la chose publique, bref l'organisation du social. Désormais il n'en est plus ainsi, la raison dicte une conduite dans l'aménagement de la connaissance qui se conforme d'ailleurs à la dynamique de la production industrielle, fondée sur le rendement. Il s'y dégage aussi, dans un tout autre ordre, un fractionnement du savoir comme le laisse entendre la dernière citation ci-haut. Le partage affecte la division des tâches mais aussi son résultat. La tradition marxiste y détecterait illico un décalque parfait de l'atomisme libéral issu du capitalisme, idéologie du divisé contre la perception du total; pour notre part, ce savoir partagé et découpé reproduit davantage la cohérence de l'industrialisation en tant que telle, qui elle par contre a tendance à miser sur une fragmentation de la connaissance plutôt que sur une recomposition des parties.

Si les années cinquante, et leurs débuts en particulier, se traduisent dans certains cercles par un désir bien affirmé de dénoncer l'idéologie traditionaliste, le grand tournant des années soixante s'impose par un attachement marqué envers la recherche empirique. La création de la revue *Recherches sociographiques* en 1960 en est un excellent témoignage. Le titre annonce déjà le contenu. Le temps est aux monographies. *Cité Libre* réfléchit admirablement bien les aspirations intellectuelles de ce rationalisme à la découverte progressive de lui-même. Elle contribuera, comme il nous sera donné de le constater plus tard, à cet élan vers des analyses sectorielles du concret social, entreprise qui nécessairement émanait de l'université, celle-ci ayant à la faveur du changement de régime, trouvé sa place sous le soleil.

L'identification d'une pratique intellectuelle largement dévolue aux universitaires, rend nécessaire une autonomie de statut. En 1958, Léon Dion se livre à une défense et illustration de cette autonomie: la pratique professorale ne saurait être soumise à des considérations d'un autre ordre (politique, syndical, idéologique ou autres) qui conduiraient à une forme de déviation, dans la mesure où elle pourrait aboutir à une distraction de la pensée réfléchie[25].

Les rôles ne doivent pas être confondus. Alors qu'autrefois la connaissance était laissée pourrions-nous dire entre les mains de maîtres Jacques du savoir, l'universitaire aujourd'hui peut être considéré, précise Léon Dion, comme un « marchand ambulant de connaissances » auprès de la société[26]. Il doit en somme se tenir à l'écart des pressions sociales susceptibles de s'exercer sur lui. C'est la raison affranchie des intérêts et de l'immédiat. Ce recul indispensable du professeur rejoint en quelque sorte la réflexion appuyée de Jean-Charles Falardeau qui place l'universitaire en état d'alerte au monde tout en n'étant pas complètement du monde[27].

Pour Léon Dion, la médiation avec l'ensemble de la société s'opère par le truchement des éveilleurs d'opinions[28]. Chez lui, il ne s'agit pas du tout de retrait mais plutôt de distanciation ; « ... la société a besoin (...) de chercheurs désintéressés et pourtant enracinés (...) »[29]. Cette distanciation n'infirmerait en rien le besoin par ailleurs d'une reconnaissance sociale du savant dans la cité ; une société ne saurait vivre sans que le rôle de l'intellectuel-chercheur ne soit valorisé par les gouvernants et les médiateurs d'opinions. L'installation de l'équipe libérale depuis 1960 marquait, il est bien entendu, un rapprochement sinon parfois une osmose, tellement les besoins gouvernementaux drainaient au tout début les effectifs universitaires.

Dans cette ligne de pensée, tout un numéro de *Cité Libre* sera consacré à la liberté académique. Publié en 1958, il prenait une signification particulière ; le duplessisme perdurait dans un obscurantisme dont personne ne pouvait anticiper l'issue prochaine. Auparavant, la revue avait déjà défendu les intérêts des enseignants en appuyant les revendications de l'Alliance des professeurs catholiques de Montréal.

---

25. Léon Dion, « Aspects de la condition du professeur d'université dans la société canadienne-française », *Cité Libre*, no 21, 1958, p. 17.
26. Léon Dion, *Ibid.*, p. 19.
27. Jean-Charles Falardeau, « Lettre à mes étudiants », *Cité Libre*, no 23, mai 1959, p. 14.
28. Léon Dion, *op. cit.*, p. 12.
29. Léon Dion, « De l'ancien... » *op. cit.*, p. 14.

Le sort de l'*enseigné* sera par contre moins mis en évidence. Gérard Pelletier soulignera bien le fait que seul un dixième de la population fréquente l'université, i.e. les gens fortunés[30]. Georges Dufresne y introduira plus tard l'idée du pré-salaire sans lequel l'éducation gratuite perd tout son sens et y valorisera de la sorte le rôle de l'étudiant en fonction d'une intégration aux activités de la société[31]. Mais globalement, *Cité Libre* favorisera en matière d'éducation le *diffuseur*. C'était celui qui avait et les moyens de se mettre en valeur et les accès auprès de la revue. Celle-ci, constituée d'intellectuels était susceptible de se porter d'abord à la défense des siens. En outre, il fallait trancher dans le vif et à l'époque, l'état de l'enseignant, universitaire ou non, était des plus déplorables. Les traitements étaient dérisoires et les conditions de travail peu enviables. L'éducation telle qu'elle était entendue dans les autres sociétés occidentales était, avant les années soixante, presque inexistante au Québec.

L'attention se portait sur l'ignorance et la déformation intellectuelle des nôtres : « Le Québec est un pays sous-instruit. S'il existe une analogie entre la situation du Québec et les pays sous-développés, elle est là »[32]. Voilà pourquoi très tôt sous le nouveau régime, le Ministère de l'éducation a été perçu comme une nécessité, ne serait-ce que contre les forces de l'intégrisme[33].

La vision d'ensemble porte sur une accession collective à la rationalité — par le biais, faut-il le rappeler, de cheminements individuels —. Sensiblement tous les aspects d'un affranchissement personnel vers un statut d'autodétermination seront retenus à un moment ou à un autre. Ce sont, soit des numéros spéciaux, soit encore des articles souvent repris sur une même question tenue pour capitale. Assez tôt, la situation de la femme retient passablement l'attention : la femme réduite à l'étroite condition de mère[34]. Une orientation plus tournée vers le mode de

30. Gérard Pelletier, « Lettre à trois étudiants », *Cité Libre*, no 20, mai 1958, pp. 1-6.
31. Georges Dufresne, « Il faut payer les étudiants », *Cité Libre*, no 28, juin-juillet 1960, pp. 8-9.
32. Guy Cormier, « Fortune nouvelle du nationalisme » *Cité Libre*, no 36, avril 1961, p. 5.
33. Réginald Boisvert, « La guerre de Troie est-elle souhaitable ? » *Cité Libre*, no 37, mai 1961, pp. 17-19.
34. Jean Le Moyne, « La femme et la civilisation canadienne-française », *Cité Libre*, no 17, juin 1957, pp. 14-36.
Thérèse Gouin-Décarie, « L'épouse, l'amante, où est-elle ? » *Cité Libre*, octobre 1961.

production et ses conséquences sociales permettra l'accès à une revendication plus totale sur le marché : l'égalité de la femme au travail[35]. La psychiatrie (une livraison spéciale), la censure, la sexualité etc. viennent compléter ces préoccupations vers une émancipation des personnes[36]. Au point de vue religieux la revue affiche une attitude accueillante au pluralisme[37]. Certains articles tenteront même de décentrer l'homme occidental en portant l'interrogation sur la présumée suprématie du blanc[38]. La revue atteint assez rapidement l'homme universel à la suite d'un processus de décloisonnement progressif. Ce faisant, elle lui retire une appartenance collective et le projette seul face à lui-même ou à une image de l'homme idéal.

Le social

Le nationalisme à l'inverse du processus citélibriste de réflexion engageait le débat à partir de l'homme collectif. La *nation* jouissait d'une prétention première dans l'identité de l'homme. Celui-ci trouvait sa définition dans son appartenance à une quelconque collectivité. En ce cas, l'homme universel et abstrait était dépourvu de tout sens. Suivant cette démarche, il va de soi, que la raison critique ne pouvait être accueillie à bras ouverts. En réaction à cette perception restreignante de l'individu, le rationalisme libéral de *Cité Libre* amorce la démonstration à partir de la conscience individuelle pour s'acheminer vers le social. Or la revue ne parviendra jamais *dans les faits* à concevoir la société comme une entité autre que le simple agrégat de ses composantes, ou en d'autres mots, la somme des citoyens rassemblés imaginairement.

---

35. Adèle Lauzon, « La femme est-elle exploitée ? », *Cité Libre*, no 17, juin 1957, pp. 40-47.
36. André Lussier, « Les dessous de la censure », *Cité Libre*, no 28, juin-juillet 1960, pp. 14-21.
    Jean Pellerin, « Réflexions sur la censure », *Cité Libre*, no 34, février 1961, pp. 20-22.
    Jean Paré, « Les à-côtés de la censure », *Cité Libre*, no 34, février 1961, pp. 22-23.
    Sur la psychiatrie et la maladie mentale, les nos 40 et 48, octobre 1961 et juin-juillet 1962.
37. Louis O'Neill, « Athéisme ouvert et athéisme caché », *Cité Libre*, no 25, mars 1960, pp. 17-19.
38. Léon Dion, « La suprématie occidentale, réalité et illusion du mythe », *Cité Libre*, no 31, novembre 1960, pp. 3-7.
    Jean Pellerin, « J'ai vu la Terre des hommes », *Cité Libre*, no 31, novembre 1960, pp. 10-12.

Au niveau des intentions, il arrivera à *Cité Libre* d'exprimer une volonté qui se propose de réunir les hommes en communauté. Aspiration tirée du personnalisme et plus concrètement issue du jécisme, la vision communautaire ne franchira jamais le seuil des velléités. Dès le premier numéro, Réginald Boisvert parle d'une communion s'incarnant dans le social, émergence en somme du don et de la générosité[39] ; elle ne dépasse guère dans les faits la reconnaissance des responsabilités sociales de chacun. En dernière analyse, cette sociabilité s'appuie sur un certain volontarisme de chacun à chacun qui, multiplié, produirait un monde nouveau. Elle reprend à son compte le même type de relations que l'univers jéciste projetait sur le milieu étudiant en général. C'est encore l'appel lancé aux hommes de bonne volonté. Le déroulement de la société réelle n'y trouve pour autant aucune gêne puisque ce n'est finalement pas à elle comme telle que s'adresse le renouveau. Il n'est donc pas étonnant que cette forme d'énoncé n'ait connu par la suite aucun développement sérieux. En revanche, c'est autour du social que s'ouvrira le grand débat au sein même de la revue.

L'anticitélibrisme tentera d'amorcer une réflexion qui cette fois prendra pour point de référence, la société. Ce revirement de problématique entraînera, on peut bien s'en douter, l'éclatement du mouvement initial. Car peu de propositions à contenu proprement social émergeront du corps central de la revue. La conclusion d'un texte de Léon Dion sur le nationalisme ouvre une perspective qui ne sera malheureusement pas reprise :

> Il est temps, écrit-il, qu'à côté de l'histoire nationale s'élabore une histoire sociale qui reprenne, sous de nouveaux angles, l'expérience politique, économique et culturelle des Canadiens français en tant qu'ils furent des ouvriers, des paysans et des bourgeois, c'est-à-dire des hommes qui ont travaillé et cherché à se définir par rapport aux structures concrètes à l'intérieur desquelles leur existence prenait virtuellement son sens et qui, sans doute, ont aspiré vers certaines formes de libération et de transcendance[40].

---

39. Réginald Boisvert, « Domiciles de la peur sociale », *Cité Libre*, no 1, p. 14.
40. Léon Dion, « Le nationalisme pessimiste (...) » *Cité Libre*, no 18, novembre 1957, p. 18.

À partir d'une simple phrase, quelque longue qu'elle soit, il est toujours hasardeux d'engager une interprétation surtout lorsque le contexte n'offre aucun point d'appui. Lancée à la toute fin du texte, cette invite peut être diversement entendue et c'est l'ambivalence du texte qui apparaît ici significative. Le langage tient à la charnière de l'individualisme et du globalisme dans sa saisie du social, il propose une histoire sociale mais constituée pourrait-on dire d'expériences cumulées — et cumulatives —. L'emploi d'un pluriel ambigu donne lieu à un tiraillement de sens qui situe son auteur en double appartenance, tentative peut-être inconsciente de conciliation assez unique dans la trajectoire citélibriste.

Traumatisée pour ainsi dire par le nationalisme stérilisant des vieux maîtres et aussi par les mouvements totalitaires à l'origine du second conflit mondial, *Cité Libre* demeurera toujours fidèle à sa première lancée : une préoccupation d'action efficace sur des problèmes concrets. Or, par problèmes concrets il fallait semble-t-il entendre la particularisation de certains phénomènes sociaux en dissociation du moins partielle de leur insertion au global. Avec l'expulsion de la nation comme totalité de référence, la revue n'est pas parvenue à lui substituer une entité de remplacement, il ne se trouve donc aucun lien social pour tenir ensemble la collectivité. Après avoir sapé la représentation du social la plus répandue, c'est-à-dire la nation, son rationalisme n'arrive à produire qu'une société largement atomisée. Propulsé hors de la nation, le citélibrisme se condamne par la suite à un humanisme passablement asociologique. D'ailleurs sa tournure d'esprit le portera plutôt vers la sauvegarde de l'homme aux prises avec la société qu'à la production d'une société nouvelle entendue comme un tout[41].

Issue de la confrontation au duplessisme triomphant, la pensée sociale de *Cité Libre* aura fortement tendance à s'articuler autour d'un libéralisme protecteur qui a pour rôle principal de relever les facteurs d'oppression sujets à conditionner la conduite de l'individu. Idéologie de défense lorsqu'il s'agit de l'homme en société, la revue se fixe dans les premiers temps une fonction de *détecteur*. À la manière du libéralisme

---

41. On retrouve un autre texte qui se pose un peu en marge de l'atomisme de *Cité Libre*, celui de Jean-Paul Geoffroy qui dans « Le procès Rocque : une abstraction » (vol. 1, no 3, mai 1951) remet en question le droit actuel, au nom d'une « approche collective à une conception de la justice » (p. 14).

classique du XVIIIe et du XIXe siècles, elle extrait du social ses divers traits tyranniques en découvrant une *multiplicité* de points où se révèle un rapport de domination. Quels sont donc ces champs d'oppression ? Il y a bien sûr la pression du clergé qui se sert de son ascendant auprès de l'opinion pour la retenir dans les sentiers étroits du conservatisme. Mais outre cette influence à propos de laquelle le lecteur citélibriste est déjà bien prévenu, la revue en découvre d'autres d'ordre économique et politique. Sur le plan économique un certain nombre d'écrits laisseront percevoir des réserves quant au régime capitaliste qui est notre lot. Réginald Boisvert et quelques autres offriront à l'occasion une vive opposition au système en soi. Dans le tout premier numéro se trouve la condamnation de l'entreprise privée qui de par sa nature place ouvriers et patrons en situation d'antagonisme. Le conflit, est-il écrit, ne sera résolu que le jour où la gestion commune se sera substituée à la gestion privée. Mais nous fait observer l'auteur, « ni la nouvelle formule d'entreprise, ni le mode de transformation ne seront de sitôt découverts »[42]. Au reste, il est bien dit dans la tradition de *la Relève* que le monde est partagé entre deux matérialismes rivaux en dehors desquels serait le salut. Dérivée du mouvement français « Économie et humanisme », cette conception ne se démarque pas de l'anticapitalisme de ses prédécesseurs, elle débouche sur les mêmes impasses au stade des moyens qui eux se confinent aux appels à la coopération et à la charité, solution jéciste par excellence.

Règle générale, la revue, lorsqu'elle en fait l'examen, perçoit le capitalisme comme un jeu de pression économique avec lequel il faut compter. Mis à part l'apport anticitélibriste qui parfois radicalisera son opposition au capitalisme, la propension va dans le sens d'un certain réalisme qui préfère composer avec une situation perçue comme inéluctable. La revue ne se l'avouera jamais aussi nettement ; mais il apparaît implicitement dans sa vision du monde que la res economica est en somme un donné, qui semble devoir être rejoint surtout dans ses conséquences politiques et sociales. Ce n'est donc pas l'attaque de front, mais un endiguement contre les débordements du système. On ira même jusqu'à la planification comme remède ultime... L'article de P.-E. Trudeau, « À propos de domination économique »[43] aborde de plain-pied l'épineuse

---

42. Réginald Boisvert, « Domiciles de la peur sociale, » *Cité Libre*, no 1, p. 14.
43. Pierre-Elliott Trudeau, « À propos de domination économique » *Cité Libre*, no 20, mai 1958, pp. 7-16.

question. L'auteur établit comme de raison que domination politique et domination économique ont partie liée, que le Canada est dominé. De même pose-t-il la primauté de la « rentabilité sociale » sur les impératifs exclusivement économiques ; de la sorte, l'habitation domiciliaire, l'école, l'hôpital devraient avoir le pas sur l'usine et la manufacture. À cette fin, conclut-il, un dirigisme économique s'imposerait. C'est probablement le plus loin où se soit rendu l'auteur dans cette direction. Plus tard, il devra affirmer que « la contradiction n'est pas toujours facile à résoudre et (que) ce serait trop simple si l'on pouvait simplement dire : le social d'abord, l'économique ensuite (...) Il n'y a guère d'État qui puisse transgresser impunément les lois de l'économique et de la technologie »[44]. Nous sommes alors en avril 1965...

L'affrontement à visières levées n'a jamais lieu entre le capital et le travail. Le citélibrisme est éminemment conscient d'un conflit, du moins en virtualité. Le capitalisme est souvent identifié sous son jour oppressif, mais très rarement sinon jamais dans ses principes ou d'après son action au niveau de la pratique économique. Certaines grèves célèbres (celle d'Asbestos entre autres qui eut un retentissement plus grand dans le milieu intellectuel) servent d'indicateurs quant à la manière dont la situation est comprise. L'interprétation morale sera en l'occurrence la plus courante. Le débat porte sur le sort *injuste* réservé à la partie ouvrière. Au moment de la grève de Louiseville par exemple, Gérard Pelletier se soulève contre « une lutte inégale où le plus fort, avec la collaboration de l'autorité civile, impose l'injustice au plus faible »[45]. De même P.-E. Trudeau aborde le phénomène grève dans un esprit analogue ; son épilogue à l'ouvrage collectif, *La grève de l'amiante*, envisage le droit à la grève et au piquetage dévolu au syndicat comme fondé sur le droit contractuel qui prévoit l'égalité de statut des parties contractantes. Ce principe prescrirait l'établissement d'un équilibre entre les parties entendues toutes les deux comme collectivités en présence l'une de l'autre, à savoir l'entreprise et le syndicat. À l'instar de l'entreprise qui négocie comme interlocuteur unique en dépit de la multiplicité de ses actionnaires, le syndicat devrait être en mesure de

---

44. Pierre-Elliott Trudeau, *Le Fédéralisme et la société canadienne-française*, Montréal, H.M.H., 1967, pp. 32-33.
45. Gérard Pelletier, « Refus de confiance au syndicalisme » *Cité Libre*, no 7, mai 1953, p. 3.

représenter lui aussi tous les ouvriers d'un même établissement[46]. Ces deux illustrations ont en commun la reconnaissance de règles qui n'ont rien à voir avec l'aspect conflictuel de la grève; dans la première, l'auteur s'inspire d'une règle d'éthique tirée du sens commun, alors que dans la seconde l'inspiration se conforme à un principe de droit.

La seule note discordante dans cette harmonie de vue vient d'une collaboration à l'ouvrage pré-cité sur la grève de l'amiante:

> La grève d'Asbestos, écrit Gilles Beausoleil, fut une lutte de pouvoir (...) c'est dans (la) perspective d'un choc de forces qu'il faut considérer ce conflit: des catégories de moralité et d'immoralité, de légalité et d'illégalité ici n'expliquent rien[47].

Cette affirmation proclamant le contenu hautement conflictuel de l'événement ne pouvait être repris par la suite puisqu'il ne cadrait évidemment pas avec une vision plutôt morale de l'action syndicale. Il en sera sensiblement de même pour le politique qui loin d'être un champ privilégié de combat, sera appelé au contraire à résorber les tensions sociales au nom d'une justice objective inspirée du droit, le bien commun.

À l'examen, il appert que la revue s'est en définitive assez peu soucié du système économique comme facteur déterminant de pression sur le social. Par moments, elle est bien sûr sensible à la condition ouvrière, au travail à la chaîne...[48] et d'autre part, aux intérêts financiers puissants et plutôt soucieux de profits. On se rend également bien compte du poids de l'industrialisation dans le développement des idées et aussi des comportements. Toutes des considérations qui, en *tant que constats,* avaient déjà été exposées beaucoup plus brièvement mais dans le même esprit par l'idéologie nationaliste de l'entre-deux-guerre; pour celle-ci, la prolétarisation du Canada français prenait l'allure d'une catastrophe. Trudeau condamne dans *La Grève de l'amiante* l'outrageante inconscience envers les changements économiques déterminants de cette pé-

---

46. Pierre-Elliott Trudeau, *La grève de l'amiante,* pp. 388-389.
47. Gilles Beausoleil, « Histoire de la grève à Asbestos », *La Grève de l'Amiante, op. cit.,* p. 209. Il n'est pas sans intérêt de mentionner que Jean-Charles Falardeau dans la préface à ce même ouvrage retient la première phrase de ce passage sans cependant poursuivre avec la seconde qui en somme la précise.
48. Gérard Pelletier, « Refus de confiance au syndicalisme », *Cité Libre,* no 7, mai 1953, pp. 7-8.

riode, à savoir, la révolution industrielle. Cette inconscience aurait eu pour conséquence naturelle, une inadaptation à la modernité. Or, comme réalité globale, l'industrialisation réalisée sous l'impulsion du capitalisme ne fait l'objet que d'un nombre assez limité d'articles. Les effets en particulier de celle-ci sur les représentations et les attitudes sont fort peu retenus. La tendance de la revue ira plutôt dans le sens d'une atténuation du système capitaliste par l'utilisation d'un contrôle étatique susceptible de contrer les abus dans l'exploitation des richesses naturelles. Là encore, c'est aussi le géant américain qu'on vise, c'est-à-dire, une concentration économique étrangère. Plus à l'aise sur le terrain politique où les rapports d'adversité vont lui paraître probablement plus explicites, *Cité Libre* n'entreverra jamais le mode de production capitaliste comme un tout : une pratique économique donnant lieu entre autres à une production idéologique d'intégration au système. Il y a bien au gré d'une réflexion dans la chronique « Flèches de tout bois », un commentaire dans ce sens touchant l'encouragement aveugle à l'investissement américain, à savoir qu'à la longue, les « techniques et l'argent » finissent par « marquer une culture »[49]. Il s'y trouve aussi une certaine préoccupation au sujet de la radio et de la télédiffusion qui abrutissent le public. À la vérité, l'*Action nationale* des années trente n'en disait pas moins...

À tout prendre, la pensée économique de *Cité Libre* est beaucoup plus courte qu'elle peut le sembler à prime abord. Elle prolonge beaucoup plus qu'elle n'innove en ce domaine. L'idéologie nationaliste de type bourassiste et groulxiste avait depuis bien longtemps attaché le grelot : on était déjà prévenu contre le capitalisme. Bien sûr, la solution proposée à l'époque relevait de la fuite en arrière, c'était le refus à l'industrialisation dans sa globalité. Par contre, l'attitude et la réponse citélibristes s'inspirent de la fuite en avant. Sans aucune estime particulière pour ce système de production, elle semble se résigner à un inévitable, assorti de quelques accommodements nécessaires à son acceptation. L'intention de vivre concrètement, d'embrasser le réel par opposition au recroquevillement de jadis qui ignorait pour tout dire l'apport de l'industrialisation et ce faisant, s'y assujettissait plus profondément, conduit *Cité Libre* à considérer (permettons-nous de le répéter) la dynamique économique occidentale comme un *donné*. Le politique, à

49. « Flèches de tout bois » *Cité Libre*, no 18, novembre 1957, p. 52.

l'opposé, paraîtra beaucoup plus malléable, sujet à une construction ; bref, à un certain *voulu*. De ce fait, il ouvrira la porte toute grande à une vision *éthique* de la res publica.

Le politique

Marquée au coin d'un libéralisme sensible aux tyrannies, où qu'elles se logent, *Cité Libre* adopte en politique, une attitude d'opposition. Opposition à une triple adversité combinée : le clergé, le patronat et le gouvernement (du Québec), ce dernier garantissant officiellement l'action des deux autres[50].

Pour ce qui est du clergé, ne retenons que ses visées distinctement politiques, son ascendant idéologique ayant été déjà largement commenté. À la suite du libéralisme dix-neuvièmiste, *Cité Libre* rouvre le débat intéressant la position politique du clergé dans la cité. De toute évidence, la tradition ne s'était pas complètement éteinte depuis les propos virulents de Dessaulles et Buies. En outre, les libéraux au pouvoir à Québec de 1897 à 1936 avaient eu l'occasion par moments de croiser le fer avec l'épiscopat[51]. Cette fois, l'effort est continu dans le temps et soutenu par une intention bien déterminée de laïcité dans un champ destiné d'abord au temporel. L'aspect le plus décrié du cléricalisme québécois porte sur l'acoquinement du clergé au régime Duplessis, sous toutes ses formes, allant de la flagornerie publique dont était capable un recteur d'université, à la défense plus implicite du gouvernement, par le biais d'un certain étouffement de l'immoralité publique dont l'autorité civile faisait montre à bien des reprises[52]. C'est avant tout dans ses chroniques qu'à bâtons rompus la revue débusque des cas flagrants d'abus et d'arbitraire en la matière. Les situations relevées sont toujours précises et assorties d'un minimum de commentaires : elles parlent d'elles-mêmes, d'autant plus qu'on soumet généralement à l'attention du lecteur l'extrait incriminant des propos ainsi visés.

---

50. «Deux forces surtout commandent à nos destinées : le capitalisme international et le cléricalisme québécois». Pierre-Elliott Trudeau, «Un manifeste démocratique», *Cité Libre*, no 22, octobre 1958, p. 2.
51. Voir Antonin Dupont, *Les relations entre l'Église et l'État sous Louis-Alexandre Taschereau 1920-1936*, Montréal, Guérin, 1972.
52. «Flèches de tout bois», *Cité Libre*, vol. 2, nos 1-2, juin-juillet, 1952, pp. 64-65. Gérard Pelletier, «Ni contempleur, ni adulateur», *Cité Libre*, no 28, juin-juillet 1960, pp. 1-2.

Le lien sera vite établi à un niveau plus abstrait, entre le message clérical et ses conséquences en termes de soumission à toute autorité ainsi désignée. Maurice Blain, comme nous l'avons noté précédemment. perçoit très tôt le rapport étroit entre la stérilité intellectuelle et la servilité ; proposition qui se présente néanmoins comme principe général. Par contre, ce n'est effectivement qu'avec *Parti pris*, entre autres, que l'analyse tirera les conséquences politiques du complexe d'obéissance servile observé par *Cité Libre*.

Quant aux effets plus immédiats du cléricalisme sur le politique, il va de soi que bon nombre déplorent l'illustration du statu quo dont l'Église québécoise, pour le moins, se fait l'agent empressé et intéressé[53]. L'antisyndicalisme latent des milieux cléricaux s'y trouve mis en évidence. C'est à tout prendre leur trait le plus explicite et à la fois le plus révélateur d'un conservatisme bien ancré. Par cette attitude qui se révèle à plusieurs occasions, la revue parvient ainsi à cerner l'antiprogressisme immanent au cléricalisme. Outre cette force qu'on peut souvent qualifier de réactionnaire, s'y imbrique un autre foyer de pouvoir qui provient en somme de l'extérieur : c'est le milieu de la grande entreprise.

Cité Libre, comme il a été donné de le constater, ne se livrera jamais à un procès du capital en bonne et due forme. À l'instar de ses prédécesseurs, elle reprend à son compte la distinction classique entre le bon et le mauvais capitalisme. Ce sont donc les excès du système qu'on se propose de contrer. Sur le plan politique la revue est bien consciente, un peu comme tout le monde, que l'influence de la grande entreprise est importante. Mais à la vérité, elle vise un niveau plus opérationnel, croyant peut-être ainsi proposer une action plus efficace ; ce terrain sera celui des contributions faites à la caisse électorale des deux grandes formations politiques. Dans un article qui est tout entier consacré à ce problème, Gérard Pelletier établit en quelque sorte une typologie des souscriptions[54]. Il identifie en premier lieu les contributions provenant des grandes entreprises, nommément, les banques, qui sans avoir d'intérêts immédiats dans l'élection de l'un des deux partis, en ont par contre à long terme, puisqu'elles vivent du système. (Dans cette même livraison,

53. Pierre-Elliott Trudeau, « Réflexions sur la politique au Canada français », *Cité Libre*, no 6, décembre 1952, p. 64.

54. Gérard Pelletier, « D'où vient l'argent qui nourrit les partis ? » *Cité Libre*, no 6, décembre 1952, pp. 35-41.

Trudeau renforce le rôle des banques en soutenant qu'elles sont effectivement les plus gros bailleurs de fonds des caisses libérale et conservatrice et qu'elles y souscrivent pour s'assurer la défense du statu quo). D'autres contributions correspondraient cependant à des intérêts plus directement associés au pouvoir ; elles deviennent un placement pur et simple. Dans une autre catégorie se rangeraient les contracteurs en travaux publics et autres entrepreneurs et fournisseurs dépendants des deniers publics pour la poursuite de leur existence. Viennent les mécènes, d'une espèce assez rare, puis les « souscripteurs-à-leur-corps-défendant » qui par leurs commerces sont assujettis aux permis délivrés par l'État, etc.

Peu d'écrits tenteront de dépasser le constat des souscriptions électorales. L'analyse demeurera largement au stade de la réprobation d'un accord un peu trop visible entre les gouvernants et le capital. Dans cet ordre d'idées, *Cité Libre* se tient amplement à l'intérieur de l'aire déjà couverte par la critique nationaliste du capitalisme. Bourassa, Groulx et leurs émules avaient bien avant elle exprimé leur opposition à cet acoquinement de l'autorité civile aux forces de l'argent. Il n'arrivera jamais à la revue d'imaginer le libéralisme politique en termes de prolongement du libéralisme économique. Loin de s'en prendre d'ailleurs à un système social, elle aura souvent tendance à reporter le blâme à l'autorité en place incarnée par Maurice Duplessis.

L'antiduplessisme aura été dans l'existence de *Cité Libre* son point de rencontre sinon sa raison d'être. La tradition et le folklore ont grossi à loisir l'image d'opposition systématique au régime qu'aurait été la revue. Car s'il y a eu un guet attentif sur le politique ce fut beaucoup plus en dernier ressort sur les gouvernements Lesage, Diefenbaker et Pearson qui offraient au moins une certaine production susceptible d'être analysée et critiquée. Par contraste, l'ère duplessiste représente plutôt un climat ou encore une surface relativement lisse où ne surgissent qu'à l'occasion des gestes propres à cristalliser une opposition ; ce sera le cas par exemple des grèves. Autrement, le duplessisme sera subi comme une réclusion, ou encore un emprisonnement, sans histoire définie. Il évoque déjà à cette époque une action suivie indécomposable dans le temps : on ne s'en prendra pas à ses politiques c'est-à-dire à ses projets (quand il y en avait) mais à sa politique, bref à sa *manière* de gouverner.

Ce faisant, la critique adoptait nécessairement une forme évasive à défaut très souvent d'événements concrets à monter en épingle.

L'article de Gérard Pelletier, intitulé « Crise d'autorité ou crise de liberté ? » rend bien compte de l'arbitraire élevé à l'état de système que pouvait être la gouverne duplessiste. Il reproduit aussi assez fidèlement la série des griefs qu'on lui reprochait. Retenons « sa politique des actions qui achètent le silence, des emplois qui achètent les consciences, (...) des prébendes qui corrompent jusqu'aux juges »[55]. Puis c'est le favoritisme politique qui atteint même la désignation du personnel universitaire, la « camisole de force » imposée au mouvement ouvrier... Le premier ministre devient à son dire un symbole beaucoup plus qu'il n'est une force. À ce tableau déjà sombre s'ajoute, sous sa plume, le clair-obscur des rapports entre le temporel et le spirituel où le clerc et le politicien font bon ménage dans un univers d'arbitraire. D'autres propos corroborent ce jugement sur le régime Duplessis. Les chroniques ouvrent la voie à une critique plus singularisée sur divers aspects de cette gouverne. *Le Devoir* pour sa part livrait aussi mais dans une condition de quotidienneté ce combat contre l'Union nationale.

Née dans l'opposition, *Cité Libre* demeure fidèle à son rôle de chien de garde auprès des gouvernements qui suivront celui du trifluvien. L'administration Barrette constituée après les « cent jours » de Paul Sauvé est suivie d'assez près[56]; celle de Jean Lesage l'est peut-être même davantage[57]. D'abord au cours même de la campagne électorale du printemps 1960, Trudeau prend ses distances vis-à-vis du programme libéral qui selon lui tout en contenant certains éléments valables ne propose pas de véritables réformes de structures. Suite au scrutin, il revient à la charge et cette fois avec une argumentation plus élaborée. Au départ, l'auteur y conçoit sa fonction comme celle de surveillant d'un pouvoir fraîchement établi que les circonstances ont rendu progressiste un peu à son corps défendant. Plusieurs députés fait-il observer sont des antiduplessistes de fraîche date. En outre, l'opposition à l'Union natio-

55. Gérard Pelletier, « Crise d'autorité ou crise de liberté ? », *Cité Libre*, no 5, juin-juillet 1952, p. 3.
56. Gérard Pelletier, « Un premier ministre ouvrier », *Cité Libre*, no 25, mars 1960, pp. 12-13.
et « L'Art de la poudre aux yeux », *Cité Libre*, no 28, juin-juillet 1960, pp. 11-13. Michael Oliver, « La responsabilité des ministres », *Cité Libre*, no 25, mars 1960, pp. 13-14.
57. Pierre-Elliott Trudeau, « L'élection du 22 juin 1960 », *Cité Libre*, no 29, août-septembre 1960, pp. 3-8 ;
« Notes sur l'élection provinciale », *Cité Libre*, no 28, juin-juillet 1960, pp. 12-13 ; La direction, « La Restauration », *Cité Libre*, no 33, janvier 1961, pp. 1-3.

nale se serait surtout à ses débuts affirmée à l'extérieur du parti libéral ; la C.T.C.C. et d'autres syndicats, le *Devoir*, *Vrai*,*Cité Libre*, la Faculté des sciences sociales et l'ICAP revendiquent une position d'antériorité sur le présent gouvernement. Aussi se voit-il en meilleure posture pour rappeler à ce dernier le sens des « vraies réformes » en matières d'éducation, d'exploitation des richesses naturelles, de législation sociale, d'administration municipale, d'orientation économique, de même que dans le fonctionnarisme et l'aménagement du système électoral. Trudeau convient que certaines d'entre elles seront coûteuses, comme le bien-être, la santé et l'éducation, cette dernière, en plus, demandera de l'audace. À peine arrivés au pouvoir, les libéraux se sentent talonnés.

Six mois plus tard, *Cité Libre* réitère le message, exprimant de la sorte une appréhension assez aigüe de la récupération des libéraux par leur droite. Sous le titre évocateur de « La Restauration » utilisé à dessein pour rappeler le retour des Bourbons après une absence d'un quart de siècle, laps de temps qui correspond, si on excepte l'interrègne de 1939 à 1944, à la traversée du désert au cours de laquelle les libéraux furent chassés du gouvernement après avoir dominé durant plusieurs décennies, l'article reproche au parti son « indigence idéologique », tare que la revue relève depuis une dizaine d'années. La revue s'en prend directement au premier ministre auquel elle impute des déclarations hâtives et irréfléchies, à savoir par exemple qu'il ne serait jamais mis sur pied un ministère de l'« instruction publique » sous son administration. Ce n'est qu'avec les amorces de plus amples réalisations que le gouvernement Lesage trouve un certain appui de Trudeau. Sans illusion aucune, celui-ci estime au moment du scrutin de l'automne 1962 qu'il n'y a pas de choix véritable, puisque à défaut d'une victoire libérale ce serait l'Union nationale conjugée aux forces créditistes qui réintroduiraient au Québec une nouvelle ère de régression.

Opposé à toute stratégie d'érosion de la clientèle libérale par la gauche social-démocrate lors de la campagne électorale de 1962, Trudeau en profite pour stigmatiser cette même gauche. Il lui reproche son manque de sens politique qui l'inciterait à faire sienne des stratégies inadaptées au Québec, c'est-à-dire, largement inspirées des impératifs canadiens et non québécois retenus par le Congrès du Travail du Canada. En termes plus concrets l'auteur tente d'enfermer la participation du NPD dans un dilemme qui la rend de toute manière inutile : ou bien, comme il est probable, le NPD ne compte pour rien dans le dépouillement du scrutin et partant, confirme son impuissance politique, ou bien, au contraire, il parvient à diviser suffisamment les voix pour permettre à l'Union nationale le retour au pouvoir (situation qui fut un peu celle du RIN aux élections de 1966) et alors, « il est certain que le NPD serait vomi à jamais par tout ce que la gauche compte d'esprits sensés »[58]. L'opinion opposée étant exprimée par Charles Taylor en seconde partie du même article, il y a tout lieu de croire que l'unanimité absolue ne s'était pas faite sur cette question au sein de la revue. On peut distinguer dans les propos de Trudeau la démarche qui l'acheminera dans les années à venir vers une réconciliation avec les libéraux ennemis, et ce, jusqu'au seuil d'un fauteuil de député.

Il revient surtout à Trudeau d'expliciter la conception que se fait *Cité Libre* de l'organisation politique. Juriste de profession et libéral de formation, il semble le plus à l'aise et à la fois le plus préoccupé par une gouverne articulée en fonction d'objectifs définis. Cette préoccupation n'interdit pas, loin de là, des textes également tournés vers l'établissement d'institutions mieux adaptées à des finalités dictées en général par une éthique sociale.

Dès la livraison inaugurale (1950), Trudeau engage le politique dans la voie de l'*action*, celle-ci devant être *rationnelle*. Cette orientation se pose en double disjonction. Elle se veut d'abord active, apport du libéralisme qui mise sur la pratique comme lieu de référence à la théorie. La JEC s'arquait également dans cette direction, elle se désignait comme action sur le milieu mais en se retranchant du politique, et plus universellement, du social. Face au nationalisme traditionnel, *Cité Libre* se démarque de l'attentisme souvent mystique qui avait été le propre du groulxisme. En seconde disjonction, la revue exclut sans retour tout appel à la force du verbe, ou encore à la séduction de l'inexprimable. Ici sont visées nommément des appellations contrôlées : « nationalisme », « autonomie », « socialisme », « centralisation » etc. Bref, Trudeau compte soumettre au « doute méthodique » le bagage idéologique légué par la génération de ses prédécesseurs, les nationalistes[59]. Voilà mise de l'avant ce qu'il convient lui-même d'appeler dès ce

58. Pierre-Elliott Trudeau, « L'homme de gauche et les élections provinciales » *Cité Libre*, no 51, novembre 1962, p. 4.

59. Pierre-Elliott Trudeau, « Politique fonctionnelle » *Cité Libre*, no 1, p. 21.

moment sa «politique fonctionnelle». L'empirisme de l'«action efficace» proposée un an plus tard par G. Pelletier ressortit à la même démarche[60]. Invite qui débouche naturellement chez Trudeau au déclenchement d'une «crise de conscience politique»[61]. Or cette conversion des esprits opère essentiellement un renversement de problématique qui de globaliste qu'elle était chez les nationalistes, se voit substituée une vision atomiste du social qui se présente en pièces détachables, formule proposée comme plus apte à une analyse rigoureuse.

À partir de la société fragmentée s'offrent à l'observation citélibriste des problèmes individualisés que la raison sera sollicitée à résoudre comme des cas d'espèce. Elle donne lieu à une étude «ad hoc» des tensions sociales, et encore, dans la mesure où elle l'aborde sous l'angle du conflit.

Les thèmes dont la récurrence est la plus forte en termes d'interventions et d'articles, touchent finalement des sujets à caractère universel, ce sont: en politique extérieure, le désarmement nucléaire assorti d'une option pacifiste — tradition lointainement bourassiste d'opposition à la participation mettant en cause des États étrangers aux intérêts canadiens — et en politique interne la peine de mort et à un degré moindre, la planification.

S'opposer à l'intervention américaine en Corée, à un moment où la bipolarisation des options politiques en matière internationale était en Amérique du Nord tendue à l'extrême, et où l'anticommunisme amorcé dans les années trente atteignait au Québec son paroxysme, c'était faire preuve d'une certaine audace qui risquait de rendre ses auteurs coupables au tribunal de l'opinion orthodoxe. La revue le fait au nom de la *justice* en relations internationales, au nom de cette justice allègrement violée par les grandes puissances — les USA et l'URSS notamment — qui se livrent un jeu politique, se partagent le monde en grandes sphères d'influence, niant de ce fait le droit des États à disposer d'eux-mêmes. Plus pertinemment, la revue jugera néfaste la satellisation du Canada par rapport à son voisin du sud, dont par exemple, la non-reconnaissance de la Chine est une conséquence parmi tant

60. Gérard Pelletier, «*Cité Libre* contesse ses intentions», *Cité Libre,* vol. 2, no 1, février 1951, pp. 2-9.
61. Pierre-Elliott Trudeau, *op. cit.,* p. 24.

d'autres. Cet aperçu d'ensemble donne lieu de manière encore plus éclatante à un déploiement contre la course aux armements nucléaires et les expériences qu'elle implique. Nombreux seront les articles, surtout durant les années soixante, indiquant une opposition marquée à l'expérimentation de la bombe. Ces options en politique extérieure correspondaient, on le sait, à une ligne de conduite analogue dans les rangs du parti CCF devenu le NPD par la suite. Néanmoins, elles soulignaient un affranchissement — au cours des années cinquante — par rapport aux idées reçues.

En matières internes, la revue fait davantage preuve d'un grand morcellement. La raison s'applique à décortiquer des situations isolées les unes des autres. La dispersion du social surgit alors au grand jour. Il est vrai que la présentation élargie de *Cité Libre* nouvelle formule (adoptée en 1960) incite à des propos de conjoncture. Mais en dépit de cette réserve, on observe sensiblement la même tournure d'esprit, mais à une échelle moindre, dans les cahiers gris de la première séquence. Il est permis de croire qu'il y a accentuation d'une attitude déjà facilement décelable dans ses premières affirmations. La nouvelle série offre tout simplement un champ plus vaste destiné au même type de propositions. Avec l'avènement du gouvernement libéral en 1960, la valorisation d'actions engagées sous l'impulsion de l'État devient manifeste et suscite un regain d'intérêt pour diverses politiques étatiques, mais perçues sous l'angle d'une certaine compartimentation. À tout prendre, ce sont presque des ministères que l'on va ainsi viser. La liste de ces politiques est longue ; plusieurs en premier lieu, intéressent l'individu comme sort personnel même si ce sort est subi collectivement : la peine capitale et la situation du prisonnier à Bordeaux, problèmes souvent repris par la revue, tombent dans cette catégorie[62]. Y sont intimement associées les questions de santé mentale qui font également l'objet d'une attention particulière. À noter dans tous ces cas l'aspect réhabilitation de *person-*

62. Alice Poznanska, « La peine capitale », *Cité Libre*, no 39, août-septembre 1961, pp. 21-24.
André Lussier, « Une infamie : la peine de mort », *Cité Libre*, no 32, décembre 1960, pp. 3-10.
Jacques Hébert, « Les morts à Bordeaux », *Cité Libre*, no 24, janvier-février 1960, pp. 17-18.
Jacques Hébert, « Bordeaux rouge », *Cité Libre*, no 44, février 1962, pp. 19-21.
Le livre du même auteur *Scandale à Bordeaux*, Éditions de l'homme, 1959, s'inscrit dans la même tradition. L'hebdomadaire *Vrai* s'en fera le véhicule privilégié.

nes prises une à une, en vue d'une prise en charge totale d'elles-mêmes. Ce sont des psychologies que l'on se propose de traiter, de remettre en possession d'elles-mêmes en fonction d'un achèvement qui est leur seule responsabilité. Opération de restitution de l'individu à lui-même, à l'aide en définitive d'une *raison* qui en prend la charge. Processus implicite de prise de conscience de soi, avec pour conséquence des actions jugées probablement plus efficaces. Il arrivera parfois qu'on reconnaisse le caractère oppressif de la société dans ces situations. Là encore, c'est comme nous l'avons déjà fait observer, la collectivité qui est reconnue sous son jour négatif. Il ne s'agit nullement ici de repousser ce caractère inné du social, mais bien de faire ressortir l'aspect le plus retenu par la revue. Comme toujours, son interrogation porte sur la personne, puis sur la personne dans son affrontement avec le social. Et lorsque les problèmes sont perçus comme sociaux la critique citélibriste s'empare généralement du sujet pour se livrer de l'intérieur à un procès de la société à laquelle on attribue une responsabilité face à elle-même. C'est alors la conscience de la société que la revue juge et condamne. Tout revient à une question de réhabilitation idéologique et morale. Dans ces conditions, les déterminismes économiques sont ignorés sinon mis en veilleuse.

Surgissent en second lieu, des problèmes spécifiques dévolus à l'État. La revue recourt à ce moment-là à des spécialistes. Les propos de Marcel Piché sur la forêt servent d'excellente illustration[63]. Dans ce cas-là, c'est l'expert qui se prononce, l'homme qui *sait*.

Avec l'extension du pouvoir d'intervention de l'État, la préoccupation d'une plus grande cohérence dans l'action collective emerge progressivement. L'idée de planification fait tranquillement son chemin, mais sans excès de vitesse. Roland Parenteau, président du Conseil d'orientation économique du Québec, fait part dans un article de l'expérience européenne en ce domaine[64] et Jacques Parizeau de considérations sur la planification comme technique[65]. Déjà auparavant, la chronique « Faites vos jeux » avait incidemment parlé de planification dans

---

63. Marcel Piché, « Notre problème forestier », *Cité Libre,* no 55, mars 1963, pp. 10-12. «La réforme agraire québécoise », *Cité Libre,* no 59, août-septembre 1963, pp. 23-27.

64. Roland Parenteau, « L'expérience européenne de planification peut-elle nous servir? », *Cité Libre,* no 50, octobre 1962, pp. 10-12.

65. Jacques Parizeau, « L'insaisissable planification », *Cité Libre,* no 57, mai 1963, pp. 4-6.

le cadre d'une rationalisation de l'économique[66]. Plus explicite, mais par contre en affinité avec l'anticitélibrisme, Gabriel Gagnon soumet à l'été 1960 le projet d'une planification s'exerçant par un contrôle de l'économie «au profit de toutes les classes de la société»[67]. L'État s'impose donc très tôt chez certains comme armature d'une libération économique. C'est par le biais du chômage que se révèle à l'auteur l'existence d'une population urbaine et prolétarisée au Québec, de même que le besoin d'une orientation plus globale des choix économiques. Son plan tentera dans ces circonstances de satisfaire un impératif double de centralisation des orientations et de déconcentration dans les processus de consultation et d'application. Et déjà pointe en conclusion de son texte l'aspiration d'un nouvel âge: la participation suscitée par l'animation... ou la confection de nouvelles solidarités.

Si l'État surgit de la sorte, comme propulsé par des nécessités économiques, il est à se demander quelle place *Cité Libre* lui a réservée auparavant et sur quelle dynamique politique elle l'a fait reposer.

Tout comme le libéralisme économique est un donné avec lequel, dans l'esprit de Trudeau, il faut composer sur le plan du politique, le libéralisme politique se présente aussi comme un donné, mais cette fois il s'agira d'un donné proposé comme idéal. Le capitalisme, peut-être à défaut de mieux, est accepté comme dynamique adéquate en matière économique stricte ; toute la dimension de canalisation et de contrainte se trouve reportée sur le politique qui, lui, exerce en quelque sorte le contrôle nécessaire pour assurer une adaptation du capitalisme à une éthique sociale distincte de la recherche du gain pour le gain. En toute logique, il était impossible de reprendre le même type de cheminement intellectuel pour désigner l'aire du politique. En théorie, le libéralisme politique s'offre comme un choix : il est à prendre ou à laisser ; il peut toujours dériver vers une social-démocratie, mais encore là il demeure fidèle à son principe directeur, seul change le contenu mais non le cadre du débat. Pour Trudeau, il est apparent qu'il n'existe en politique qu'une seule forme valable, le libéralisme. La montée des fascismes, la guerre et le stalinisme triomphant situaient pour toute une génération le

---

66. Chronique «Faites vos jeux», «Le canibalisme et les prêtres-ouvriers», *Cité Libre,* janvier-février 1960, no 24, p. 15.
Roland Parenteau, «L'État et la mise en valeur des ressources naturelles», *Cité Libre,* no 42, décembre 1961, pp. 20-23.
67. Gabriel Gagnon, «Pour une planification régionale et démocratique», *Cité Libre,* no 29, août-septembre 1960, p. 9.

libéralisme en position avantageuse; nulle forme de substitution ne venait en somme saper son autorité comme idéal exclusif. Dans l'esprit de Trudeau *il est;* c'est un donné, mais à venir, en ce qu'au Québec la pratique politique ne l'a pas encore atteint. Mais en fait, qu'est-il ce libéralisme?

De la première vague, Charles-A. Lussier pose dans l'abstrait le problème de l'homme en regard de l'autorité, et réciproquement de l'autorité en regard de l'homme. Confrontation qui l'entraîne à faire sienne une convergence de notions, inspirées du libéralisme et surtout du personnalisme: remise en cause de l'autorité qui serait émanation du social, à l'avantage d'une conception volontariste du politique qui est à la fois reconnaissance de la liberté et de la dignité de l'homme dans la société.

> L'homme, personne, précise-t-il, est au-dessus de la société et lui commande de protéger, par un pouvoir délégué, son essor perpétuel d'affranchissement[68].

Il est à noter que cet article figure avant 1960 comme unique référence au politique entendu dans sa globalité. Pour sa part, le libéralisme de Trudeau s'exprimera plutôt hors du champ proprement citélibriste. C'est dans l'hebdomadaire *Vrai,* dirigé par Jacques Hébert, qu'on le retrouve à l'occasion d'une série d'articles publiés au cours de l'année 1958. Élaboration de la Déclaration de principes du Rassemblement (1956), ces textes reproduits dans *les Cheminements de la politique* exposent succinctement une pensée généreusement imprégnée de juridisme et à fortiori de moralisme. Sa problématique se réduit aux deux visages de Janus: consentement et obéissance. Le débat porte sur une obéissance aveugle que les autorités dans la société ont tout avantage à inculquer aux masses, sorte de vertu opposée au consentement qui lui, au contraire, implique une interrogation sur le bien fondé de l'autorité[69]. Trudeau, bien sûr, opte pour le consentement, où le citoyen est désigné comme seul juge dans les rapports entre gouvernants et gouvernés[70]. Rapidement l'argumentation approfondit une préoccupation

68. Charles-A. Lussier, « Réhabilitation de l'autorité », *Cité Libre,* no 3, mai 1951, p. 23.
69. Pierre-Elliott Trudeau, *Les Cheminements de la politique,* Montréal, Éditions du Jour, 1970, pp. 33-39.
70. Pierre-Elliott Trudeau, *ibid.,* p. 29:

> Les hommes restent toujours libres de décider quelle forme d'autorité ils se donneront et qui l'exercera (...). En dernière analyse, une autorité politique donnée n'existe que parce que les hommes acceptent d'y obéir. En ce sens, ce n'est pas tant l'autorité qui existe, c'est l'obéissance.

ethico-juridique :

> Pour demeurer libre, les citoyens doivent donc chercher leur bien dans un ordre social qui soit juste pour le plus grand nombre ; en effet, seul le grand nombre a la puissance de faire et de défaire les gouvernements. Ainsi les hommes ne peuvent vivre libres et en paix que si leur société est juste[71].

Comme le libéralisme classique, cet empirisme d'apparence dissimule une option éthique que la citation ci-haut permet de déceler du premier coup d'oeil. Trudeau ne cache du reste pas sa foi dans *le* bien commun. Car même s'il écarte comme irrecevable l'autorité qui se proclame de droit divin ou encore un droit qui postulerait une législation dérivée du droit naturel — celui-ci n'étant pour l'auteur qu'un « produit artificiel de l'éducation »[72] — il adopte sans réserve une conception statique sinon immuable de l'action politique, dans la mesure où les finalités ultimes ou du moins leurs principes sont posées comme fixé à tout jamais. La dichotomie retenue dans le jeu politique s'établit entre le bien commun constamment retenu, baillonné, menacé... par le bien particulier[73]. À ce contenu éthique des rapports sociaux dans la cité, s'intègre son rationalisme, les deux faisant excellent ménage, l'un inspirant l'autre et vice-versa. Appliquée dans l'illustration qui suit, cette démarche combinée — éthico-rationnelle — révèle son optimisme et le caractère relativement apolitique de l'action étatique idéale :

> ... l'État doit s'assurer les services d'hommes capables de rivaliser en compétence et en dévouement avec les meilleurs spécialistes dans l'industrie, le commerce et les professions : sans cela il est impossible d'assurer le triomphe du bien commun sur le bien particulier (...)
>
> ... Tant que l'État québécois ne se sera pas doté d'un fonctionnarisme vraiment à la hauteur de sa tâche, il est impossible d'espérer que cet État protégera adéquatement le bien commun dans ses mille et une négociations avec d'autres États (...) ou avec des intérêts privés (...)[74].

Dans ce long extrait, il devient évident que l'auteur ramène la gouverne de l'État à une question d'administration éclairée et honnête ; en

71. Pierre-Elliott Trudeau, *ibid.*, p. 42.
72. Pierre-Elliott Trudeau, *ibid.*, p. 33.
73. Pierre-Elliott Trudeau, *ibid.*, p. 134.
74. Pierre-Elliott Trudeau, *ibid.*, p. 134.

d'autres mots, le bien commun est censé se révéler à l'esprit attentif et droit. Utopie de nombreux libéraux de croire en la conquête et en la victoire de l'homme *rationnel* et *moral*, où l'intelligence illumine la conscience. En aucun moment, est-il donné de sentir sous cette plume un combat inséré dans le social ; le bien commun, conçu comme *donné*, donc accessible à la raison, s'impose en situation de transcendance du social au même titre que l'État dans l'exemple ci-haut se range comme un élément extérieur à la société. Dans ce dernier cas le citoyen est convié à susciter la réalisation de cet État, c'est la seule référence à une dynamique interne[75].

En dépit de ces propos, qui en outre ne se retrouvent pas en ses pages mais, dirions-nous, un peu à la marge, *Cité Libre* a fort peu exploité dans ses « cahiers gris » les notions d'autorité et de gouverne globale. Avec 1960, apparaît la perspective d'un déblocage possible au niveau de l'État, et à partir de ce moment, de propositions un peu plus nombreuses. À un niveau très concret, des incitations à débourser davantage se révèlent, comme l'article de Roland Parenteau publié immédiatement *avant* l'arrivée du gouvernement Lesage[76]. Déjà donc, il y a dans les esprits une préoccupation d'action par le truchement de l'État entendu comme instrument à la disposition du social. À un point de vue plus théorique, il revient à Léon Dion de démonter si on peut dire, les mécanismes de la société présente[77].

Largement inspirée de William Kornhauser (*The Politics of mass society*), l'analyse de Léon Dion situe les groupes de pression en position privilégiée de médiation entre gouvernants et gouvernés. Ceux-ci sont appelés à servir de traits d'union entre l'autorité et des citoyens qu'ils recoupent en chevauchement grâce à l'appartenance multiple, car il va de soi que le citoyen moyen s'associe à de multiples groupes

75. Il serait évidemment possible de pousser encore plus loin, en faisant observer que *le* citoyen est désigné dans ce discours en termes abstraits, l'emploi du singulier n'est pas ici fortuit. Néanmoins, il faut rappeler qu'à l'occasion, Trudeau a quand même abandonné ce juridisme au profit d'une dynamique fondée sur une solidarité ouvrière ; voir « Réflexions sur la politique au Canada-français », *Cité Libre*, no 6, décembre 1952, pp. 65-66.

76. Roland Parenteau, « Québec doit dépenser davantage » *Cité Libre*, no 28, juin-juillet 1960, p. 10.

77. Léon Dion, « Où va la société moderne ? », *Cité Libre*, no 52, décembre 1962, pp. 3-9.

intermédiaires[78]. Le politique se déroule alors à l'intérieur d'un jeu de poids et de contrepoids : les groupes intervenant les uns contre les autres assurent peut-on croire une forme d'équilibre, du moins implicite. Ce serait en un mot, la dynamique de la société pluraliste contemporaine. Dans cette perspective, les gouvernants font figure d'arbitre ; à cette fin la fonction d'autorité se trouve à s'être professionnalisée dans la mesure où à l'instar de la spécialisation première des groupes, elle s'appuie elle aussi sur une connaissance relevant de l'expertise[79]. Plus tournée vers l'intérêt général, donc mieux universellement informée, la gouverne jouit d'une position de supériorité par rapport aux autres. Au dire de l'auteur, cette professionnalisation de la vie politique écarte tout risque de « collusion permanente entre les dirigeants politiques et les dirigeants sociaux et économiques »[80]. L'homme politique, de par sa situation que viendrait renforcer l'opinion publique derrière lui, est en mesure de contrer les pressions d'un groupe dont les intérêts sont en jeu. Le danger d'une coalition qui effectivement serait capable de mâter le gouvernement, n'est possible qu'en principe puisqu'en pratique l'apathie des intermédiaires est grande vis-à-vis des questions d'intérêt général et que la concurrence est fort vive entre eux. La notion d'intérêts dominants ou encore de rapports de subordination dans les relations sociales s'évanouit au profit d'une vision moins conflictuelle du politique, à savoir, une dynamique sociale qui échappe à tout volontarisme :

> Ce qui caractérise par dessus tout la société moderne c'est qu'elle repose sur une organisation sociale qui tend à rendre superflue la présence d'une classe dominante dans le vieux sens du terme. Ses véritables dirigeants, pour reprendre l'expression de John Chapman Gray, sont « introuvables ». Elle est en voie de réaliser à sa façon la grande anticipation marxiste d'une société sans classe[81].

---

78. Inspiré également de Robert A. Dahl *Who Governs ? Democracy and Power in an American City*, New Haven, Yale University Press, 1961.
79. Léon Dion, « Opinions publiques et systèmes idéologiques » dans *Les Écrits du Canada français*, Montréal, Tome 12, 1962, pp. 9-171, s'applique à mettre en relief les traits de domination et de conditionnement de l'opinion par la puissance de certains groupes ou agents. Il y a là une distinction plus qu'importante mais qui n'apparaît pas dans l'article soumis à *Cité Libre*.
80. Léon Dion, *op. cit.*, p. 8.
81. Léon Dion, *ibid.*, p. 9.

Le politique tout compte fait serait, peut-on conclure, constitué de la mise en présence sous l'arbitrage de l'État, d'intérêts précis à l'occasion d'enjeux déterminés ; il serait dans le temps et dans l'espace, le cumul de ces conjonctures superposables.

Logique, cette perception du politique donne une magnifique cohérence au discours citélibriste. Elle porte au niveau ultime du politique une réflexion qui autrement ne se sentait pas dans l'obligation de préciser ses conceptions. En vérité, Trudeau s'est plutôt astreint à tenter d'adapter la mentalité canadienne-française aux impératifs du politique tel qu'il se pratiquait en gros dans le milieu anglo-saxon, sans jamais fournir beaucoup de justifications. Pour sa part, son rôle en la matière s'est résumé, quoique de manière magistrale, à vouloir accorder notre société au politique d'une autre, entendu comme l'idéal indiscuté.

Trudeau s'est avant tout illustré sur le plan politique par la formulation d'une *éthique,* entendue dans son sens large. Le ton est normatif : l'auteur évalue un système d'attitudes et de comportements ; son instrument sera volontiers la dénonciation ou, en l'atténuant, le reproche ; et la démarche coutumière rejoindra l'examen de la conscience québécoise. Il s'agit toujours d'une éthique rationaliste qui le conduit d'ailleurs à restreindre son examen aux seules représentations du milieu, valeurs, normes etc., sans jamais pousser l'analyse jusqu'aux causes économiques et politiques susceptibles de les avoir fait surgir. Trudeau se livre à l'analyse des mentalités en vase clos, il les observe et par la suite les condamne comme si elles avaient une existence propre, une autonomie presque absolue de mouvement. Et c'est ainsi qu'à la limite on pourrait les chasser comme le gibier en automne. Cette même démarche lui fait porter sur une société entière un type d'analyse plus communément réservé aux personnes prises individuellement. Il rend alors la société comptable de certains gestes et de certaines attitudes comme il jugerait un homme de ses actes. Trudeau entretient, à cet égard, une conception étriquée du social : il réfléchit à la manière d'un juriste un peu traditionnel pour qui la responsabilité doit se loger quelque part. La pensée de Trudeau est asociologique en ce qu'elle dispose des représentations hors de leur insertion économique et politique, et en ce qu'elle les évalue comme issues d'une conscience qui doit être tenue responsable.

Tout le cheminement de Trudeau s'inscrit dans le sens d'un procès intenté aux valeurs véhiculées dans le milieu et à l'élite qui a consenti à s'en rendre l'instigatrice. Selon lui, les nôtres n'ont jamais eu à combattre pour l'obtention du « régime démocratique », celui-ci leur a été presque imposé de l'extérieur ; et par la suite ils se sont servis du parlementarisme britannique comme d'un instrument, sans jamais accepter les règles du jeu, notamment celle qui prévoit une alternance au pouvoir entre deux partis dominants[82]. Dès l'origine, au dire de Trudeau, nous nous sommes perçus comme minoritaires à l'intérieur de la collectivité canadienne, avec seulement des intérêts ethniques à défendre. Les Canadiens français ont été conduits de la sorte à tricher : « nous avions si bien subordonné le bien commun (canadien) au bien particulier (canadien-français) que nous perdîmes le sens moral de notre obligation vis-à-vis du premier »[83]. En d'autres mots, l'exclusivisme du bien particulier qu'a représenté la défense de notre survivance au sein du tout canadien a eu pour conséquence, un « sens civique... perverti ». Le nationalisme sous toutes ses formes est ici mis au banc des accusés, et comme de raison, le jugement porté contre lui est sans appel.

Autre influence néfaste à l'esprit démocratique auprès des nôtres aura été, on s'en doute bien, la tradition catholique. Effectivement, écrit Trudeau, les catholiques se sont rarement portés à la défense de la démocratie, fascinés qu'ils ont longtemps été par des régimes d'inspiration autoritaire. Les collèges, entre autres, auraient servi de banc d'essai à l'antidémocratisme[84]. Le fameux chapitre introductif à *la Grève de l'Amiante* expose avec force exemples la démarche pro-autoritariste suivie par l'école nationaliste et l'Église canadienne-française[85]. Cette convergence de représentations aura déterminé chez le Québécois une structure mentale qu'on pourrait qualifier de déviante. Ainsi s'explique, selon l'auteur, le comportement politique des nôtres. Il est perceptible en outre que sa démonstration sert d'abord un impératif idéologique d'ordre simplement moral.

---

82. Pierre-Elliott Trudeau, « De quelques obstacles à la démocratie au Québec », reproduit dans *Le Fédéralisme et la société canadienne française*, article paru à l'origine dans le *Canadian Journal of Economics and Political Science*, vol. XXIV, no 3, août 1958.
    Pierre-Elliott Trudeau, « Réflexions sur la politique au Canada français ». *Cité Libre*, décembre 1952, pp. 53-70.
83. Pierre-Elliott Trudeau, *ibid.*, p. 55.
84. Pierre-Elliott Trudeau, « Un manifeste démocratique », *Cité Libre*, no 22, octobre 1958, pp. 17-18.
85. Critique reprise très brièvement dans *Les cheminements de la politique*, p. 61.

La critique des antécédents idéologiques et des représentations de son temps ont pour objectif ultime, l'explication d'une déviation morale ; et c'est par des corrections idéologiques et institutionnelles que Trudeau se propose de redresser un comportement collectif. *Cité Libre* par sa présence, témoigne déjà d'un effort en direction d'un relèvement des idées. Dans le concret, la revue se concentre sur une épuration des structures.

L'évaluation du politique entreprise par *Cité Libre* illustre un point de vue fortement marqué au coin d'un moralisme assez poussé. Le duplessisme, légataire des méthodes éprouvées du gouvernement Taschereau, prêtait, il va de soi, à une réaction plutôt morale contre la corruption sous ses multiples facettes. Le régime apparaissait alors devoir se perpétuer grâce précisément à la manipulation systématique des règles du jeu. L'opération-assainissement s'imposait donc pour mettre fin aux manoeuvres électorales, aux caisses de partis et au favoritisme politique en général[86].

Toujours sur cette lancée morale, Trudeau s'engage plus intensément en faveur d'un redressement des moeurs politiques. C'est dans cette perspective que se situe la suppression des caisses électorales en vue de tenir à l'écart les forces de l'argent. Ainsi se trouverait favorisée l'expression du « bien commun »[87] et, par voie de conséquence, un cheminement sensible vers la cité libérale. Dans son esprit, le politique doit être considéré comme « une sphère autonome et suréminente où la pensée et l'action se conjuguent selon des lois rigoureuses et exigeantes »[88]. Cette spécificité s'affirme en transcendance de l'économique et du social, si bien que le politique se suffit semble-t-il à lui-même, et ce, en théorie comme en pratique. Malheureusement, le positivisme annoncé par l'existence de lois propres à ce niveau n'existe sensiblement nulle part dans ces propos. Exception faite de sa dynamique compensatoire[89] à l'intention du fédéralisme, Trudeau tient un discours assez bref sur cette question. En revanche, il met de l'avant une *éthique,* riposte au duplessisme.

---

86. Pierre-Elliott Trudeau, « Réflexions sur la politique au Canada français » pp. 53-70 et le « Manifeste démocratique », *ibid.*, pp. 1-31.
Pierre Laporte, « La machine électorale », *Cité Libre,* no 6, décembre 1952, pp. 42-46.
87. Pierre-Elliott Trudeau, *ibid.*, p. 60 et s., *ibid.*, p. 16.
88. Pierre-Elliott Trudeau, « Un manifeste démocratique », *ibid.*, p. 16.
89. Dynamique du poids et du contrepoids.

Trudeau dénonce cependant le mode d'approche emprunté par la Ligue d'action civique — avec Jean Drapeau à sa tête — qui se lance dans les campagnes de moralité publique. Il en vient même à condamner explicitement les dérivés de la doctrine sociale de l'Église qui en la matière ne peuvent se substituer à une idéologie vraiment politique[90]. Catégorique, l'auteur affirme que la moralité ne parviendra jamais à assainir nos moeurs politiques ; car, « un peuple qui ne croit pas à la démocratie n'a pas de raison de vivre une morale démocratique »[91]. De la sorte, Trudeau se rabat sur une forme de moralisme à peine plus subtile qui se déguise sous les traits de « l'idéologie démocratique » appelée à combler le vide politique laissé au Québec[92].

Il n'est donc pas étonnant que Trudeau se soit surtout arrêté à constituer en premier lieu un État dit démocratique. « Démocratie d'abord » clama-t-il[93]. Qu'est-ce à dire ? Non une démocratie sociale, mais tout simplement une *forme* de gouvernement respectant les consignes du libéralisme politique. À son avis, il serait absolument inutile de s'engager dans toute autre voie réformatrice sans avoir franchi ce premier stade. À vouloir brûler les étapes, on risquerait de connaître un état encore pire que le présent : qu'adviendrait-il de nationalisations et de grandes politiques étatiques sous la juridiction de la fraude et de l'oppression ? Il faut d'abord rechercher une *forme* démocratique dans laquelle on pourrait faut-il croire, couler par la suite un contenu. Car chez Trudeau c'est l'autoritarisme qui est source d'immoralisme. Commençons donc par un aménagement correct de l'autorité, et le reste, semble-t-il, nous sera donné par surcroît.

> Devant les bouleversements promis par l'automation, la cybernétique et l'énergie thermo-nucléaire, la démocratie libérale ne pourra pas longtemps satisfaire nos exigences grandissantes pour la justice et la liberté, et (...) devra évoluer vers des formes de démocratie sociale[94].

Sa stratégie par conséquent s'axera sur le regroupement qu'il convient d'appeler « l'union démocratique »[95], dénominateur commun en

90. Pierre-Elliott Trudeau, *ibid.*, p. 16.
91. Pierre-Elliott Trudeau, *ibid.*, p. 14.
92. Pierre-Elliott Trudeau, *ibid.*, p. 22.
93. Pierre-Elliott Trudeau, *ibid.*, p. 21.
94. Pierre-Elliott Trudeau, *ibid.*, p. 21.
95. Pierre-Elliott Trudeau, *ibid.*, p. 22.

vue d'établir enfin l'État libéral. Face à une opposition divisée en démocrates libéraux, sociaux et nationalistes permettant une perpétuation du régime au pouvoir, Trudeau propose un front commun démocrate, quitte à réaménager, après le renversement du mastodonte unioniste, l'échiquier politique. Mobilisation qui on doit le noter fait appel aux « éléments politiques valables » de la société québécoise, à savoir, « des hommes droits, courageux, enthousiastes et désintéressés »[96], toutes des qualités morales s'il en fut ! Le nationalisme des années trente, aux beaux jours du régime Taschereau agonisant, raisonnait selon ces mêmes catégories...

Cet appel à la solidarité « démocratique » sollicite une réflexion sur l'assise sociale à laquelle *Cité Libre* se réfère. En d'autres mots, il amène à identifier les forces et les collectivités que la revue compte privilégier ; à l'intention de quel « nous » s'amorce l'action politique proposée ? Le rationalisme de Trudeau ne sera pas sans lui occasionner des difficultés de parcours : individualiste dans ses conséquences il ne parvient que péniblement à rejoindre le politique comme phénomène global. Il va de soi qu'il n'est pas dupe de la conception étroitement juridique de l'État : il reconnaît sa partialité en faveur de certaines classes ou de certains groupes[97] : « un gouvernement gouverne toujours pour ces secteurs qui le reporteront au pouvoir »[98]. Le changement, affirme-t-il, s'il doit venir, viendra de la classe ouvrière (peut-être aidée par des « collets blancs » de condition quasi-prolétarienne)[99]. On aurait longtemps fait croire à cette classe qu'elle n'existait pas vraiment en tant que classe. Grâce au militantisme syndical ses yeux se seraient désillés, elle aurait découvert par la suite des horizons qui dépassent les contours de la communauté canadienne-française... « La classe ouvrière prend graduellement conscience d'un bien commun débordant les frontières du Québec »[100]. Forte de sa « puissance numérique » grandissante, elle est, au dire de l'auteur, en mesure de donner dans l'avenir tout son sens au suffrage universel. Et d'ajouter que « les travailleurs constituent chez nous une force puissante d'assainissement des lois et des moeurs démo-

96. Pierre-Elliott Trudeau, *ibid.*, p. 16.
97. Pierre-Elliott Trudeau, « Réflexions sur la politique au Canada français » *ibid.*, p. 59.
98. Pierre-Elliott Trudeau, *ibid.*, p. 65.
99. Pierre-Elliott Trudeau, *ibid.*, p. 65.
100. Pierre-Elliott Trudeau, *ibid.*, p. 66.

cratiques »[101]. Cette belle profession de foi prolétarienne, toute empreinte de générosité, n'en demeure pas moins gratuite dans le continuum de la pensée citélibriste. Elle ne se fonde sur aucun ordonnancement du social; nul énoncé n'établit la détermination de la classe ouvrière, elle est tout simplement plaquée. D'ailleurs, Trudeau lui assigne une conscience exclusivement éthique dans sa fixation ; le combat est mis en veilleuse sinon absent. La conclusion de ces « Réflexions sur la politique au Canada français » est à ce propos, assez significative :

> Il faut laisser les forces sociales s'exprimer rationnellement et calmement au sein d'une cité libre. L'expérience de certaines grèves nous a déjà prouvé que l'oppression engendre la violence ; et c'est précisément pour l'éviter, sous toutes ses formes que nous devrons au plut tôt corriger notre immoralisme profond[102].

Trudeau se montre en outre plus préoccupé de *convergences* porteuses de renouveau moral que d'une saisie des forces dans le social :

> J'aimerais, écrit-il à propos du Québec, que les nationaux et les sociaux tentent de dresser un programme concret d'action politique. Je ne parle évidemment pas des aventuriers qui font de la politique un jeu, mais des hommes sincères qui portent dans leur coeur *le poids des injustices sociales et nationales*[103].

En dernière analyse, *Cité Libre* se révèle beaucoup plus articulée dans la désignation de l'adversaire et de ses manoeuvres politiques que dans l'élaboration d'une action collective. En dépit d'appels répétés à la conjugaison des forces d'opposition et, dans la réalité, de la mise sur pied du Ralliement en vue de renverser le régime Duplessis, elle ne parvient pas à mordre sur une combinaison d'intérêts concrète. Du reste, c'est en termes d'opposition que le mouvement s'est trouvé en situation de définir une quelconque pensée politique.

L'autonomisme duplessiste en matière de relations fédérales-provinciales incitera Trudeau à polariser son opposition en faveur du gouvernement central. Très marqué par l'interprétation centralisatrice du

---

101. Pierre-Elliott Trudeau, *ibid.,* p. 66.
102. Pierre-Elliott Trudeau, *ibid.,* p. 70.
103. Pierre-Elliott Trudeau, « L'Élection fédérale du 10 août 1953 : prodromes et conjectures », *Cité Libre,* no 8, novembre 1953, pp. 9-10.

fédéralisme canadien, il prend position dès le premier numéro de la revue. Pour lui, l'ère est aux grands ensembles qui par voie de conséquence avantage le travail en contrant la surenchère aux bas salaires que les provinces sont sujettes à se livrer. Mais Trudeau va plus loin : la centralisation sert selon lui de protection contre l'incurie du gouvernement québécois, énoncé qui sera souvent repris dans l'entourage de *Cité Libre*. Guy Cormier, dans cette même livraison penche dans le même sens sinon davantage, lorsqu'il affirme que « l'État du Québec n'atteindra pas la pleine stature d'un État fasciste aussi longtemps que l'État fédéral sera assez puissant pour le contenir »[104]. Le célèbre ouvrage de Maurice Lamontagne, *Le Fédéralisme canadien* (1954) s'insère dans la même tradition. Cependant, cette publication sera suivie d'une forme de recension qui servira d'occasion à Trudeau pour nuancer son option fédéraliste[105]. Cette réplique apporte un contrepoids à une tendance qui risquait de réduire presque à néant la compétence réelle des provinces. Tout en comprenant l'exaspération qu'on peut éprouver au contact de l'ignorance crasse qui caractériserait la politique économique du Québec, l'auteur récuse le désistement de Lamontagne en faveur des « économistes fédéraux ». Et d'ajouter, que « ces messieurs d'Ottawa aiment un peu trop gouverner », tout en faisant la part généreuse aux provinces anglophones au détriment du Québec.

> C'est ainsi, précise-t-il, qu'entre 1947 et 1954 Ottawa a occupé en exclusivité le champ de l'impôt sur le revenu personnel dans toutes les provinces, *y compris Québec*, et en retour a payé diverses sommes à toutes les provinces, *excepté Québec*[106].

Tout en admettant l'inaptitude au pouvoir du gouvernement Duplessis, Trudeau refuse cette fois une politique de simple démission. L'auteur est appelé, trois ans plus tard, à reprendre la question au moment où le milieu s'agite autour de la politique de subventions fédérales aux universités[107]. Contre l'intelligentsia non-nationaliste qui réclame à cor et à cri carte blanche à l'intention du gouvernement central,

---

104. Guy Cormier, « Petite méditation sur l'existence canadienne-française », *Cité Libre*, no 1, p. 35.
105. Pierre-Elliott Trudeau, « De libro, tributo... et quibusdam aliis », reproduit dans *Le Fédéralisme et la société canadienne française*, Montréal, H.M.H., 1967, p. 63-78.
106. Pierre-Elliott Trudeau, *ibid.*, p. 68.
107. Pierre-Elliott Trudeau, « Les octrois fédéraux aux universités », *Cité Libre*, février 1957, dans *Le Fédéralisme...*, pp. 81-103.

Trudeau se fait le porte-étendard de l'autonomie des provinces en matière d'éducation. À l'époque, ce respect du partage des compétences entre Ottawa et Québec signifiait par voie de conséquence un préjudice financier, eu égard aux autres provinces que le respect des compétences ne tiraillait par outre mesure. Confronté à un dilemme aussi fatal, Trudeau recommande une politique de subventions mitigée qui à la vérité ne sera pas une réponse... L'intérêt dans ce cas-ci porte sur la position respectueuse de certains droits « provinciaux » que bien des soi-disants progressistes sont prêts à céder pour la bonne cause.

Dès l'ouverture de la décennie 60 l'enjeu va se compliquer, car à la tension bipolaire classique autonomisme-centralisation va se substituer un nouvel axe indépendantisme-fédéralisme. Mais cette mutation s'opèrera en synchronie avec une nouvelle manière de se regarder : ainsi surgit du tréfond des années cinquante un nouveau « nous » qui deviendra par la suite le « nous » de ralliement, celui amorcé par l'anticitélibrisme.

L'anticitélibrisme

L'identification d'un courant anticitélibriste au coeur même de la revue *Cité Libre* répond à des exigences d'emblée analytiques de notre part. À cet égard, il s'agit quant à nous d'un découpage destiné à des fins avant tout heuristiques. Il n'a de valeur que dans la mesure où il permet d'extraire un champ de contradictions qui sert entre autres à expliquer l'outre-citélibrisme, que sera un *Parti pris* en situation de dépassement du citélibrisme, et les autres mouvements par la suite. En revanche, il faut bien retenir que malgré sa dissociation profonde d'une certaine orthodoxie, l'anticitélibrisme, surtout celui des premières heures, celui en somme des cahiers gris (la 1ère série) et des toutes premières années de la décennie soixante, participe au même titre que les autres au mouvement *Cité Libre* dans son ensemble. Il est partie prenante au citélibrisme. Néanmoins, il arrivera parfois à la revue de prendre volontairement ses distances vis-à-vis de certains textes qu'elle consentira cependant à reproduire dans ses pages.

L'élément antithétique à *Cité Libre* s'exprime très tôt et suscite dès son apparition une certaine opposition au sein de la revue. Premier contre-projet au mouvement, le discours de Pierre Vadeboncoeur n'est que toléré dans ce sérail libéral car déjà en novembre 1953 s'exprime une dissidence officieuse à cette orientation qui effectivement ne gagnera en ampleur qu'au seuil des années soixante.

Si Vadeboncoeur diverge considérablement du corpus citélibriste, il le rejoint par certaines de ses constatations sur l'état du milieu québécois. On y retrouve entre autres cette méthode bien caractéristique d'aborder la réalité par le biais d'un procès intenté aux valeurs en cours. À la manière de son entourage idéologique, l'auteur cerne le problème au niveau de la culture : elle est en pleine décadence et nous en sommes les premiers responsables. Comment la qualifier sinon par son manque de ressort et son incitation très forte à l'ignorance, au conformisme intellectuel et plus globalement à la servilité[108]. De fait, l'argumentation s'articule autour de « notre problème moral »[109] entendu comme complexe de valeurs étanche aux pressions extérieures ; l'analyse se déroule comme en vase clos. En conséquence, l'accent est mis inexorablement sur des qualités morales : notre âme comme disposition de l'esprit est, à son dire, vouée à l'inaction. Vadeboncoeur insiste sur notre incapacité chronique généralisée qui serait refus à l'origine d'un vécu intériorisé ; ainsi s'expliquerait cette tendance à se contenter de la loi et de simples préceptes. C'est l'*individu* québécois et sa culture qui se trouvent remis en question. Dans une langue aux accents groulxistes (à son corps défendant), l'auteur ébauche une recherche d'identité personnelle et collective lorsqu'il s'écrie que « nous sommes sans maîtres qui nous eussent parlé de l'âme et de ses énergies extrêmes (...) Nous sommes sans critique historique de l'âme nationale et une vivante philosophie nous manque à tous égards »[110]. Cette évocation s'écarte du chanoine Groulx dans la mesure où elle va se vouloir rupture de la tradition et de sa morale.

Contrairement aux antécédents apolitiques du nationalisme de cette époque, la réflexion se porte vers un élan fondé sur le politique comme *moteur*. « L'élément peuple forgeur de destin politique »[111] nous échappe... Nous sommes, selon Vadeboncoeur, sans force, ni volonté, ni

108. Pierre Vadeboncoeur, « Pour une dynamique de notre culture », *Cité Libre*, no 5, juin-juillet 1952, pp. 12-19.
109. Pierre Vadeboncoeur, *ibid.*, p. 13.
110. Pierre Vadeboncoeur, *ibid.*, p. 14.
111. Pierre Vadeboncoeur, « Critique de notre psychologie de l'action », *Cité Libre*, no 8, novembre 1953, p. 11.

énergie, ni ambition alors que nous devrions aller «au bout de notre volonté»[112]. Mais il y aurait pire encore, «le peuple ne connaît (même) pas sa volonté...»[113]. Il est docilité, passivité et inertie... il s'est rendu jusqu'à se désister du politique. En état de dépendance à des chefs sans passion, ce peuple est entretenu en situation de subordination politique. Comment alors pourrions-nous, ajoute-t-il, avoir le «sens de la force» ou celui de la «victoire»[114].

C'est alors au tour de l'école nationaliste d'être passée au crible pour avoir en somme fui le politique. Pour elle, ce dernier prenait place comme «pouvoir abstrait et méditatif en marge du pouvoir réel et actif»[115]. Cette pensée a été stérilisante parce qu'elle n'est demeurée qu'un travestissement de l'action[116]. Le sens révolutionnaire a été, au dire de l'auteur, brimé sinon refoulé par l'impuissance de cette idéologie comme contenu.

P. Vadeboncoeur en arrive à proposer une certaine fusion encore imprécise entre un esprit révolutionnaire et l'opposition à la bourgeoisie. Étant donné que «le parti nationaliste est l'aile honnête du parti bourgeois»[117], il est donc normal qu'il adhère à l'ordre bourgeois. Voilà pourquoi «le mouvement nationaliste est remarquablement peu messianique et peu réformateur...»[118] «(il) n'a pas favorisé l'éveil de (l') énergie réalisatrice»[119]. C'est au «non-bourgeois»[120], par voie de conséquence, qu'il appartient d'exprimer l'esprit révolutionnaire.

En regard de ce bilan critique, Vadeboncoeur pose le «mythe» écrit-il de la «révolution». Le thème et la démarche ne sont pas sans vagues analogies du moins, avec le mythe politique de Georges Sorel exposé entre autres dans *Réflexions sur la violence* (1908). Il s'y trouve le désir de rendre global des problèmes perçus à première vue comme fragmentaires. L'«idée révolutionnaire» est placée sous l'éclairage d'*énergies*[121]

112. Pierre Vadeboncoeur, *ibid.*, p. 11.
113. Pierre Vadeboncoeur, *ibid.*, p. 11.
114. Pierre Vadeboncoeur, *ibid.*, p. 11.
115. Pierre Vadeboncoeur, «Pour une dynamique (...)» p. 15.
116. Pierre Vadeboncoeur, «Critique (...)» p. 20.
117. Pierre Vadeboncoeur, *ibid.*, p. 21.
118. Pierre Vadeboncoeur, *ibid.*, p. 21.
119. Pierre Vadeboncoeur, «Critique (...)», *ibid.*, p. 20.
120. Pierre Vadeboncoeur, *ibid.*, p. 21.
121. Pierre Vadeboncoeur, dans «Critique...» et «Pour une dynamique»...

collectives à libérer et qui en viendraient de la sorte à déboucher sur un devenir, un vécu, bref, une histoire. À nouveau, la société est à la recherche d'une nouvelle identité, ou d'une identité tout court, par le truchement de l'action ; action qui bien entendu n'est pas mise en branle par la raison, mais plutôt par un désir d'*être*. L'écart avec la filière citélibriste est ici manifeste : le vocabulaire lui est étranger et les forces de l'action renvoient à une dynamique extérieure sinon opposée à son rationalisme. Vadeboncoeur fonde sa réflexion sur une prise de conscience globale qui surgit d'un vitalisme assez pressant chez-lui : l'âme[122], le vouloir vivre, la volonté, l'énergie, la violence[123] même sont mis à contribution pour opérer une coupure avec une vision plutôt intemporelle de la société québécoise (la vision nationaliste) et entamer un processus d'affranchissement de soi. Cette manière d'aborder la césure table sur des forces perçues comme source de création. Ce faisant, elle sollicite un psychologisme qui n'est pas sans évoquer un volontarisme d'avant guerre et son aboutissement politique dans certaines sociétés totalitaires.

La *foi* chez Vadeboncoeur est invitée à coiffer la mise en marche tant recherchée. Elle est croyance, plus qu'adhésion ou assentiment ; elle est certitude plus que scepticisme pratique, elle est émotion et désir, engagement, grandeur, zèle, passion, enthousiasme au service du tout, mépris de soi, contemplation du principe, énergie irrépressible[124]. Il n'y a là rien de très citélibriste, mais un appel à l'irrationnel qui *à ce stade* n'a aucune prise sur un « nous » spécifique, une collectivité dirions-nous, de référence ; celle-ci devant peut-être prendre forme dans l'action.

Empruntant au vocabulaire incendiaire de Gambetta, Vadeboncoeur précise sa pensée dans « Voilà l'ennemi! » publié en janvier 1958. Cet article déterminant dissipe quelques malentendus possibles mais garde à son auteur ses qualités d'évocation lorsque l'explication lui fait défaut. Cette fois Vadeboncoeur engage une autocritique de la revue. Son jugement est catégorique. Toute accueillante qu'ait pu se montrer *Cité Libre* à la pensée de gauche, il existe jusqu'à ce jour un vide

---

122. Pierre Vadeboncoeur, «Pour une dynamique... » *op. cit.*, p. 13.
123. « La violence publique, précise l'auteur, n'existe pas dans notre province et il est d'observation courante qu'elle est fort mal prisée (...) », Pierre Vadeboncoeur, « Critique... » *op. cit.*, p. 11.
124. Pierre Vadeboncoeur, « Réflexions sur la foi », *Cité Libre*, no 12, mai 1955, pp. 15-26.

idéologique, une « absence de grandes options sociales pour la conscience politique »[125] :

> Non seulement le peuple dans son entier n'est-il pas saisi d'un message total, mais des fractions majoritaires de ce peuple, en pleine lutte pour des intérêts nouveaux, n'ont pas encore été élevées à la conscience claire de leurs buts politiques (...)[126].

L'auteur en profite pour récuser le *moralisme* qui imprègne les milieux qui se croient à l'avant-garde du progrès : la célèbre condamnation des abbés Dion et O'Neill — qui touchait les pratiques électorales illicites — ne dépasse pas le seuil de la « démocratie conservatrice »[127] ; les ligues d'Action civique, le mouvement plus ou moins concerté de Jean Drapeau et du parti libéral gravitent autour d'un antiduplessisme qui se cherche un axe de gravitation.

Vadeboncoeur est lui aussi en quête d'un pôle de cristallisation doctrinale. Il lui est apparent que la démocratie politique est traitée *sui generis*, alors qu'elle ne saurait, selon lui, avoir de sens qu'imbriquée dans la démocratie économique. Position qui s'affiche en flagrante contradiction avec celle revendiquée par Trudeau qui proposera la démocratie minimale, sorte de démocratie abstraite, amovible comme dans une composition modulaire.

Si dans le passé Vadeboncoeur a évoqué le poids de l'Amérique sur notre destin collectif, sur l'action ouvrière[128], gage de renouveau, puis même sur les conflits de classes[129], il ne s'en est jamais autant ouvert, — du moins dans *Cité Libre* — qu'à l'occasion de cet article : l'ennemi n'est plus *en* nous pour ainsi dire, comme l'auteur le laisse croire dans ses premiers articles, il est désormais *avec* nous, et sa présence est bien réelle, c'est le capitalisme. À partir de cette identification, le discours se découvre une nouvelle cohérence ; l'adversaire comme présence entraîne la reconnaissance du *nous*. Au « problème capitaliste » doit répondre une pensée socialiste accordée à cette lutte sociale. La tâche première consiste d'après cette constatation à sensibiliser le citoyen au « fait

---

125. Pierre Vadeboncoeur, « Voilà l'ennemi », *Cité Libre,* no 19, janvier 1958, p. 30.
126. Pierre Vadeboncoeur, *ibid.,* p. 32.
127. Pierre Vadeboncoeur, « Voilà l'ennemi », *op. cit.,* p. 30.
128. Pierre Vadeboncoeur, « Critique de notre psychologie (...) » *op cit.,* pp. 26-28.
129. Pierre Vadeboncoeur, « Un nouveau Platon », *Cité Libre,* no 13, novembre 1955, p. 44.

capitaliste », à démontrer combien ce dernier constitue l'élément explicatif d'une multitude d'actions sociales contraires au *nous* et qui en apparence semblent dispersées. Le sens politique serait en voie de se former dans les couches les plus affectées par la domination capitaliste ; l'apprentissage politique s'accomplirait en conséquence par la découverte progressive d'un adversaire omniprésent dans ses manifestations mais encore invisible comme force globale.

De cet esprit rivé à la conquête de la démocratie par la base, pointe une nostalgie du grand homme à vocation historique qui,armé de son courage et se distinguant par son sens du combat, donne son nom à une époque : il est pour reprendre son expression, la somme des réponses de son temps[130], et le peuple se retrouve en lui. Vadeboncoeur dès lors est conduit à privilégier l'homme exceptionnel, un peu à la manière des nationalistes qui attendaient avec plus de frénésie, il est vrai, l'avènement du chef. Il exalte des hommes qu'il mythifie à l'envi ; pour lui, Papineau incarne le révolutionnaire-né, celui qui, vivant de nos jours, aurait galvanisé les masses contre le capitalisme avec « quatre-vingt-douze résolutions socialisantes »[131]. Il en est de même pour Lafontaine et davantage pour Bourassa à qui il voue un culte assidu. Effectivement, Henri Bourassa compte dans son esprit comme le dernier de ces bastions personnifiés qui contrèrent l'action concertée de l'ennemi quel qu'il soit. L'étonnant, ce n'est pas tellement le manque d'information sur le seigneur de Montebello qui conserva toujours un regard archaïque sur le Bas Canada en dépit d'un libéralisme politique dicté par ses intérêts[132], ou encore sur l'intégrisme de l'ancien directeur du *Devoir*, c'est évidemment l'inversion d'une dynamique issue non plus du social mais du personnage hors série qui transcendant l'aveuglement général est habilité à illuminer ses concitoyens :

> Un Papineau contemporain ne serait-il pas l'homme du risque et de la surprise, l'antitraditionaliste par excellence, un serviteur de causes nouvelles ? Le vide politique actuel n'existerait pas, car il l'aurait rempli de quelque chose : une entreprise et une pensée définissant l'actuel et non pas, comme le veulent les

---

130. Pierre Vadeboncoeur, *ibid.*, p. 32.
131. Pierre Vadeboncoeur, *ibid.*, p. 37.
132. Fernand Ouellet, *Papineau,* Québec P.U.L. 1956 et
Gilles Bourque, *Classes sociales et question nationale au Québec, 1760-1840,* Montréal, Éd. Parti Pris, 1970, pp. 246 et s.

> vieux phonographes de la charmante époque, une version pseudomoderne des intentions politiques d'il y a cent ans. À ce prix, nous aurions une pensée qui rendrait complètement intelligible aux masses et aux indépendants la grève de l'amiante, la lutte de Murdochville, l'infamie du régime Duplessis, le vide congénital du principal parti d'opposition (etc...) Cette pensée renseignerait aussi les dirigeants syndicaux formés à l'école de Samuel Gompers sur le but essentiel des unions ouvrières. De ce moment, nous saurions ce qu'est la démocratie, et qu'elle a un sens : le peuple refusant de lâcher le pouvoir[133].

L'impulsion viendrait (au moins partiellement) du sage qui anime enfin les masses engluées dans leur torpeur. Groulx n'en disait pas moins à certains égards dans ses appels incantatoires au chef. La différence porte sur l'orientation de l'action, sur l'événement social à provoquer; néanmoins, il y a similitude dans la démarche et cette démarche englobe la *manière* de mobiliser la collectivité qui demeure assez vague; les deux invoquent le *mythe*.

Au-delà d'une cité libre abstraite et relativement privée de contenu social, Vadeboncoeur fait surgir un *nous* de la pratique économique et auquel il destine une action politique. Mais au stade de l'actualisation de ce *nous,* sa *pensée* récupère des modèles anciens à défaut probablement d'instruments adaptés à cette réalité inédite. Avec Vadeboncoeur, une nouvelle solidarité est conduite au seuil du politique ; il reviendra à la génération suivante de tenter de lui faire franchir le Rubicon. Mais d'autres de son temps ont aussi dérogé à l'orthodoxie.

La critique énoncée par Marcel Rioux appartient à la tradition citélibriste ; comme Vadeboncoeur, il s'insère dans le grand mouvement par la *négative*, mais s'en distingue dans la construction d'une structure bien différente. Par le biais d'une anthropologie un peu marquée d'existentialisme, Rioux s'attache à « réinventer des modèles culturels » en remplacement de l'idéologie auparavant dominante[134]. Pour ce faire, l'auteur engage lui aussi une problématique d'allure politique. Adoptant l'énoncé de J.-M. Domenach selon lequel on ne s'évade pas du politique et que s'y soustraire c'est laisser libre cours à l'arbitraire,

---

133. Pierre Vadeboncoeur, *ibid.,* p. 37.
134. Marcel Rioux, « Propos de parti pris », no 24, janvier-février 1960, p. 10.

Rioux conclut à la nécessité première d'en réhabiliter la fonction dans la cité. Contrairement au point de vue qui défend un démocratisme de forme, il souscrit à l'expression d'une culture démocratique à laquelle serait associée une idée de changement. Sa pensée est mouvance : aussitôt l'Union nationale vaincue au scrutin de juin 1960, qu'elle y décèle un déblocage généralisé, une désacralisation des attitudes québécoises. L'agora s'anime en discutant de plus en plus de socialisme, de planification, de laïcisation. L'heure serait donc venue de polariser la gauche hors du giron libéral. En cela, Rioux s'écarte de la stratégie citélibriste officielle qui continue à épauler les libéraux au pouvoir par crainte d'un retour des anciens gouvernants.

Non seulement plus pressé que la direction de la revue, l'auteur réintroduit une solidarité en opposition de laquelle *Cité Libre* s'était toujours définie ; le nationalisme. Mais loin d'un provincialisme auquel nous avait habitué l'ancienne école, il s'agirait d'un processus collectif d'une toute autre envergure, processus qui implique un double mouvement : en première instance, la prise de conscience d'une « appartenance ethnique »[135] qui s'opère au fur et à mesure que la vie de la nation prend corps, et en seconde instance, une ouverture au monde. Bref, une émancipation du Canada français face à lui-même et à autrui. Cette émancipation se trouve alors à s'opérer par la jonction d'une forme de radicalisme politique au nouveau nationalisme en voie de se constituer, ainsi l'exprime-t-il dans un langage un peu teinté de traditionalisme :

> Canaliser cette fierté nationale vers un humanisme large et généreux, éviter les écueils du provincialisme mesquin de naguère, tel m'apparaît l'objectif de cette gauche[136].

Ainsi est formulée une des premières manifestations d'une gauche qui en ces années soixante commence à s'interroger sur le national. Distincte du cheminement suivi par Vadeboncoeur qui aboutit à un *nous* d'un tout autre ordre, elle cerne une collectivité de référence abouchée à un *projet* tout aussi différent. Les deux ont cependant en commun un dépassement du démocratisme distendu de son assise sociale qu'offrait *Cité Libre*.

---

135. Marcel Rioux, « Socialisme, cléricalisme et nouveau parti », *Cité Libre*, no 33, janvier 1961, p. 6.

136. Marcel Rioux, *ibid.*, p. 6.

Fernand Dumont va s'appliquer encore plus intensément, et ce, dès 1958, à pénétrer « l'homme d'ici », expression empruntée à Ernest Gagnon, S.J. Dans un article intitulé « De quelques obstacles à la prise de conscience chez les Canadiens français », il pose comme interrogation première la culture — dans son acception anthropologique — comme solidarité définitrice de la conscience de soi[137]. Avant d'aborder quoi que ce soit, il semble s'imposer d'office cette problématique antérieure à tout autre cheminement : celle d'une découverte de l'homme par et pour une culture. Donc, « quelle sorte de connaissance de soi, de prise de conscience permet à l'homme d'ici la culture qu'on qualifie de canadienne-française ? »[138]. Démarche sociologique et phénoménologique à la fois, que cette conscience de soi qui ne peut s'accomplir sans une conscience au monde et d'*un* monde bien circonscrit. La question est bien « comment s'effectue la prise de conscience de soi au Canada français ? »[139]. Contrairement à l'orthodoxie citélibriste qui postule un rationalisme atomiste dans sa définition du social et surtout du politique, le discours dumontien tente de démontrer que l'homme ne peut s'identifier lui-même comme individu hors de *sa* culture ; « la conscience historique n'est pas *à moi* », je ne puis en disposer à ma guise, serait-ce même par ma raison puisque « elle est rigoureusement *moi* »[140]. Visant directement l'aréopage de la revue, Dumont en tire une conclusion explicite :

> Ceux qui sont sortis de la coque nationaliste tentent de passer directement à l'humain, sans médiation par la culture, et alors ils se butent à cette solidarité de la conscience et de la culture que j'ai essayé d'éclairer ; et pour tâcher d'être une élite, ils sont les hommes de nulle part. Certains, par le besoin insatiable que l'homme a de se retrouver dans un univers culturel, élargissent spatialement la conscience mythique aux limites du Canada tout entier, nous gratifiant d'un mythe supplémentaire qu'ils appellent la nation canadienne[141].

---

137. Fernand Dumont, « De quelques obstacles à la prise de conscience chez les Canadiens français », *Cité Libre*, no 19, janvier 1958, pp. 22-28.
138. Fernand Dumont, *ibid.*, p. 23.
139. Fernand Dumont, *ibid.*, p. 24.
140. Fernand Dumont, *ibid.*, p. 25.
141. Fernand Dumont, *ibid.*, p. 28.

Le problème n'en est évidemment pas résolu pour autant, car il reste par la suite à se ressaisir à l'intérieur d'une culture qui correspond à une pratique contemporaine. Le nationalisme de naguère n'est plus recevable en ce qu'il réfléchit une fabrication idéologique aujourd'hui désuète, seuls quelques éléments de la bourgeoisie de profession libérale et leur entourage peuvent encore avoir « l'illusion » de s'y reconnaître[142]. À nouveau, la coupure d'avec l'ancien schéma conduit au besoin de refondre nos valeurs dans l'élévation d'une nouvelle structure. Il faut *construire* une culture, une nouvelle cohérence, mais cette fois destinée à *tous* et non plus, précise Dumont, un humanisme confiné à une élite[143]. Elle sera l'universalisation d'une prise de conscience globale sur le social total auquel plus personne désormais ne peut se soustraire. Il y a là un « *choix* » à faire, un « *destin* » à fixer[144], et c'est à l'histoire de le révéler — mode d'approche inspiré de Lionel Groulx —. Mais non n'importe quelle histoire ; certainement pas celle de la Conquête ou de la défense de la langue, plutôt celle des libertés réclamées et du prolétariat en voie de formation et d'accomplissement.

> Seul l'historien peut psychanalyser pour ainsi dire nos consciences malheureuses : seul il peut fonder, en définitive, nos choix dans des fidélités. Mais il faut aussi que la nation soit maintenant celle de tous[145].

La recherche de cette nouvelle solidarité s'insère dans une argumentation qui ne pouvait que crisper le rationalisme libéral de *Cité Libre.* Dumont traduit à l'instar de Vadeboncoeur et de Rioux le besoin de susciter l'émergence d'un *nous* en virtualité. Il devient clair chez ces trois auteurs que l'homme se situe en un lieu social, détermination nécessaire qui adopte diverses factures selon les cas : plus économico-sociale chez Vadeboncoeur, plus imprégnée de nationalisme classique chez Dumont. Le politique surgit auprès de Rioux et Vadeboncoeur comme réalité imbriquée au social, il est par contre mis en veilleuse par

---

142. Fernand Dumont, *ibid.,* p. 27.
143. Fernand Dumont, « Les sciences de l'homme et le nouvel humanisme » *Cité Libre,* no 40, octobre 1961, pp. 5-12.
144. Fernand Dumont, « Quelques obstacles... », *op. cit.,* p. 28.
145. Fernand Dumont, *ibid.,* p. 28.

Dumont qui préfère une forme d'unanimité retrouvée[146]. À ce stade, il se dégage une intention bien affirmée d'assurer un contenu à une action qui autrement apparaît à ces auteurs un rationalisme hors du réel. Autant *Cité Libre* s'est acharné à pointer du doigt l'irréalisme du nationalisme au Québec, autant elle subit une critique qui va dans le même sens, mais cette fois, contre elle.

Dès son apparition, l'indépendantisme est rivé au pilori. Tous les arguments portés contre le nationalisme classique de naguère sont repris à l'envi. Au début, le phénomène est simplement identifié à une réincarnation de l'ancien prototype[147]. Il faut bien convenir qu'à cette époque l'opinion est surtout saisie des projets de Marcel Chaput et de Raymond Barbeau qui n'offrent rien de révolutionnaire. Le programme corporatiste du second avait tout pour renforcer un antinationalisme déjà bien établi auprès de *Cité Libre*. Progressivement la revue sera tout de même mise en situation de nuancer et articuler moins sommairement sa pensée.

Avec le numéro spécial d'avril 1962, *Cité Libre* entame en quelque sorte un processus d'anti-indépendantisme qui aboutira à la rupture — dénouement que l'on connaît. Première riposte d'envergure au mouvement indépendantiste. « La nouvelle trahison des clercs »[148] de Trudeau fait époque. Quelques mois auparavant, l'auteur s'en est pris un peu cavalièrement aux nationalistes, affirmant que leurs préoccupations impliquaient un recroquevillement sur soi et faisaient resurgir des problèmes qui avaient selon lui trouvé leur solution il y a un siècle[149]. Qu'ils s'occupent donc, les avait-il invités, au grand débat contemporain, à savoir, la survie de l'homme et le danger de guerre nucléaire. Cette fois-ci l'offensive est plus directe puisqu'elle a pour cible l'objectif ultime poursuivi par les nationalistes. Pour Trudeau, l'État-

---

146. « L'antagonisme des conditions de vie et des classes est une réalité profonde de notre société ; il ne faut pas chercher à l'enrayer par des mystifications. Mais ce n'est pas au niveau de l'État que cet antagonisme doit se manifester »,
Fernand Dumont, « Sur la carte électorale et quelques problèmes connexes », *Cité Libre*, no 28, juin-juillet 1960, p. 8.

147. Pierre-Elliott Trudeau, « L'aliénation nationaliste », *Cité Libre*, no 35, mars 1961, pp. 3-5.

148. Pierre-Elliott Trudeau, « La nouvelle trahison des clercs », *Cité Libre*, no 46, avril 1962, repris dans *Le Fédéralisme*... pp. 161-190.

149. Pierre-Elliott Trudeau, « La guerre, la guerre », *Cité Libre*, no 42, décembre 1961, pp. 1-3.

nation en tant que principe est une absurdité ; la notion conduit dans ses conséquences logiques à un morcellement quasi infini des États puisqu'alors il faut reconnaître à tout coup nationalités et ethnies comme aspirantes à l'émergence d'une nouvelle entité politique. Déjà dans ses fondements, elle est irrecevable. En outre, elle est à l'origine de bien des conflits guerriers comme nous le révélerait l'histoire. Donc, en théorie, l'État-nation n'est pas défendable. S'y greffent des considérations sur le type d'attitudes qu'alimente, selon Trudeau, l'État nation perçu comme dynamique. Celles-ci seraient partie prenante au grand mythe des « énergies libérées » :

> On croit à une énergie créatrice qui donnerait du génie à des gens qui n'en ont pas, et qui apporterait le courage et l'instruction à une nation indolente et ignorante[150].

L'irrationnalité en cette matière aboutirait inévitablement à la tyrannie comme à sa conclusion naturelle. Dans ce refus on peut y déceler l'esprit et l'inquiétude de toute une génération qui très sollicitée par le totalitarisme de droite dans leur jeunesse a été marquée ensuite par les désastres auxquels il a conduit.

Dans un écrit extérieur (1965) à la revue, Trudeau refuse en pratique, le droit du Québec à la sécession, dans la mesure où il est contraire aux prétentions mêmes des indépendantistes : le Québec ne peut s'affirmer le porte-parole exclusif du Canada français puisque 850,000 de ses éléments vivent hors de ses frontières, et qu'en plus, un million de non-francophones s'y trouvent[151]. Cette position, l'auteur l'a reprise à maintes occasions par la suite. S'y ajoute dans le même texte une réfutation de nature économique des thèses indépendantistes.

À cette première vague critique animée par des contemporains de *Cité Libre*, suit une seconde qui, d'une génération moins traumatisée par le duplessisme de ses aînés, se porte plutôt vers une forme d'émancipation totale.

Répondant à l'invitation lancée à la jeunesse par Gérard Pelletier d'exprimer leur opinion dans la revue, plusieurs auteurs qui par la suite animeront des publications plus audacieuses, présentent leur point de

150. Pierre-Elliott Trudeau, « La nouvelle trahison des clercs », p. 182.

151. Pierre-Elliott Trudeau, *Le fédéralisme et la société canadienne-française*, p. 9.

vue ou encore prêtent leur concours sur une base plus constante[152]. Les titres en eux-mêmes sont parfois révélateurs : « Problème bicéphale », « Être ou ne pas être »... Les textes ont en commun un nationalisme qui généralement s'annonce « séparatiste » d'entrée de jeu ; s'ajoutent deux autres caractéristiques : on est socialiste et laïciste. Indépendantisme, socialisme et laïcisme (l'ordre variant un peu selon les auteurs), trois traits précurseurs de *Parti pris* ; deux piliers de la future revue s'y retrouvent d'ailleurs : André Major et Gérald Godin. L'aspect révélateur dans cette nouvelle combinaison d'options-clefs c'est leur nature compartimentée. Ces aspirations se présentent en pièces détachées : elles sont énumérées, déclinées dans le discours, non intégrées. *Parti pris* interviendra comme mouvement pour leur assurer une forme de cohérence.

> Nous n'avons adopté, écrit André Major, aucun système philosophique précis, aucun code. Nous cherchons avec l'angoisse des exilés[153].

Ambiguïté bien sûr, mais qui auprès de Godin comme des autres est loin d'exclure la force de l'engagement et la logique qui l'accompagne :

> Comment peut-on être séparatiste, sans acheter des armes et les distribuer la nuit à des amis fidèles pour que cette idée devienne un acte ? (...) Comment être syndicaliste sans être prêt à en mourir ?[159]

Dispositions qui anticipent sur les événements — nous sommes en janvier 1962, donc avant les premières manifestations du Front de libération du Québec —, et sur le discours partipriste.

À ce champ exploratoire appartiennent également les propos tourmentés de Pierre Vallières. Lui aussi se questionne : qui sommes-nous ? Il est impératif que le Canada français s'éveille à la profondeur de son existence[155]. « Nous avons encore l'impression d'habiter une réalité

---

152. Jacques Guay, « Voilà ce que je pense », *Cité Libre*, no 41, novembre 1961, pp. 26-27. Gérald Godin, « Être ou ne pas être », *Cité Libre*, no 43, janvier 1962, p. 4. André Major, « Problème bicéphale », *Cité Libre*, no 43, janvier 1962, pp. 4-5. Comptent parmi cet apport, les nombreux, articles de Pierre Vallières.
153. André Major, *ibid.*, p. 5.
154. Gérald Godin, *op. cit.*, p. 4.
155. Pierre Vallières, « Nous éveiller à la profondeur de notre existence », *Cité Libre*, no 44, février 1962, p. 17.

nue, vide... »[156]. C'était bien, semble-t-il, l'univers que *Cité Libre* avait laissé en partage. Effectivement il lui reproche son absence de projet global unifiant[157]. Le « sens de notre être » nous échappe encore, nous sommes aliénés[158]. Pour nous tirer de cette impasse le recours au penseur s'impose. La réflexion philosophique s'impose à nous comme condition de notre découverte, « (elle) seule fixe les fins de l'action en dévoilant le sens de l'existence humaine »[159]. Inspiré de l'existentialisme en général, Sartre, Camus, et de Malraux, Jaspers, Mounier, Vallières pose le problème de l'identité en termes de rapport à autrui. Dans un article qui lui est consacré, il donne à Mounier sa pleine extension, en ce que l'affirmation de la personne s'actualise dans l'échange communautaire, et fait ressortir la *société* comme lieu de référence à l'action personnaliste, avec ses conséquences économiques et politiques ; dimension qui a échappé à la lecture partielle qu'en avait fait avant lui, *la Relève*, la *JEC* et *Cité Libre*[160]. Vallières y découvre l'*action sociale* comme totale mais également assez abstraite, idéaliste et utopique.

Toute sa pensée s'arc-boute sur la poursuite d'une *solidarité* qui viendrait renverser notre « commun isolement » et nous rendre la maîtrise collective de notre histoire[161]. Concrètement ce sera de se retrouver en une nation. Viendront s'y greffer un refus du capitalisme et une idée de « socialisation » et de « promotion des masses »[162]. Dans une perspective plus lointaine, ce devra être un destin personnel et collectif porté par des valeurs de liberté, de vérité et d'amour[163]. Bref, Vallières est dans l'attente d'un rassemblement véritable fondé sur la fraternité dans le combat comme dans la réflexion, qui conduira à une *révolution* dépourvue de mythe, à savoir, une *volonté* radicale de changer une « société » dominée par une économie véreuse, une politique d'intérêts financiers et une culture individualiste[164].

---

156. Pierre Vallières, « Premières démarches de notre liberté », *Cité Libre*, no 45, mars 1962, p. 3.
157. Pierre Vallières, « *Cité Libre* et ma génération », *Cité Libre*, no 59, août-septembre 1963, p. 16.
158. Pierre Vallières, « Premières démarches (...) », *op. cit.*, p. 4.
159. Pierre Vallières, *ibid.*, p. 17.
160. Pierre Vallières, « Emmanuel Mounier », *Cité Libre*, no 57, mai 1963, pp. 11-14.
161. Pierre Vallières, « Cité Libre (...) », *op. cit.*, p. 22.
162. Pierre Vallières, *ibid.*, p. 22.
163. Pierre Vallières, *ibid.*, p. 20.
164. Pierre Vallières, ibid., p. 22. L'auteur s'en est ouvert très librement de son expérience à *Cité Libre*, dans *Nègres blancs d'Amérique*, Montréal, Éditions Parti pris, 1968.

Il est intéressant de noter qu'en contrepartie, Charles Gagnon, plus tard compagnon d'armes de Vallières, tenait un discours au contenu beaucoup plus modéré et par des aspects assez voisins de *Cité Libre.* Tout en revendiquant une aspiration révolutionnaire, Gagnon part en campagne contre les nouveaux mythes en voie de formation : le mythe de la liberté *totale,* produit de l'aliénation vaincue alors que, objecte-t-il, l'homme est nécessairement soumis à des conditionnements de toutes natures (psychologiques, sociaux,etc) ; le mythe du gouvernement par le peuple alors que l'équation gouvernement égale gouvernés demeure un leurre et que seul est possible le gouvernement *pour* le peuple[165] ; enfin le mythe de la fraternité entre les hommes. Sur ce, il conclut :

> Il n'y aura de véritable révolution que le jour où on acceptera de travailler, non plus pour des formules emballantes, mais pour des fins humaines limitées, relatives dans leurs ambitions, dont d'ailleurs, l'expression n'est sans doute pas tout à fait arrêtée en aucun esprit, dont l'expression exacte au fait, sera contemporaine de la révolution en acte[166].

Quel qu'ait pu être par la suite le cheminement de tous ces auteurs, ou encore même leurs antécédents, ils font part chacun à leur manière d'une problématique en gestation. L'intérêt pour nous porte sur leurs discours respectifs en tant qu'expression *sociale* et non en tant que démarches individuelles. L'aspect *biographie* est volontairement omis de même que l'intention ou encore les objectifs se situant hors du texte. Le « destin » idéologique de ces auteurs, quoique important dans une analyse subséquente à cette conjoncture, ne saurait être retenu dans l'immédiat. C'est dire que le regroupement en deux vagues successives — susceptibles de se chevaucher plus tard — correspond à un *construit* destiné à expliciter une période de flottement idéologique qui fait charnière entre *Cité Libre* et *Parti pris.*

À des interrogations sur le *nous* et le *combat* en devenir, qui préfigurent le contenu partipriste lorsqu'elles ne lui sont pas tout simplement concomitantes, s'ajoutent des considérations sur la décolonisation et le tiers monde qui présagent elles aussi un discours décolonisateur au

---

165. Charles Gagnon, « Nos prochains mythes », *Cité Libre,* no 64, février 1964, p. 5 : « Comment six millions de personnes (pourraient) *effectivement* constituer un jour au Québec un gouvernement efficace ? ».
166. Charles Gagnon, *ibid.,* p. 6.

Québec. Plusieurs articles rendent compte d'une prise de conscience qui se porte sur l'émancipation des peuples dominés en Afrique et ailleurs. Place est faite à la négritude, qui défendue par Aimé Césaire et Frantz Fanon, se pose comme entité et s'oppose à l'homme blanc[167]. À partir de 1960, la revue par certains de ses écrits rend possible une remise en question en fonction d'une sensibilité à cette Afrique qui se découvre à elle-même et aux autres. Il est bien entendu que ces propos ne sont pas le propre des grands ténors.

Devant ce branle-bas idéologique, ces hésitations et tâtonnements, *Cité Libre* va évoluer mais à contre-courant, passant de la disponibilité à l'impatience puis à l'exaspération.

La riposte citélibriste

Que la direction de la revue se soit interrogée sur son rôle et sur son apport en fonction d'une certaine originalité, rien de plus sûr. Dans la livraison d'avril 1960, alors que l'Union nationale est au pouvoir, mais un peu laissée à son sort, Gérard Pelletier s'en ouvre au lecteur : l'équipe, nous informe-t-il, s'est déjà rendue compte avant de relancer la nouvelle série, donc vers l'automne 1959, que son rôle ne pouvait plus demeurer le même. Aussi perçoit-il l'urgence d'acquérir « le sens du devenir »[168]. Quelque dix-huit mois plus tard, Pelletier éprouve le besoin de battre le rappel[169] ; la revue est en passe de perdre son poste d'avant-garde si ce n'est déjà fait. C'est dans cette conjoncture qu'il lance son appel à la génération des moins de trente ans, ne serait-ce que pour provoquer une « ventilation » idéologique. La réponse que nous connaissons ne s'est cependant pas trouvée à correspondre aux attentes de la revue puisque celle-ci a vivement réagi. Une période de chevauchement de quelques mois au cours desquels Vallières (qui devient co-directeur de la revue à l'hiver 1964) Gagnon et Godin apportent leur collaboration, se solde par un arrêt brusque en mars 1964. Rupture à propos de laquelle *Cité Libre* fait une mise au point en éditorial du numéro d'avril[170]. À partir de ce moment on sent que la fin est proche, la relève n'est plus assurée.

---

167. Marcel Rioux, « La gauche et le tiers monde », *Cité Libre,* no 29, août-septembre 1960, pp. 22-23.
168. Gérard Pelletier, « Le sens du devenir », *Cité Libre,* no 26, avril 1960, p. 4.
169. Gérard Pelletier, « Un certain silence... » *Cité Libre,* no 40, octobre 1961, pp. 3-4.
170. « Pour clore un incident », *Cité Libre,* no 66, avril 1964, pp. 1-2.

Le discours se cabre, l'adversaire n'est plus à sa droite mais à sa gauche (sort analogue que connut le parti radical en France qui, la laïcisation accomplie au tournant du siècle, se vit largement débordé sur sa gauche).

La revue avait opposé très tôt une fin de non recevoir aux premières manifestations de l'anticitélibrisme; l'article de Pierre Vadeboncoeur sur notre psychologie de l'action est suivi d'une dissidence qui se veut non-officielle de Gérard Pelletier. De même, comme nous l'avons noté, la proposition en 1962 de retirer au gouvernement libéral son appui est refusée à Marcel Rioux. Certaines distances sont donc déjà perceptibles même au lecteur peu attentif. Avec l'écart grandissant la revue adopte dans un premier temps une attitude d'ouverture pour après se refermer un peu sur elle-même et révéler en fin de compte une rigidité assez inattendue.

Au fil du temps, l'indépendantisme s'intègre dans certains mouvements à revendication de gauche. (*La Revue socialiste* de Raoul Roy avait anticipé à la fin des années cinquante sur cette association qui ne prend corps qu'avec le déblocage de la décennie suivante). Et à cette nouvelle formulation, réplique à partir de 1964, un discours citélibriste approprié. Gérard Pelletier ouvre, pour ainsi dire, la voie avec un article-rupture sur l'irréalisme des positions défendues par la naissante revue *Parti Pris*: constituer au Québec un État indépendant «totalitaire» et socialiste, associé à aucune autre grande puissance pour s'épanouir économiquement et politiquement, relève du «rêve» et de la sottise»[171]. L'auteur lui reproche le caractère non démontré de ses énoncés et le dogmatisme qui nécessairement s'en suit. Ce dogmatisme, ce faisant, adopterait une attitude autrefois de droite, c'est-à-dire un mode d'approche nettement religieux dans la manière de défendre son existence[172]. Charles Taylor pour sa part y dénonce le réductionnisme exacerbé auquel donnerait lieu une identification abusive du Québec au phénomène de colonisation et de décolonisation dans le tiers monde. L'auteur y condamne la confusion de situations et le dogmatisme totalitaire qui

171. Gérard Pelletier, «*Parti pris* ou la grande illusion», *Cité Libre*, no 66, avril 1964, pp. 3-8.

172. Il n'est pas dépourvu d'intérêt de mentionner que Pelletier met beaucoup d'application à cette occasion pour blâmer l'encouragement apporté à *Parti pris* par les aînés et en particulier par Pierre Vadeboncoeur, ancien compagnon d'armes très tôt soumis à une certaine suspicion.

serait l'aboutissement normal de tout réductionnisme[173]. Chez Pelletier, comme chez Taylor, la critique vise directement la nature du discours partipriste alors que chez Trudeau la riposte prend une allure un peu différente. À l'instar de Jean Pellerin, il s'encombre fort peu de nuance et tente sans vergogne de confondre la nouvelle vague au totalitarisme fasciste. Le « séparatisme » égale pour lui « contre-révolution nationale-socialiste » ; il serait d'ailleurs le fait d'une « minorité petite-bourgeoise impuissante » qui craint pour son existence[174]. Outre l'aspect fanfaronnande et le ton qui frise la malhonnêteté intellectuelle, il se dégage de sa part une impression d'exaspération. Désormais l'initiative risque de provenir de cette gauche menaçante, raison de plus donc pour la river au pilori et regagner une position de dominance perdue.

L'exaltation et l'explicitation du fédéralisme correspond auprès de Trudeau à un besoin impératif d'offrir une contre-partie au discours indépendantiste en voie de monopoliser l'aire idéologique. Car auparavant le fédéralisme était considéré comme admis, donc non sujet à une élaboration théorique nécessaire ; c'était un dispositif politique qu'on tenait pour acquis. Il n'en est plus ainsi aujourd'hui ; en mauvaise posture, le fédéralisme doit être défendu, ne serait-ce que comme valeur de rechange contre l'indépendantisme.

La position fédéraliste de Trudeau s'est élaborée largement hors de la revue *Cité Libre* ; elle s'est également développée dans la pratique même du politique. Il n'y a donc pas lieu de reprendre une argumentation déjà familière et extérieure quand ce n'est pas tout simplement postérieure à *Cité Libre*. Certains traits propres à la période étudiée mérite cependant d'être relevés surtout dans leurs omissions.

Il va de soi pour Trudeau que le fédéralisme est avant tout affaire de raison et non d'émotion. Il est aménagement de pouvoirs soumis au jeu à la Montesquieu du poids et contrepoids, et de ce fait, lieu du *compromis* — autant dans ses intentions premières que dans son fonctionnement de tous les jours —, le compromis étant entendu ici comme résultat d'un processus rationnel. En principe donc, le fédéralisme serait

---

173. Charles Taylor, « La révolution futile ou les avatars de la pensée globale », *Cité Libre*, no 69, août-septembre 1964, pp. 18-22.
174. Pierre-Elliott Trudeau, « Les séparatistes : des contre-révolutionnaires », *Cité Libre*, no 67, mai 1964, pp. 2-6.
Jean Pellerin, « Flèche de tout bois » (réponse à une lettre), *Cité Libre*, no 62, décembre 1963, p. 30.

la consécration d'une interaction rationnelle et à fortiori non émotive des hommes entre eux :

> L'avènement de la raison dans la politique constitue une promesse de droit ; la loi n'est-elle pas en effet une tentative de régler la conduite des hommes en société selon la rationalité plutôt que selon les émotions ? Un ordre politique fondé sur le fédéralisme est un ordre fondé sur la loi[175].

Qu'est-ce encore que la rationalité ? Trudeau en parle comme si elle existait à l'état pur. Est-il indiqué de mentionner simplement en passant que les auteurs qui valorisent les analyses ayant pour fondement l'homme rationnel conviennent au départ que cette fiction n'est valable que dans la mesure où un choix celui-là non-rationnel, a été posé. C'est dire qu'en science politique ce type de démarche s'appuie nécessairement sur un ordre de *préférence*, bref, sur des *intérêts* en jeu[176]. La rationalité renvoie alors à l'aménagement des *moyens* et non à la détermination des *fins*. Or chez Trudeau, il n'en est pas tout à fait ainsi : les agents sont en soi rationnels. Et cette conception un peu conditionnée par son juridisme l'amène à ne considérer dans la fédération canadienne qu'un présupposé de compromis éclairé par la raison. Que signifie son affirmation selon laquelle l'Acte de l'Amérique du nord britannique fut un « compromis rationnel » sinon une composition presque apolitique des compétences entre deux niveaux de gouvernements[177]. Là se révèle une absence significative, sa lecture toute juridique et prétendument rationnelle de cette loi l'empêche d'entretenir même un soupçon sur les forces économiques qui à l'origine ont suscité ce regroupement de colonies britanniques. Pour lui, le compromis semble reposer sur une notion de *droit* et non sur l'existence de forces en présence. Il est bien entendu qu'en théorie, Trudeau reconnaît dans le politique ce dernier élément comme lui étant inhérent. Il recommande d'ailleurs comme ligne de conduite en politique de partir des choses données et de prendre en considération le « rapport réel de forces qui oppose ou relie entre eux les agents politiques en présence »[178]. L'idée de *Realpolitik* est souvent évoquée dans son discours. Or, dans le concret du Québec en particu-

175. Pierre-Elliott Trudeau, *Le fédéralisme*... p. 208.
176. Pour ne nommer qu'un classique dans le genre : Anthony Downs, *An Economic Theory of Democracy*, New York, Harper & Row, 1957.
177. Pierre-Elliott Trudeau, *Le Fédéralisme*... p. 211.
178. Pierre-Elliott Trudeau, *ibid.*, p. 14.

lier, il fait totalement abstraction du conditionnement économique, politique et culturel auquel est nécessairement soumis le Québécois. Pour lui, il ne nous revient qu'à développer nos capacité actuelles; démontrons notre savoir-faire et nous *convaincrons*. Il en est de même pour la vitalité de la culture québécoise, qui loin de devoir se refermer sur ses frontières, est invitée à l'affrontement avec d'autres cultures, comme gage de survie par la concurrence[179]. Tout en admettant, à l'occasion, l'action des anglophones dans le sens contraire des intérêts du Canada français, l'auteur ne saisit à aucun moment un quelconque poids économique, ni une organisation de l'État en fonction de cet impératif.

Le point ultime d'une rationalisation du social en guise de réponse aux courants nouveaux, est atteint par le groupe des « fonctionnalistes » qui publie son « Manifeste » dans les deux langues, soit, en anglais dans le *Canadian Forum* et en français, dans *Cité Libre*. Celle-ci en principe n'est pas censée être liée par cette proclamation[180]. À la vérité, cette prise de position publique, en plus de rallier Trudeau, est par le fond conforme à une projection strictement organisationnelle du social. De plus, la place qu'on lui réserve dans ce numéro laisse peu de doutes quant à une certaine sympathie envers cette orientation. Signé par Albert et Raymond Breton, Claude Bruneau, Yvon Gauthier, Marc Lalonde, Maurice Pinard et P.-E. Trudeau, le manifeste n'engage officiellement que ses auteurs.

Après un court préambule sur la valorisation de l'homme entendu dans son sens universel, hors de toute référence ethnique, religieuse ou autre, et sur la profonde insatisfaction que soulève auprès des signataires l'incurie des « secteurs public et privé », le manifeste énumère une série de problèmes qu'il se propose d'aborder à la lumière d'une rareté reconnue des ressources humaines disponibles et d'une disposition bien arrêtée d'abandonner l'éclairage du global au profit de l'analyse de problèmes circonscrits: le chômage (dont une part considérable serait une conséquence du nationalisme adopté par le gouvernement canadien qui se traduit par une opposition à la dévaluation de ses devises et à l'entrée de capitaux étrangers), les écarts de revenus selon les régions, l'administration de la justice, le « capital humain », les problèmes d'a-

179. Pierre-Elliott Trudeau, « Le Québec est-il assiégé? », *Cité Libre,* no 86, avril-mai 1966, p. 10.
180. « Pour une politique fonctionnelle », *Cité Libre,* no 67, mai 1964, pp. 11-17.

daptation à la modernité, la santé etc. Or, à certains aspects, le texte pousse très loin dans le sens d'une rationalisation strictement économique du social ; les textes en la matière parlent d'eux-mêmes : « la mobilité est une des conditions indispensables au rendement maximum du capital humain, comme toute autre forme de capital (...) ». Et d'ajouter :

> Notre société affecte trop peu de ressources au capital humain. Certes on consacre aujourd'hui plus d'argent à l'éducation et à la santé que naguère ; mais compte tenu du rendement élevé de chaque dollar investi dans cette forme de capital, on fait encore très peu. Par exemple, aux États-Unis (...) le rendement de la guérison d'un tuberculeux a été évalué, en termes de production réelle, à 700% par année (...)
>
> Il importe (...) de choisir avec justesse la technique ou la technologie dans laquelle on investit. Ce n'est pas tellement rentable, par exemple, d'investir dans l'éducation, si cela se fait dans des programmes et des techniques pédagogiques désuets ; car l'objet d'une politique rationnelle d'éducation n'est pas seulement d'augmenter le nombre d'étudiants dans les écoles, mais en même temps d'accroître le stock total des connaissances dans la communauté[181].

Un commentaire de cet extrait serait d'emblée superflu. Qu'il suffise d'ajouter qu'une partie consacrée au nationalisme s'attaque à celui-ci où qu'il s'embusque, que ce soit sous la forme du « maître chez nous », slogan victorieux des libéraux en 1962, inspiré de Groulx, ou sous celle d'une inquiétude qu'on reconnaît dans le milieu anglo-canadien à la vue des entreprises canadiennes cédées à des intérêts financiers américains[182]. Sa logique le pousse même à tenir une position très relative vis-à-vis du Canada qu'on estime être une donnée historique susceptible peut-être un jour de se fondre dans un plus grand tout. L'essentiel repose sur l'ouverture au monde, c'est-à-dire l'abolition des frontières culturelles vers un « universalisme politique, social et économique »[183].

181. « Manifeste », p. 13.
182. Dans un texte ultérieur intitulé « Bizarre algèbre », *Cité Libre*, no 82, décembre 1965, pp. 13-20, le Comité pour une politique fonctionnelle qui cette fois exclut P.-E. Trudeau, élu au scrutin de novembre, se lance dans une très vive critique du « Rapport préliminaire de la Commission d'enquête sur le bilinguisme et le biculturalisme » qu'on trouve entre autres trop favorable aux nationalistes.
183. « Manifeste », p. 17.

Bref, la « politique fonctionnelle » transcende pourrait-on dire les collectivités au profit d'une rationalisation qui se pose comme valeur supérieure. Jamais, faut-il rappeler, *Cité Libre* ne s'est avancée si loin sur ce terrain. À cet égard, le *Manifeste* s'insère au mouvement de la revue mais comme à son prolongement sinon son aboutissement logique. Il représente en somme la riposte ultime du rationalisme au discours indépendantiste et socialiste.

Conclusion

Cité Libre s'insère dans une problématique qui n'est pas sans se rapprocher du radicalisme français, celui dont on peut dire qu'il fut le grand projet de la IIIe République. Les principales composantes s'y retrouvent : une classe de petite bourgeoisie intellectuelle coincée entre deux forces sociales en mouvement inverse : d'une part un clergé dont le pouvoir devait être un jour ou l'autre contesté, donc force en virtualité de déclin ; d'autre part un capitalisme en voie de consolidation (à des degrés divers, bien entendu), force en ascension. Représentations également en affinités étroites : même type de rationalisme sujet à déboucher sur un projet politique de même nature. Les deux, radicalisme et citélibrisme, se retrouvent dans une expérience vécue d'un autoritarisme subi et combattu, pour les uns, sous Napoléon III, pour les autres sous Duplessis. Les deux émergent en opposition à toute concentration étatique de pouvoir entre les mains du clergé ou à la solde d'idéologies comme le nationalisme ou le communisme. Antimilitaristes, ils le sont pour des raisons bien différentes. Leur option rationaliste les amène à se porter d'abord et exclusivement à la défense de l'individu ; c'est tout le volet des libertés civiles qui leur est commun. Sympathiques à la cause ouvrière mais sans articulations théoriques très précises, ces deux idéologies sont toutes les deux, selon leur temps, neutralisées par le capitalisme pour autant que leurs propositions respectives ne gêneront en rien l'action économique dominante. Il va de soi que la mise en parallèle de ces deux mouvements sollicite plus d'une nuance. L'anticléricalisme à l'origine des lois Combes par exemple n'a aucune commune mesure en termes d'intensité avec celui de *Cité Libre* qui s'assortit très souvent d'une profession de foi religieuse. Ce qui mérite d'être retenu, au-delà de certains éléments de conjoncture, c'est l'assise idéologique globale qu'ils partagent en commun et le fondement social de ces représentations.

Radicaux et citélibristes revendiquent chacun une *place* dans le processus social. Dans le premier cas, il s'agit d'une classe de petite bourgeoisie intellectuelle qui grossièrement coifferait les professions libérales en incluant instituteurs et professeurs. Dans le second, c'est davantage une petite bourgeoisie intellectuelle de type urbain en dissociation avec les notables de province qu'elle désire remplacer. La raison est portée en triomphe par ceux-là qui s'en prétendent les meilleurs interprètes. Elle est bien sûr appelée à présider aux destinées de la société tout entière par le truchement de l'État. L'appel de la « race » qui mobilisait (par voie de conséquence) une « élite » d'enseignants clercs et laïcs de même que des notables, fait place à l'appel de l'État qui mobilise maintenant une avant-garde nouvelle, celle des spécialistes, des experts, bref, une technocratie en devenir. Celle-ci se met en position de prendre en charge l'administration des organismes publics, c'est-à-dire en somme les hiérarchies les plus accessibles : l'État comme super-organisme, auquel on assignera à l'occasion un rôle amplifié, et les organisations parapubliques, les maisons d'enseignement et les hôpitaux[184]. Pour ce faire, l'État est convié à se départir de ses notables et les autres organisations, de leur hégémonie cléricale. Donc, lutte contre l'arbitraire, le favoritisme et la corruption en vue de leur substituer la raison. En termes très citélibristes cette fois, Marcel Rioux exprime bien cette transition tant recherchée lorsqu'il explique le sens de la défaite unioniste du 22 juin 1960, à savoir qu'elle marque l'instauration d'un « ordre technique » en remplacement de l'« ordre moral », c'est-à-dire l'avènement d'un « système de bureaucratie efficace et impersonnel »[185].

Idéologie d'opposition, pour une large part, *Cité Libre* s'est peu attachée à prospecter un avenir politique possible. Malgré les apparences, le mouvement n'a pas secrété de pensée politique très ferme. Gérard Pelletier en convient d'ailleurs :

> *Cité Libre* s'est toujours située fort loin du « politique d'abord ». Nous n'avons jamais cru à la présence absolue du « plus noble des arts » sur toute autre forme d'activité humaine et nos pages ont reflété avec constance des préoccupations religieuses

184. Cette tentative réussi correspond au même phénomène de combat engagé par Papineau et la bourgeoisie de profession libérale de son temps pour prendre en main l'administration de l'État ainsi que celle des écoles et des hôpitaux.

185. Marcel Rioux, « Requiem pour une clique », *Cité Libre*, no 30, octobre 1960, p. 4.

ou culturelles plus aigües que nos soucis politiques[186].

En vérité, la revue précise son orientation politique au contact du projet indépendantiste qui ne lui paraîtra pas «politiquement valable»[187]. Fédéraliste à toute épreuve, *Cité Libre* aura tendance, surtout avec Trudeau, à s'enfermer dans un juridisme passablement apolitique où les forces en présence sont ignorées (à dessein ou non) dans l'analyse. Les pratiques collectives demeurent fort négligées et le syndicalisme — en dépit de certaines professions de foi — ne s'impose pas vraiment comme phénomène social. Si l'éducation est plus retenue c'est qu'elle affecte d'abord les mentalités, qu'elle se situe dès lors au niveau des représentations et qu'en plus, elle se soumet volontiers à une démarche qui peut se permettre de manière subtile, une analyse a-sociale de sa réalité. Tout se résume dans ce cas là à une question de correctif dans les orientations idéologiques entendues comme devant être accueillies par des consciences individuelles. Ainsi posée, cette problématique conduit de plain pied à une appréciation rationaliste et morale de l'objet, en ce sens qu'elle mobilise la raison pour corriger une déviation collective de l'esprit, et la conscience pour introduire de nouvelles valeurs sociales et politiques.

Concrètement, la revue adopte un point de vue éthique dans sa perception des rapports sociaux ; Pelletier parle en 1958 de «créer les conditions à une politique plus digne, plus juste et plus éclairée...»[188] L'entourage idéologique de *Cité Libre* se chargera volontiers de prolonger en rase-mottes un moralisme déjà bien amorcé. Contemporain et voisin idéologique de *Cité Libre*, l'hebdomadaire *Vrai* (1954-1959), sous la direction de Jacques Hébert, adoptera une politique un peu plus combative et d'emblée rivée sur les problèmes de moralité publique et politique. Fondée en pleine campagne électorale municipale, elle devient à partir de 1957 — année de la défaite du maire Drapeau aux mains de Sarto Fournier — l'organe officieux de la Ligue d'action civique. Outre son combat au niveau municipal, *Vrai* rejoint le peloton des opposants au régime Duplessis. C'est une double lutte qu'il livre d'abord au régime lui-même, à son arbitraire, puis à ses contempla-

186. Gérard Pelletier, «Sur les gaietés de l'opposition», *Cité Libre*, no 24, janvier-février 1960, p. 7.
187. Gérard Pelletier, «Plaidoyer pour un jugement politique», *Cité Libre*, no 46, avril 1962, pp. 1-2.
188. Gérard Pelletier, «Matines», *Cité Libre*, no 21, juillet 1958, p. 7.

teurs : *Notre temps*, Robert Rumilly, Léopold Richer, Louis-Philippe Roy de l'*Action catholique*, Roger Duhamel, la presse lige comme *Montréal-Matin*, et les journaux jaunes. Très symptomatiquement, *Vrai* restitue l'univers dispersé que réfléchit *Cité Libre* : il se montre en somme sensible aux misères sociales un peu prises séparément, bref, compartimentées ; ce sont pêle-mêle, les taudis, le sort des orphelins et des enfants des crèches, la situation des filles-mères, les conditions hospitalières, la médecine coûteuse, le milieu ouvrier (Adèle Lauzon que l'on retrouve à *Cité Libre* tient à un moment donné une chronique syndicale), le sort des instituteurs mal rémunérés etc. Comme de raison l'action policière est plus étroitement suivie, Jacques Hébert s'en faisant l'observateur le plus attentif : la prison de Bordeaux, les conditions de détention, les nombreux suicides de prisonniers, le cas Coffin (exécuté pour avoir été tenu responsable par les tribunaux du meurtre d'un chasseur en Gaspésie), l'usage inconsidéré des armes à feu par les policiers, etc., défraient la chronique[189]. Dans une poussée de plus grand moralisme, la revue entreprendra en 1958 une vaste campagne contre les feuilles ordurières. Les années cinquante se révèlent très imprégnées de moralisme, la conjoncture politique s'y prêtait. L'opinion québécoise revivait pour ainsi dire le scénario des années 35 et 36 au cours desquelles elle fut conviée à porter un jugement sur la moralité du régime Taschereau. Gérard Pelletier tient à un moment donné une « chronique du bourgeois moyen », dont le rôle principal consiste à mettre en évidence les vices de l'administration Duplessis et la nécessité d'une démocratie épurée. Il revient finalement à P.-E. Trudeau d'élaborer en 1958 une plus ample réflexion sur le politique, toujours marquée au coin, comme il a été explicité[190], d'un éthico-juridisme.

Un peu hors de ce sillage de l'action immédiate telle que la pratique la revue *Vrai*, mais tout autant impliqués dans l'opération de débroussaillage et d'accès à un certain positivisme, se situent les recherches et certains enseignements de la Faculté des sciences sociales à l'Université Laval. *Cité Libre* saura à bien des reprises mettre à profit la problématique et les données fournies par cette dernière, quand ce ne seront pas carrément des collaborations en bonne et due forme. Dans la décennie

---

189. *Vrai* offrira également des ouvertures sur le monde extérieur dont le compte rendu de Jacques Hébert sur son voyage en Pologne sert d'excellente illustration (1956).

190. Voir pages 104 et suivantes.

de 1950, les sciences sociales[191] de Québec s'avèrent une grande pourvoyeuse de réflexion dans le domaine; ce sont les travaux de Jean-Charles Falardeau, Maurice Lamontagne, Albert Faucher, Maurice Tremblay etc. Tous ces apports contribuent à l'éclatement de l'orthodoxie cléricale. Malgré tout, ce processus d'affranchissement idéologique sera renforcé à certains moments critiques d'une caution ecclésiastique.

La Relève et la JEC tenaient leur origine d'une impulsion cléricale. La Faculté des sciences sociales de Laval se trouve elle aussi dans la même situation, l'initiative venant, on le sait, du Père G.-H. Lévesque, Dominicain. Cette période est bien celle du grand débat sur l'opportunité de maintenir le caractère confessionnel de bon nombre d'institutions sociales au Québec. Le tome IV des *Mémoires* du chanoine Groulx restituait récemment les principales coordonnées du problème. Le procès fait à Mgr Joseph Charbonneau, archevêque de Montréal, déchu par Rome (1950), en serait, semble-t-il, une des illustrations les plus frappantes[192].

Sans être propulsée par une influence immédiatement ecclésiastique, la génération progressiste de la décennie de 1950 saura souvent s'appuyer sur les témoignages cléricaux susceptibles de consolider sa position. Le retentissement qu'obtient la lettre des abbés Dion et O'Neil, au demeurant destinée à un public très restreint (le clergé), montre l'importance d'user de visas idéologiques indispensables à une pénétration du milieu. *Les Insolences du frère Untel*, tiré à plus de 100,000 exemplaires, démontre à nouveau dans les débuts des années 60, la nécessité d'une caution morale pour réaliser un cheminement dans l'ordre des idées. Le même texte écrit par un laïc n'aurait peut-être pas franchi le stade de la lecture par l'éditeur. La commission d'enquête sur l'éducation présidée par Mgr Parent et comprenant également une religieuse, ressortit aux

191. Le cheminement de la faculté a été relaté à quelques reprises.
Jean-Charles Falardeau (directeur-adjoint à un moment donné de *Cité Libre*) en a tracé les grandes lignes dans « Lettre à mes étudiants » (1959) *op. cit.*,
Marcel Fournier s'est penché quinze ans plus tard sur l'aspect institutionnalisation des sciences sociales au Québec, en se servant de la faculté de Laval comme point d'appui. Dans *Sociologie et sociétés*, vol. 5, no 1, mai 1973, pp. 27-57.
Encore plus récemment, *Recherches sociographiques*, consacrait en 1974 une livraison entière aux agents porteurs de la discipline.

192. Voir l'article-réponse de Claude Ryan aux propos de Lionel Groulx, *Le Devoir*, 10 décembre 1974.

mêmes impératifs ; ce cas-ci étant d'une portée beaucoup plus grande de par la nature de sa production. La revue *Cité Libre* comme telle n'aura jamais directement recours à ces appoints comme ce fut le cas dans le passé pour les deux autres idéologies de l'éclatement (*La Relève*, et la JEC). En fait, elle aura plutôt tendance à prendre quelque peu ses distances vis-à-vis de ces manifestations cléricales. Le passage à une vision résolument laïque du monde fait tranquillement son chemin. Dans ce premier stade, la revue souscrit à un positivisme atomiste qui prétend se départir de tout dogmatisme dans l'appréciation des faits sociaux.

Diversement axées sur des projets en rupture avec l'idéologie dominante, *La Relève,* la JEC et *Cité Libre* ont en commun la production de représentations où le *nous* sur le plan social n'est jamais parvenu à émerger comme tel. Il aura fallu le contre-projet des anticitélibristes pour faire prendre conscience d'une absence occasionnée par la suppression de l'entité nationale de type classique. Après avoir évacué la nation telle que l'entendait le chanoine Groulx et ses émules, la tradition citélibriste ne lui a substitué aucun autre collectif de référence. En opposition à l'individualisme affiché par *Cité Libre, Parti Pris* se pose comme son antithèse ; il lui reviendra en particulier de produire un nouveau *nous.*

Chapitre troisième

La recherche d'un collectif : Parti pris

La recherche d'un collectif : Parti pris

Si *Parti pris* est continuité tout en étant rupture d'avec *Cité Libre*, il rejoint également une tradition littéraire plutôt étrangère au citélibrisme. On se rappellera que *la Relève*, première grande idéologie d'éclatement, était insensible à la société comme lieu concret ; sa réflexion impliquait une conscience individuelle ne se saisissant de la présence des autres que par communion parasociale, rencontre de consciences au-delà de la société comme pratique. Étroitement lié à *la Relève*, le poète Saint-Denys Garneau compte parmi les premiers à imposer sur la place publique l'angoisse lancinante d'une solitude à la recherche d'une identité en dissociation d'avec la définition d'une société dépassée et à laquelle le nationalisme persévérait à convier les nôtres. En parallèle et selon également une démarche de retrait, se reconnaît l'exotisme d'Alain Grandbois, son contemporain. Deux cheminements qui en dépit d'orientations bien distinctes, se croisent au carrefour d'une négation implicite du Canada français.

L'après-guerre rend davantage compte de l'isolement dans lequel l'esthétique va s'enfoncer pour plus d'une décennie au Québec. Elle se veut *révolte,* révolte contre une orthodoxie qui dépasse celle d'une idéologie pour atteindre celle d'une culture. C'est donc contre toute une société et contre ses élites — nous sommes alors en plein duplessisme complaisamment satisfait de lui-même — qu'on se dresse. Vaincu d'office, l'artiste entrevoit un nombre très limité d'issues : l'exil ou le repliement, à savoir, l'exil vers soi qui sera alors la dérision, l'absurde (etc) retournés sur soi. Le surréalisme gagne des adeptes : l'inconscient se révèle comme lieu privilégié dans le recouvrement de la personne. Si au lendemain du premier conflit mondial, Dada et le surréalisme ont servi en Europe de refuge à toute une intelligentsia désabusée de la guerre, les lendemains de 1945 au Québec prennent eux aussi une signification de désabusement auprès d'une avant-garde dispersée et infime en nombre. Ces esprits s'interrogent sur leur vie comme liée à une collectivité qui jusqu'à un certain point les désavoue. Le *Refus global*, dans cette veine, fait figure de parangon.

Pour bien des poètes de l'après-guerre, la société, de par son caractère d'inhérente oppression, se trouve évincée du champ libérant. La stratégie d'affranchissement vise un renversement des valeurs reconnues par le nationalisme classique ; le sujet ne se ressaisit plus en fusion avec la collectivité-nation. Au contraire, il échaffaude son identité presque dans la mesure où il se soustrait des contingences sociales. Le centre c'est le sujet qui prend d'abord conscience de lui-même, puis de l'« autre »... processus de reconnaissance de son propre corps, vision d'une existence propre à soi et d'un prolongement dans l'autre, rencontre de l'amour, de l'érotisme... La thématique du feu, du sang, de la vie etc. célèbre à l'envi un verbe en rupture de ban.

Le roman, pour sa part, atteste souvent, par le repliement des personnages mis en présence, de l'inaptitude à communiquer avec autrui[1], et par conséquent à rejoindre le social. Ce sont plus souvent qu'autrement des êtres traqués.

Ainsi s'exprime une nouvelle représentation du destin dévolu à l'homme québécois. Il est saisi comme individu ; pouvait-il en être autrement ? Que restait-il des retombées idéologiques laissées par l'éclatement du nationalisme ? Une identité collective rendue caduque par une industrialisation qu'il n'était plus possible d'ignorer. En revanche, ce bris idéologique laissait l'esprit dépourvu de tout instrument d'appréciation vis-à-vis de cette même industrialisation : refusée depuis des décennies, elle n'en demeurait pas moins une intruse. Le réflexe spontané avait été celui d'un retour à la terre, bref un réflexe de fuite. Cette fois

---

1. Jean-Charles Falardeau, *Notre Société et son roman*, Montréal, HMH 1967, pp. 52-53 qui reprend la thèse de Monique Bosco sur l'*Isolement dans le roman canadien-français*.

la fuite ne sera pas physique — puisque de toute manière dépassée — mais intellectuelle. Au plan de l'abstraction, la pratique économique demeurera étrangère, externe à la définition de soi. L'industrialisation massive reconnue par Lionel Groulx comme facteur de prolétarisation tout autant massive des nôtres n'avait pu dans le passé donner lieu à la formation d'un « nous » prolétarien ; et ce, pour des raisons évidentes : les agents porteurs du nationalisme traditionnel se sont toujours définis — et surtout durant la crise de 29 — en opposition farouche à la montée des masses laborieuses. En terme d'identification à des collectivités définies par leur appartenance à un quelconque versant de la production industrielle (propriétaires ou salariés), le nationalisme n'avait laissé aucune amorce de regroupement ; notre destin nous appelait à n'être ni patron ni ouvrier. D'autre part, l'élite tant célébrée naguère ne pouvait avoir quelque prise sur le réel d'après-guerre. C'est donc hors de toute valeur de rattachement social que prend forme la nouvelle poésie.

Même si cette forme d'expression se situe largement hors de la trajectoire de *Cité Libre*, elle partage avec ce mouvement une option individualiste — du moins dans ses fondements —. Après avoir vaincu avec le temps et grâce à certains moments déterminants comme la crise et la guerre, les dernières résistances du nationalisme orthodoxe, l'industrialisation sera parvenue à cette époque à forcer une vision atomiste du social auprès des intellectuels québécois ; victoire importante quoique transitoire de l'idéologie libérale ambiante.

Si le procès intenté à l'ensemble de la société québécoise se solde au début par un déssaisissement de tout ce qui est collectivité, il débouche avec le tournant de 1960 sur une nouvelle aperception du *moi* collectif à définir. Bien avant s'exprime une poésie très marginale mais fort représentative qui annonce la préoccupation majeure de *Parti pris* : une société en mal de se prendre en main. Des poèmes comme « Tristesse, Ô ma pitié, mon pays » (1954), « Pour mon rapatriement » (1954), « Octobre » (1956) etc. repris dans *la Vie agonique* témoignent d'une présence au *nous*[2].

Par la suite *Cité Libre* sert de tribune plus ou moins clandestine à laquelle s'ajoute *Liberté*, périodique fondé tout juste avant la mort de

2. Gaston Miron, dans *Liberté*, no 27, mai-juin 1963, pp. 210-221, repris dans *l'Homme rapaillé*, P.U.M., 1970.

Maurice Duplessis (1959), et qui permet entre autres à Chamberland et Major de se faire la main. Sans être exclusivement littéraires, les antécédents de *Parti pris* révèlent un enracinement idéologique à bien des égards étrangers au citélibrisme courant. *Parti pris* s'oppose à *Cité Libre* en fonction d'un point d'appui amplement extérieur.

Cette revue[3] incarne le dernier grand ralliement proprement idéologique au Québec. Elle s'impose comme plaque tournante d'une gauche en voie de se définir. *Parti pris* rejoint dès sa fondation des courants qui jusqu'alors ne s'étaient au mieux, que recoupés. Il prolonge d'abord une réflexion sur la conscience qui, demeurée largement individualiste dans le passé, évolue vers une saisie plus globale de soi : à cet égard, le mouvement explicite les interrogations littéraires de l'après-guerre.

Si *Parti pris* s'impose comme prolongement du littéraire, il puise ailleurs les sources mêmes de son originalité face à l'option strictement poétique. Déjà un peu aiguillonnée par le socialisme indépendantiste de Raoul Roy[4], la revue se trouve en position de préciser l'émancipation québécoise déjà prônée par le Rassemblement pour l'indépendance nationale (R.I.N.) dont le grand instigateur était déjà Pierre Bourgault. Mouvement carrefour, *Parti pris* s'affirme en tant que synthèse au moment même où la décolonisation dans le monde atteint son paroxysme. Il y a là une synchronisation qui peut être difficilement considérée comme fruit du hasard.

Cette fusion d'aspirations débouchera tout naturellement sur une expression diversifiée dans ses formes. Ainsi *Parti pris* est autant à l'origine d'un type de littérature démythifiante et démystificatrice que d'un mouvement politique tourné résolument vers la pratique. On se réclame de lui à tous les niveaux de l'action sociale, il sert de point d'ancrage à un réseau fort diversifié dont les embranchements varieront selon les moments de son évolution.

Tout comme pour les trois idéologies précédentes, il ne saurait être question d'évaluer *Parti pris* en fonction d'une chronologie. En dépit

3. Le titre de la revue serait dû à André Brochu qui se serait inspiré d'un passage de Sartre : « chaque jour il nous faut prendre parti dans notre vie d'écrivains, dans nos articles, dans nos livres », *Situations II,* Paris, Gallimard, 1948, p. 279.
4. Raoul Roy est à l'origine de la *Revue socialiste : pour l'indépendance absolue du Québec et la libération prolétarienne — nationale des Canadiens français,* publiée de 1959 à 1965.

d'une existence relativement courte, c'est-à-dire, cinq ans (1963 à 1968), la revue est appelée par moments à réaligner son tir. Ses autocritiques la conduisent à ré-évaluer sur une base plus ou moins annuelle l'orientation de son action. Le changement de format adopté la dernière année (1967-1968) marque une rupture dans le ton et aussi dans la démarche, si bien que les quatre premières années constituent un bloc en elles-mêmes où se dessine plus nettement un profil-type. Car au-delà des variations dans l'exposé propres à la diversité des collaborations et aux mutations du mouvement lui-même, il est possible de dégager une structure idéologique qui sans se vérifier auprès de chacun des auteurs rend compte de leur discours comme tronc commun. À cette fin, nous nous sommes permis de soustraire certaines interventions qui relevaient de l'apport occasionnel comme il s'en trouve d'ailleurs dans sensiblement toute publication de cette nature. La démarche analytique demeure donc la même que pour les trois études précédentes.

Parti pris a pu compter, entre 1963 et 1967, sur plus d'une centaine de collaborateurs de toutes natures. Ce qui revient, sur une trentaine de livraisons, à une moyenne d'au moins trois nouvelles collaborations par livraison. Si on exclut la part de poésie et de contes ou nouvelles, cette moyenne s'établit à 2.4, soit tout de même un rythme de renouvellement assez élevé.

Comme *Cité libre*, *Parti pris* s'est trouvé, de par son ouverture, à devoir fonder sa continuité sur le concours de quelques collaborateurs stables. Quiconque se livre au décompte des interventions qui s'étalent sur quatre ans, constate que la revue s'est définie par un nombre restreint de porte-parole officiels. Paul Chamberland et Pierre Maheu s'imposent à de multiples titres. À eux deux, ils totalisent une participation à 16 éditoriaux (sur 32 livraisons), à raison de 8 chacun. Leur contribution aux articles de fond (excluant chroniques, poèmes, contes etc) sert d'indicateur et se trouve renforcée par l'importance qu'on lui accorde en terme de pages : Chamberland et Maheu comptent pour 11 articles chacun, c'est-à-dire en incluant les éditoriaux, 237 et 182 pages respectivement. Leur présence au Comité de rédaction est constante[5] et à certains moments exclusive : à l'automne 64, ils com-

5. Si on excepte les quelque cinq mois (septembre 1965 à janvier 1966) au cours desquels Chamberland n'y paraît pas.

posent à eux seuls le comité[6]. En gros, on peut dire qu'ils figurent comme cas uniques de permanence tout au long de l'aventure partipriste. Cet apport prend une importance considérable de par la manière dont il s'insère dans la revue. La présence massive de ces auteurs se situe à plusieurs niveaux d'expression : on les retrouve tantôt en pages éditorial, tantôt dans les articles, les chroniques... Chamberland pour sa part se taille également une place non négligeable en poésie. En outre, le contenu de leurs écrits se tient généralement au niveau des problèmes de fond, il vise rarement un secteur unique de la vie économique ou sociale. De par sa densité, son ampleur, sa constance et sa diversité de registre, leur discours ne peut pas ne pas s'offrir comme aire privilégiée d'observation.

Dans son intention de mordre à un concret, Jean-Marc Piotte, qu'on peut placer en troisième[7], rétablit un certain équilibre. En contraste avec la saisie globalisante des deux premiers, il se met pour ainsi dire en position de « mauvaise conscience » par rapport à eux. Mais de par la nature de ses préoccupations, il sera appelé à se circonscrire dans des univers plus réduits, souvent de type monographique[8], cédant le champ théorique à d'autres mains. Néanmoins, Piotte sera un des rares parmi les membres de l'équipe originale à revenir de temps à autres sur la nécessité de doter la revue d'instruments d'analyse plus rigoureux, rappels à un socialisme critique véritable[9]. Certains éléments tactiques viendront appuyer cette visée[10].

Quant aux autres collaborateurs comme Gérald Godin et André Major, ils se sont surtout illustrés dans la section des courtes chroniques. Avec André Brochu et Laurent Girouard, ces cinq auteurs ont constitué à ses débuts le noyau de la revue[11].

6. Ils sont rejoints par Jan Depocas à l'hiver 1965.
7. Jean-Marc Piotte compte pour 5 éditoriaux et 9 articles, c'est-à-dire 104 pages.
8. Jean-Marc Piotte, « Notes sur le milieu rural », *Parti pris*, vol. 1, no 8, mai 1964, pp. 11-25.
« Des employés du gouvernement contre leur employeur », *Parti pris*, vol. 2, no 6, février 1965, pp. 42-45.
« L'opinion politique du BAEQ », *Parti pris*, vol. 3, no 10, mai 1966, pp. 46-51.
9. Jean-Marc Piotte, « Le socialisme », *Parti pris*, vol. 1, no 6, mars 1964, pp. 2-5.
« Autocritique de Parti pris », *Parti pris*, vol. 2, no 1, septembre 1964, pp. 36-44.
10. Jean-Marc Piotte, « Parti pris, le RIN, et la révolution » *Parti pris*, vol. 1, no 3, décembre 1963, pp. 2-6.
« Un appui critique à la néo-bourgeoisie », *Parti pris*, vol. 2, no 3, novembre 1964, pp. 6-9.
11. André Brochu et Laurent Girouard sont membres du Comité de rédaction à des moments différents et pour une courte période.

Il ne faudrait donc pas s'étonner de l'emprise dont Chamberland et Maheu jouiront auprès de la revue, s'instituant le principal ressort de cette idéologie de la démythification.

Adversité et oppositions

À l'instar de la génération littéraire et du début des années 60, *Parti pris* fonde son analyse sur la *conscience* comme révélateur d'un état social et aussi comme moteur de l'action. Son observation porte donc d'entrée de jeu sur des *attitudes* et non dans l'immédiat sur des rapports sociaux comme spécifiques. Ces rapports sociaux sont bien sûr retenus mais en second.

La structure de l'idéologie partipriste reproduit dans une certaine mesure celle du nationalisme groulxiste. Sans être pourvus nécessairement — et il va de soi — du même contenu, ses éléments de base s'avèrent être les mêmes, et les rapports qui les lient entre eux renvoient aux mêmes impératifs idéologiques. (Peut-être est-ce inhérent à toute pensée nationaliste d'une quelconque cohérence). La réflexion groulxiste procède selon une logique rapidement reconnaissable : l'identité canadienne-française est posée comme fondement premier et tout le reste en découle. Cette identité nationale est brisée par un événement historique, la Conquête. Depuis, notre être collectif est soumis à une domination qui le mine de l'intérieur. Il faut donc par un geste volontariste réhabiliter notre conscience nationale afin d'accéder à un état social qui nous restituera notre personnalité première.

La démarche de *Parti pris* lui est analogue. Mais contrairement à l'époque de Groulx qui parvenait sans difficulté aucune à caractériser la nation d'après deux axes directeurs, à savoir, la francité et la catholicité, les années 60 ne disposent plus de ces certitudes. Avant même de produire un projet, se pose le problème de l'identité propre à la collectivité de référence. Les anciennes composantes ayant volé en éclats, *Parti pris* est forcé d'entamer une réflexion sur l'absence même d'identité. Ce néant se traduit au niveau de la conscience par l'aliénation des nôtres auxquels la Conquête a ravi un état perçu comme normal.

Parti pris rend imputable à la Conquête de 1760 le sort présent du Québécois. Saisi comme véritable traumatisme, cet événement militaire et politique aura eu pour conséquence la réduction des nôtres au statut de minoritaire. Or le minoritaire ne prend son sens profond qu'en relation au majoritaire qui en quelque sorte le minorise. L'être minoritaire se trouve alors,au dire de Chamberland, à intérioriser une contradiction qui fait s'affronter en lui d'une part, la collectivité (comme valeur) telle que la majorité le lui introjecte et d'autre part, sa spécificité propre, irréductible à la majorité[12]. De cette tension naîtra, bien que plus tard, un désir d'affranchissement total. Pour le moment, le « Canadian » s'accomplit grâce à notre collaboration de minoritaire à son édification de majoritaire. Nous alimentons donc tout en l'exacerbant cette tension qui se traduit par un dénivellement constant de conditions. Et pour autant que nous nous définissons comme engagés dans le tout canadien, notre identité ne peut s'affirmer qu'en fonction de notre condition de minoritaire. Notre grande « vocation historique » tant célébrée en devient une de subordination.

Pour *Parti pris* le grand atout de l'*autre* c'est sans conteste d'être parvenu à nous faire refouler le ressentiment normal que nous pouvions nourrir contre lui, pour le retourner contre soi sous forme de culpabilité, c'est-à-dire, haine de soi-même. Selon ce même processus psychologique nous aurions été conduits à renverser notre instinct de vie — désir de vie — en instinct de mort, névrose collective qui se traduit par une propension au masochisme. La domination de l'*autre*, à savoir toujours le « Canadian » (le majoritaire), s'est taillée une place telle en notre « subconscient »[13], qu'elle nous a conduit à intérioriser en notre sur-moi collectif, notre rôle de victime. Le Québécois est réduit à se rendre coupable de cette relation de subordination. Bref, conclut Chamberland, « nous nous sommes faits nos propres bourreaux »[14]. Mais cette intériorisation de la défaite n'aura été probablement rendue possible qu'avec l'apport d'une force idéologique susceptible de renforcer ces dispositions : le clergé.

Si pour Chamberland il y a une présence de simple réciprocité

---

12. Paul Chamberland, « De la damnation à la liberté », *Parti pris*, Vol. I, nos 9-10-11, Été 1964, plus spécifiquement la page 59 et s.
13. Le terme est de nous.
14. Paul Chamberland, *ibid.*, p. 67. L'article de Pierre Maheu, « Le Dieu canadien-français contre l'homme québécois », *Parti Pris*, Vol. 4, nos 3-4, novembre-décembre 1966, p. 35 et s., reproduit une interprétation qui se rapproche de celle de Chamberland quand elle n'en est pas à certains égards la reprise.

bilatérale entre le colonisateur et le colonisé, cette présence se complique sous la plume de P. Maheu qui y fait intervenir l'appoint du clergé[15]. La mentalité du minoritaire que l'on retrouve au Québec serait bien celle d'une culture cléricale. Et tous ces attributs du vaincu servile et du culpabilisé appartiendraient également à cette dernière tradition. La société canadienne-française aurait été à cet égard de nature théocratique pour autant qu'elle aurait évacué toute possibilité d'action à l'avantage d'une omniprésence divine. Il y a là, précise l'auteur, dépossession dans son acception forte (celle de Jacques Berque), c'est-à-dire, démission, renonciation à agir sur le monde ; position de repli hors de ce monde, dans l'au-delà.

Comme par réflexe, le Québécois a été amené à repousser un présent qu'il refusait — évincé qu'il était de l'économique et du politique — au profit d'un *passé* où il a trouvé refuge : « mécanisme névrotique d'auto-défense »[16] vis-à-vis de l'« Anglais ». Imperméable à tout désir d'affranchissement et sourd à tout discours qui parlait de liberté ou d'indépendance, nous avons embrassé, au mépris de nous-même, le culte de l'impuissance. Notre stratégie collective en aurait donc été une de *retrait*. L'affirmation de notre *différence*, en un mot, de notre identité par rapport à l'« Anglais », se sera logée à l'enseigne d'un imaginaire, un *passé*, à savoir, un inaccessible qui, projeté dans l'avenir, se désignait comme mission. Ce qui à tout prendre était selon Chamberland une manière d'affirmer notre *absence* face à la présence fascinante de l'autre. Intériorisation ultime de la psychologie du vaincu et infériorisation qui autrement — au dire de l'auteur — auraient conduit tout droit à la révolte.

En somme, *Parti pris* se livre à l'observation psychanalytique d'une pathologie québécoise : tous les principaux éléments d'une telle démarche s'y trouvent réunis : le *sujet*, l'autre et le traumatisme occasionné par la présence ou encore l'action de cet autre. Par contre, l'observation rejoint aussi l'approche existentialiste de l'après-guerre avec son insistance sur la détermination de soi par rapport à l'autre ; on y reconnaît d'emblée l'ascendant de Sartre via l'aperçu du colonisé tel que l'ont illustré Frantz Fanon et Albert Memmi. Quant à lui, *Parti pris*

15. Pierre Maheu, « Laïcité 1966 », *Parti pris*, vol. 4, no 1, septembre-octobre 1966, pp. 58-78 et « Le Dieu canadien-français contre l'homme québécois », vol. 4, nos 3-4, novembre-décembre 1966, pp. 35-37.
16. Paul Chamberland, *ibid.*, p. 70.

livre à l'intention de son public, le « portrait du colonisé québécois » — titre d'un numéro entièrement consacré à ce sujet —, rejoignant ainsi le courant d'une réflexion phénoménologique (et souvent intuitive), réflexion qui pose la conscience du sujet comme assignatrice de sens. Ce mode employé dans l'analyse du social n'est pas sans relever de certains à-priori théoriques. D'abord, il pose la *conscience* comme porteuse immédiate de sens ; dans le cas qui nous intéresse, l'appréciation qui est faite de la colonisation comme phénomène repérable repose exclusivement sur l'interprétation que veut bien en faire l'observateur. Ce dernier n'a pas à prouver le bien fondé de ses affirmations pour autant que les données de même que les rapports de causalité ne semblent devoir être évalués qu'en relation avec le *tout* comme événement total. Cet événement total étant dans ce cas-ci la colonisation. Outre ce parti-pris de méthode, ce mode d'analyse implique un déplacement important de l'objet puisqu'on se sert d'instruments d'observation appartenant généralement à l'étude des attitudes propres à l'individu pour les transposer à l'étude des rapports sociaux. Il va sans dire que le risque de projeter ses propres angoisses ou encore les inquiétudes d'une classe ou d'un groupe sur la collectivité tout entière n'est pas négligeable. Retenons pour le moment cet aspect comme simple indice qui par la suite nous servira dans la saisie de *Parti pris* en tant que discours suivi.

Cette combinaison de la perception existentialiste — ou plus largement phénoménologique — et de l'introspection psychanalytique appliquées au social correspond semble-t-il à un premier stade dans l'appréciation de la société québécoise. Effectivement, le recours au portrait-référence du colonisé en pleine terre d'Amérique est surtout utilisé par les auteurs de la première vague. Chamberland et Maheu captent en somme l'univers social au moyen d'instruments mieux adaptés à l'analyse de leur propre intérieur personnel : production toute intellectuelle qui rend très bien compte d'une transition significative dans les milieux plus strictement littéraires. De l'angoisse individuelle, il y a eu passage à une investigation plus globale mais sans entraîner un remaniement important dans l'emploi des instruments d'analyse. Il demeure encore une forte propension à expliquer le social à partir des péripéties qui marquent l'histoire des psychologies prises individuellement, réflexion de la conscience du sujet sur une présumée conscience collective[17].

17. Qui n'a rien à voir avec Durkheim.

Effectivement, *Parti pris* n'hésite pas à scruter avec les moyens réduits dont il dispose, l'inconscient collectif du Québécois. À partir de la tension produite dans le processus d'identification des individus par l'axe de polarisation père-mère, Maheu esquisse pour l'ensemble de la collectivité québécoise les grandes zones d'influence occupées par les phantasmes paternel et maternel, en prolongement toujours du traumatisme initial, la Conquête[18].

Les analyses de Pierre Maheu retiennent surtout la nature castratrice d'une mythologie matriarcale. Le colonisé québécois aurait été marqué par une aliénation de type oedipien. Évincé du commerce par le conquérant, il s'est replié sur la terre. Et ce faisant, il s'est construit un univers clos, régi par des représentations de *dominé*. Le père est par le fait même expulsé de la réalité québécoise, il est relégué aux vagues évocations d'un passé lointain, ce temps des ancêtres, aventuriers et découvreurs... L'aujourd'hui reproduit dans la vie quotidienne un père soumis à l'emprise d'un matriarcat triomphant où le colonisé est convié à la démission: l'homme d'ici est castré. L'affirmation du mythe maternel substitue aux valeurs d'action sur le monde, celle de l'intériorité, contemplation d'une certaine intemporalité. Avec elle s'arrêterait le temps subjectif.

> Tout Québécois finit par épouser sa mère ; l'homme d'ici est impuissant ou hanté par l'impuissance parce qu'il est le fils de sa femme, et la femme, dans la mesure même où elle refuse toute rencontre authentique avec la masculinité en châtrant ses fils et son époux est elle-même abandonnée à la frigidité (...)[19].

Le signe du père se serait pour sa part réfugié dans les hautes sphères de l'inaccessible. Super ego, selon Maheu, il serait facteur de culpabilisation véhiculée de manière privilégiée par le clergé : la socialisation se serait opérée sous l'égide d'une *peur* érigée en système. Le cléricalisme illustre alors à son stade ultime, la dépossession de soi, insigne du colonisé; par le «viol des consciences», notre être nous aurait été littéralement «volé»[20]. Chacun dans ce réseau se sent *marginalisé* en sa

18. Pierre Maheu, « De la révolte à la révolution », *Parti pris*, vol. 1, no 1, octobre 1963, pp. 5-17 ; et « L'Oedipe colonial », *Parti pris*, vol. 1, nos 9-10-11, été 1964, pp. 19-29, titre emprunté à un chapitre de Jacques Berque dans *Dépossession du monde*, Paris, 1964, Éd. du Seuil.
19. Pierre Maheu, « L'Oedipe colonial », p. 26.
20. Pierre Maheu, « De la révolte à la révolution », p. 8.

mauvaise conscience par rapport aux autres. Ainsi se trouverait réalisé au plus profond de soi le travail de désintégration propre à la colonisation qui a pour fonction de dissocier les consciences individuelles d'avec le social et le monde en général ; vies parcellisées, décomposées, réalisation achevée de la dépersonnalisation.

Ce niveau d'analyse renvoie immanquablement à ce que Maheu convient lui-même d'appeler la psychologie de l'individu-colonisé-québécois, c'est-à-dire, précise-t-il, à une manière d'être québécois[21]. Le diagnostic s'arrête nécessairement à une pathologie vécue par des consciences individuelles. Il n'aurait pas pu en être autrement de par la nature de la démarche employée. Celle-ci incite fortement son utilisateur au recours à son expérience personnelle. D'ailleurs, toute l'illustration du colonisé fait appel aux souvenirs personnels, parfois intimes, du lecteur. Le public de référence est celui-là même des lecteurs qui pris à témoin, un à un, sont implicitement mis en situation de répondre à cette domination qui sur ce plan apparaît dans son omniprésence. La relation du colonisateur au colonisé surgit comme relevant d'une action collective, tandis que la situation des colonisés entre eux ressortit davantage à une observation subjective et sollicite plutôt l'introspection. Peut-être fallait-il engager une telle démarche dans la mesure où on devait mobiliser une masse de consciences dissociées par l'occupant.

Le Québécois aperçu sous l'angle de la colonisation offrira également un excellent champ à l'imaginaire. Déjà précédé d'une réflexion amplement littéraire, *Parti pris* réintègre cet apport dans la totalité de son action. En cela, la revue s'est posée comme occasion littéraire. Nombreux ont été les écrivains, jeunes et moins jeunes qui ont, d'une manière ou d'une autre, souligné leur adhésion au mouvement. Mais outre ces précieux concours, il est surtout indiqué de faire ressortir le caractère cohérent et intégré de l'option des partipristes quant au volet littéraire. Celui-ci n'est pas envisagé comme simple prolongement d'une action qui, elle, serait primordialement politique ; il est au contraire acquis à cette même action. Cet univers ne saurait donc être compartimenté. La fiction et la poésie, tout en se renforçant l'une l'autre, se désignent jusqu'à un certain point comme partie prenante au mouvement en tant que totalité[22].

---

21. Pierre Maheu, « L'Oedipe colonial », *ibid.*, p. 19.
22. C'est un peu nous qui, d'après notre biais analytique, nous trouvons à désolidariser un ensemble en catégories qui sont nécessairement contestables.

Le discours littéraire auquel a recours *Parti pris* ne doit pas être saisi non plus comme mode fortuit d'expression. La vision existentialiste, dont la revue est tributaire, a eu constamment recours à cet artifice pour tenter de révéler une réalité que la démonstration de type didactique n'était pas susceptible d'atteindre aussi parfaitement. Le monde des vécus se prête éminemment à une construction plus ou moins fictive où se trouvent réunies les conditions d'un cheminement précis. Les protagonistes sont saisis *en situation* et non à travers la série d'instantanés et de restructurations logiques qu'impose l'analyse formelle.

Au strict niveau de la reprise en main d'une identité évanouie, Laurent Girouard et André Major traduisent dans *la Ville inhumaine* et le *Cabochon* l'angoisse d'hommes en quête d'eux-mêmes. Or cette quête s'actualise dans la recherche qu'entreprend dans chacun de ces romans un écrivain en proie au problème du *dire* et de *se dire*. Dans un tout autre registre, la poésie de Chamberland crie également cette incapacité de la parole dans un « langage parfois gagné, par des marais de silence »[23]. Aussi précise-t-il plus loin la condition globale du Québécois :

> Je suis un homme qui a honte d'être homme.
> Je suis un homme à qui l'on refuse l'humanité.
> Je suis un homme agressé dans chacun des miens et qui ne tient pas de conduite sensée cohérente devant les hommes tant qu'il n'aura pas réussi à effacer l'infamie que c'est d'être Canadien français[24].

D'où un thème constant dans la poésie partipriste d'une renaissance, une réconciliation de l'homme, qui avec la « parole épée »[25] reconquiert la femme-pays ; symbolique phallique à peine voilée qui s'affirme comme volonté de réappropriation du pays-femme, mais également du pays-mère :

> Terre maîtresse
> Terre matrice
> silencieuse et magnifique[26].

---

23. Paul Chamberland, *L'afficheur hurle*, Montréal, Éditions Parti pris, 1964, p. 9.
24. Paul Chamberland, *ibid.*, p. 13.
25. Paul Chamberland, *Terre Québec*, p. 20.
26. Paul Chamberland, *L'afficheur hurle*, p. 17.

La réappropriation des lieux s'impose comme valeur de recouvrement dans *le Cassé*, roman de Jacques Renaud, où l'auteur réintègre au bout de son imaginaire la rue, le mur, la chambre...[27].

Pour qu'il y ait réappropriation, il doit y avoir eu dépossession auparavant. Celle-ci, selon *Parti pris*, tire son origine de la Conquête qui dans ses conséquences nous a oblitérés du champ économique, puis du champ politique. Le *comment* de cette opération est selon toute vraisemblance négligeable. L'action de l'autre sur nous est très rarement abordée dans le sens d'un processus ; *Parti pris* l'envisage plutôt comme un *donné*. Ce ne sera finalement pas tant l'action de l'adversaire qu'on y retiendra, mais bien ses effets ; et encore là, la revue s'attache davantage à y extraire le contenu « dépersonnalisation » de ces mêmes effets :

> Pour nous le capital est anglo-saxon, et c'est lui qui accomplit le plus sûrement le *génocide culturel* dont nous sommes victimes. Il le fait mécaniquement, sans visée précise ; il rayonne le mépris le plus complet pour ce qui est spécificité culturelle, santé sociale d'un peuple[28].

Le nationalisme traditionnel de la première moitié du siècle l'affirmait exactement dans les mêmes termes. C'est toujours en somme un examen des répercussions culturelles occasionnées par une occupation économique antérieure. La dynamique de cette occupation demeurera toujours étrangère à son interrogation.

Jean-Marc Piotte comptera parmi ceux qui se rapprocheront le plus de l'économique comme aire privilégiée de la pratique sociale[29]. Mais là aussi, il va s'arrêter à une lecture humaniste de l'industrialisation capitaliste. Celle-ci entraîne une homogénéisation des besoins par la culture de masse qu'elle suscite en vue d'uniformiser la demande, c'est-à-dire de produire des marchandises standardisées. Dans un bref passage, Piotte s'ouvre un moment sur la signification d'une industrialisation entreprise par les autres : l'industrie primaire s'active à extraire la matière première qu'on achemine par la suite à l'étranger ; il s'ensuit un chômage élevé et un niveau très bas de salaires. Mais au fond, ce qui l'intéresse c'est le choc des cultures, les contrecoups de l'économique ; le

---

27. Lise Gauvin, *Parti pris littéraire,* Montréal, P.U.M., 1975, p. 146.
28. Paul Chamberland, « De la damnation... », *ibid.,* p. 69.
29. Jean-Marc Piotte, « Du duplessisme au F.L.Q. », *Parti pris,* vol. 1, no 1, octobre 1963, pp. 18-30.

problème de l'assimilation à l'Anglais retient davantage son attention.

Assez nombreux sont les écrits qui à un moment ou à un autre font ressurgir l'aspect langue en dépérissement comme symptôme d'une assimilation progressive et à la fois d'une dépossession de ses instruments d'expression. À ce stade de leur analyse — il en sera autrement à un moment ultérieur — le français parlé au Québec est l'objet de vives préoccupations[30]. Ce problème appartient évidemment à la condition du colonisé aux prises avec une forme d'expropriation de la parole.

Parti pris consacre toute une livraison à Montréal, « la ville des autres »[31]. Jacques Trudel découvre d'abord dans l'architecture de Montréal l'expression patente d'une colonisation[32]. Le style des anglophones est dominant. Les nôtres se sont repliés sur des valeurs de continuité que représentent les églises qui, évidemment, se devront d'être des répliques; la cathédrale de Montréal (reproduction à une échelle moindre de Saint-Pierre de Rome) représente le prototype le plus achevé, expression donc d'un cléricalisme triomphant. Les quartiers ouvriers francophones sont refoulés à l'est : les maisons accolées les unes aux autres ne tranchent que par leur caractère identique. L'architecture témoigne d'une dépersonnalisation, bref d'une incapacité à l'originalité. Les architectes eux-mêmes sont colonisés ; l'édifice de l'Hydro-Québec traduit ce mimétisme conditionné par les USA. Pour Pierre Maheu, Montréal a toujours joué le rôle d'un simple relais commercial entre la colonie et les métropoles (au début, la France, puis après l'Angleterre). Son statut de « ville coloniale » ne daterait donc pas d'hier. S'y adjoint un rapport de domination que la géographie des lieux rend évident ; Montréal comprend deux villes découpées selon leur appartenance ethnique. Le heurt des cultures y est donc plus manifeste.

En tant que tel le facteur économique est peu retenu comme objet d'analyse dans l'évaluation des rapports de domination. La problématique de *Parti pris* trouve son point d'appui ailleurs, là où se font sentir les effets de cette domination. Le champ du politique subit sensiblement le même sort.

---

30. Pierre Maheu, « En guise d'introduction », *Parti pris,* vol. 2, no 4, décembre 1964, p. 10.
    Jean-Marc Piotte, « Du duplessisme (...) », *op. cit.,* p. 26.
31. *Parti Pris,* vol. 2, no 4, décembre 1964.
32. Jacques Trudel, « Notre environnement urbain, Montréal, ville capitaliste et colonisée », *Parti pris,* vol. 2, no 4, décembre 1964, pp. 21-31.

Au niveau du constat, la situation est trop claire semble-t-il pour nécessiter aux yeux de la revue un examen approfondi. La colonisation comme relation politique de subordination s'impose depuis la conquête. C'est l'évidence. Il s'agit donc de dégager surtout la fonction médiatrice de certaines classes, qui depuis, ont servi de courroie de transmission entre le pouvoir véritable (l'occupant) et les gouvernés. Ici se trouvent réunis la petite bourgeoisie et le clergé, trait d'union indispensable à ce type de sujétion qui est ainsi dispensé d'un rapport de subordination trop évident.

Si *Parti pris* se reconnaît des prédécesseurs au Québec c'est largement pour leur donner la réplique. Ils sont d'abord peu nombreux et ont en commun d'avoir logé à l'enseigne de la révolte : Saint-Denys Garneau, P.-E. Borduas, *Cité Libre*...[33], bref la génération qui s'est posée comme riposte à la caducité du nationalisme classique. Or, la révolte des uns s'est confinée à l'individu ; drame de la subjectivité aux abois, elle s'est, dans ce cas, enlisée dans la revendication d'une liberté abstraite. Négateur par essence, le refus se serait imposé comme unique ressource d'une prise de conscience exclusivement déterminée par son opposition au monde, et plus précisément à la société de leur temps. De là des exils fort révélateurs. Mais encore là faut-il bien retenir le rôle compensatoire d'une littérature qui, sous la plume de Gide, Sartre et cette lignée, croyait offrir une issue à l'identité ravie par la collectivité. La fuite dans la vie intérieure et puis dans l'esthétisme est vite détectée par la revue comme consécutive à un retrait du social. Plusieurs collaborateurs ayant déjà été touchés par ce cheminement de la conscience n'en sont-ils que plus prévenus.

À l'autre extrême se situe à leurs yeux, l'option citélibriste qui serait en voie, à l'époque, de sombrer dans l'abstrait le plus obstiné. Désincarnée, elle est vouée dans son humanisme universaliste à ne jamais coller aux conflits réels qui agitent la société concrète. En revanche, sa perception fragmentée des événements la conduirait à un empirisme qui lui interdit l'accès à une vision globale de l'injustice. D'une manière ou d'une autre sa vue du social serait occultée.

---

33. Paul Chamberland, « Aberration culturelle et révolution nationale » *Parti pris*, vol. 1, no 2, novembre 1963, pp. 10-22.
Pierre Maheu, « L'Oedipe colonial », *op. cit.*, pp. 19-29.
Pierre Maheu, « De la révolte à la révolution » *Parti pris*, vol. 1, no 1, octobre 1963, pp. 10-12.

La révolte des uns, comme celle des autres, ne franchit pas le seuil du dépassement qu'est appelée à produire la révolution, qui cette fois, contrairement aux démarches précédentes, veut atteindre — du moins dans ses prétentions — l'« être » total. L'heure n'est plus au repli sur soi ou encore à son contraire, le bonententisme (au nom de l'homme universel) ; elle est désormais à l'affrontement.

Vers un nouveau collectif

Nous nous acheminons donc vers une idéologie de combat. Encore faut-il savoir de quel combat il va s'agir. Les protagonistes sont connus ; *Parti pris* mise amplement sur le duel entre francophones et anglophones, le *nous* québécois aux prises avec cet *autre* « Canadian » dont la présence est négation de la nôtre. À ce stade, l'identification des parties, comme telles, respecte l'aperçu classique d'un univers canadien partagé en deux sociétés distinctes. Elle s'en distingue par sa manière de désigner la nature de leur présence l'une à l'autre. Et par là elle est amenée à poser leurs actions réciproques à des niveaux d'observation beaucoup plus inédits. La stratégie proposée se situera elle aussi à des niveaux bien différents et, dépendant de ceux-ci, *Parti pris* accentuera l'aspect psychanalytique, nationaliste ou encore socialiste de son engagement. Il y aura parfois problème quant à la compatibilité de ces diverses options et quant à leur ordre de priorité, cet ordre pouvant être analytique ou chronologique. L'indépendance politique établie comme préalable à l'accession ou socialisme postule par exemple l'antériorité d'une forme de nationalisme à une forme de socialisme. Dépendant des auteurs, l'accent sera mis sur l'un ou sur l'autre. Si bien que notre interprétation prend ici le risque de fortes distorsions compte tenu des variations assez grandes dans la prospective révolutionnaire proposée par ces diverses collaborations. Le profil-type auquel nous avons toujours recours prend ici toute sa signification : il est reconstruction et ne prétend nullement être la réflexion fidèle de l'idéologie observée. Dans ce cas-ci, les diverses étapes dégagées par l'analyse qui va suivre tentent de reproduire un ordre logique qui par ailleurs n'a jamais été explicité comme tel, les uns ayant privilégié des aspects moins retenus par les autres. Correspondant néanmoins à un départage relativement admis, on peut distinguer d'abord le volet consacré à l'émancipation nationale de son pendant consacré au réaménagment social de la collectivité. Le premier s'élabore au niveau de la conscience tandis que le second se fonde sur une évaluation des forces sociales en présence.

La problématique de *Parti pris* vise à bien des égards le recouvrement d'une identité collective que, par le biais de la Conquête et ses conséquences, l'*autre* a ravie aux nôtres. La conscience du Québécois est habitée, occupée par cet *autre* qui lui a introjecté une valeur d'être conforme à ses exigences de conquérant. L'opération première consistera donc à l'en évincer, et dès les tout débuts de la revue, l'entreprise de démystification est engagée[34]. Celle-ci connaît quelques variantes importantes qui sans nécessairement se contredire affectent des niveaux différents et impliquent souvent des démarches distinctes qui iront chercher des légitimations à l'action dans la psychanalyse et dans l'existentialisme.

Il arrivera fréquemment à la revue de vouloir intervenir auprès de la conscience québécoise au moyen des mêmes instruments qu'on privilégie dans l'examen des consciences individuelles. En conséquence, cette intervention prendra la facture d'une thérapeutique collective introduite par le biais d'une perception propre à une psychologie de situation — quelque collective qu'elle puisse être —. L'apport sociologique dans l'élaboration de la stratégie demeure à ce stade de l'action assez négligeable. Tout au long de ce discours c'est bien l'homme québécois, ce colonisé à désaliéner, qui occupe l'avant-scène. Une abstraction, bien sûr, mais une abstraction individualisée. Qu'est-ce à dire exactement ? Non un aperçu individualiste du social, en ce sens que, comme nous le verrons, *Parti pris* n'a rien à voir avec une conception libérale des hommes en société. C'est plutôt la société qui comme objet est réduite aux paramètres qui président à l'évaluation de l'homme observé comme individu. *Parti pris* propose une stratégie globale mais avec un dispositif plutôt accordé à l'action individuelle. C'est dans cette perspective qu'on doit saisir le sens de la catharsis même si en principe elle s'adresse à la collectivité comme lieu premier de la conversion totale.

Pour certains, la catharsis se place au coeur de l'action engagée par la revue :

> Seule une catharsis violente est susceptible de nous arracher à cette névrose : celle qui expulse brutalement de notre conscien-

34. « Présentation », *Parti pris*, vol. 1, no 1, octobre 1963, p. 4.

ce la présence de l'autre. Cette conduite de libération implique, par nature, la position (d'un) *manichéisme brutal* (...)[35].

Il ne faudrait pas voir dans cette affirmation une quelconque évocation raciste. *Parti pris* s'en garde bien. Il explicite tout simplement la tension extrême de l'axe oppresseur-opprimé et l'impératif d'une rupture radicale. Rupture donc qui est censée s'opérer là où l'asservissement loge le plus profondément, c'est-à-dire dans la conscience. Lorsqu'on reconnaîtra l'*autre* comme agent de sa propre négation, la culpabilité qui nous a si longtemps habités s'en trouvera délogée par le fait même : l'*autre* deviendra comme il se doit, *responsable* de sa relation à nous[36]. Ce sera enfin le terme d'un masochisme si bien nourri par des générations de culpabilisés qui nous ont toujours rendu comptables d'un destin collectif si peu reluisant. Capacité de nommer cet autre qui doit avoir pour origine une capacité de *dire ;* et ce *dire* sera exactement l'instrument de passage.

La libération de la conscience est appelée à passer par la libération de la parole. La conscience est ainsi invitée à se saisir dans son propre accomplissement qui est le verbe. Mais pas n'importe quel verbe. Ici s'insère l'apport du « joual », langue du colonisé, dans l'économie d'un revirement de la conscience québécoise.

André Brochu[37] explique dans un court article le rôle que *Parti pris* assigne entre autre au « joual »[38]. Il ne saurait s'agir, et à ce propos l'équipe semble unanime, que d'un langage provisoire, utilisé aux seuls fins d'un *passage* vers un état ultime de complète réhabilitation. Après quoi la raison d'être de ce mode d'expression devrait s'évanouir. Écrire en français standard c'est employer une langue qui n'est pas encore nôtre, et elle ne le sera pas, au dire de l'auteur, aussi longtemps que la population ne sera pas en mesure de l'assumer. On pourrait probablement dire, en prolongement de Brochu, que le français, vu dans cette perspective, prend figure de trahison auprès du peuple pour autant qu'il ne le réfléchit pas. Au fond, l'écrivain qui recourt au français en

35. Paul Chamberland, « De la condamnation à la liberté », *op. cit.*, p. 67.
36. Paul Chamberland, *ibid.*, p. 39.
37. André Brochu compte parmi les fondateurs de la revue. En dépit de ses collaborations intermittentes, son apport surtout au chapitre des lettres n'est pas négligeable.
38. André Brochu, « D'un faux dilemme », *Parti pris*, vol. 2, no 8, avril 1965, pp. 58-59. Article-réponse à Charles Gagnon de *Révolution québécoise*.

plein Québec créerait un écart que le «joual» serait à même de combler. Le joual est donc perçu comme seul véhicule authentique de l'être collectif. Il est seul en position de révéler le «scandale» de notre condition culturelle[39]. Mais puisqu'on croit à un renversement des choses, on ne se propose d'en user que dans un but exclusivement critique. La désintégration de la langue est bien vue comme reproduction de la désintégration sociale. À cette fin, elle répond à une visée éminemment démythificatrice. Brochu rejoint en d'autres mots les propos antérieurs de Chamberland :

> *Écrire*, affirme-t-il, c'est alors choisir de *mal écrire*, parce qu'il s'agit de réfléchir le *mal vivre*. C'est le bien écrire qui est le mensonge[40].

Pour lui, l'oeuvre d'écriture en est une de destruction. Destruction d'un «passé de honte», contenu d'une littérature qui ne peut s'assigner qu'une thématique unique, celle de l'«écoeurement collectif»[41].

Il revient néanmoins à Gérald Godin de donner un sens encore plus élargi et aussi plus social à l'adoption du «joual» comme véhicule de l'expression[42]. Pour certains, auxquels il se joint, c'est le langage de la déculpabilisation eu égard à une trahison due à leurs origines bourgeoises. Il leur est indispensable de se soumettre à la «rédemption du joual». Il serait même *défi*. Code parmi nous, il est langage ésotérique pour l'étranger, qui, au dire de Godin, exclut d'office l'*autre* quel qu'il soit ; il est incompréhensible de l'extérieur, c'est une langue sans dictionnaire. Le «joual» serait donc protection entre nous et défi au colonisateur, en fonction duquel néanmoins il s'exprime.

> Tant que cet État (indépendant) n'existera pas, il faudra faire son deuil du bon français et assumer l'infériorité du peuple dont nous faisons partie en parlant la même langue que lui : le joual.
>
> Nous sommes conscients du danger qu'il y a à parler joual, à faire comme si cette langue était littéraire, comme si on pouvait élaborer une pensée en joual, mais nous nous entêtons. Que notre attitude tienne lieu d'ultimatum[43].

39. André Brochu, *ibid.*, p. 58.
40. Paul Chamberland, «Dire ce que je suis — notes», *Parti pris*, vol. 2, no 5, janvier 1965, p. 35.
41. Paul Chamberland, *ibid.*, p. 33 et p. 35.
42. Gérald Godin, «Le joual politique», *Parti pris*, vol. 2, no 7, mars 1965, pp. 57-59.
43. Gérald Godin, *ibid.*, p. 59.

En conséquence, on ne doit plus se porter à la défense du bon parler français mais de l'homme canadien-français, lui restituer « sa dignité, sa fierté et sa liberté d'homme »[44]. Il faut cependant y voir aussi un geste caractéristique d'intellectuel car Godin s'exprime bien en termes de « l'utilisation raisonnée du joual »[45]. Il s'agit toujours, comme nous l'avons fait remarquer, d'un usage provisoire. La langue du colonisé sert d'instrument révélateur à la catharsis.

Le mouvement dit « Ti-pop » que suscite *Parti pris* en 1966 appartient à ce retour à une identité bafouée qu'on se propose d'exorciser par le truchement d'un flashback ironique sinon cynique sur nos représentations les plus naïves, visibles ou encore tout bêtement « kitsch ». Une expérience de culture « Ti-pop » serait par exemple un grand pèlerinage à l'Oratoire Saint-Joseph avec pique-nique le long d'une route fort passante... Le « Ti-pop » participe à la démythification en soulignant le caractère dépassé de ces représentations. L'intention catharsique y est évidente : on se purge en reposant des gestes qui autrefois avaient une tout autre signification. À la limite, il serait permis d'y voir la replongée dans un subconscient collectif qu'il faut débarrasser de ses phantasmes. Cette action d'inspiration psychanalytique permet une distanciation d'avec un passé dont collectivement on veut se défaire. Comme le « joual », le recours au « Ti-pop » tient lieu de médiatisation dans le processus de désaliénation amorcé par la revue. Ces deux dispositifs, chacun à son niveau d'expression, mettent en demeure la conscience.

Il n'en revient pas moins aux lettres de s'imposer en tant que champ privilégié d'application à l'initiation catharsique. La fiction cette fois est retenue comme mode peut-être mieux adapté à l'illustration d'une conscience en voie de passage. Le récit reprendra sous diverses formes le passage, nous pourrions dire la rédemption, du sujet qui assume en totalité son aliénation, sa condition de sous-homme, afin de détruire en lui le colonisé et se retrouver autre, c'est-à-dire affranchi, au terme d'une mutation de la conscience. Ainsi l'explique Pierre Maheu[46] qui précise très bien comment s'insère dans le récit le « joual » comme langue même de l'opprobre. La poésie sera pour sa part plus incantatoire ; plutôt que de se porter témoin de l'événement catharsique comme en rend compte

44. Gérald Godin, *ibid.*, p. 58.
45. Gérald Godin, *ibid.*, p. 58.
46. Pierre Maheu, « Présentation, le poète et le permanent », *Parti pris*, vol. 2, no 5, janvier 1965, pp. 4-5.

le récit, elle s'adressera au lecteur comme paroles mêmes de sa propre libération. Poétique ou romanesque, le littéraire offre à *Parti pris* la possibilité d'ouvrir les consciences par le biais d'un imaginaire presque illimité. Pour parvenir au « nous authentique » il faut consentir à s'enfoncer jusqu'au bout de notre nuit collective avec tout son cortège d'angoisse[47]. C'est accepter une rédemption qui est immersion dans la négation de soi pour se dépasser, se retrouver *autre*. Par ce « nous authentique », cet *autre* qui appelle le Canadien français à devenir pleinement Québécois, la problématique de *Parti pris* se déplace vers une option plus nationaliste.

Il n'y pas de doute que la révolution passe par l'affirmation nationale. La question en suspens porte donc davantage sur l'importance à donner à cette dernière. Quelle place occupe le national dans l'économie de la révolution ? Il n'y a pas d'hésitation, cette place est considérable et conditionne grandement le socialisme qui se veut le garant de son dépassement : la révolution selon *Parti pris* sera nationale,bien sûr, mais également socialiste, sinon elle ne sera pas. Tout repose donc sur l'aménagement de ce nationalisme en rapport avec les impératifs du socialisme. Chronologiquement l'émergence d'une collectivité consciente d'elle-même prend le pas sur sa définition économique et politique, ainsi le conçoivent sensiblement tous les collaborateurs qui ont opposé ces deux réalités comme deux moments dans l'histoire à venir.

Parti pris se définit comme nationaliste dans ses options et l'est certainement par le contenu de ses revendications touchant l'identification de la collectivité québécoise. Mais avant d'observer la structure de ce nationalisme il est indispensable de faire en quelque sorte le point quant au cheminement déjà entrepris par la revue. Que signifie en termes d'aboutissement tout ce travail de démystification de la conscience qui doit conduire dans ses formes dernières à la catharsis ? Deux hypothèses sont entre autres possibles[48]. Ou bien la conscience se retrouve à un point alpha hypothétique qui se traduit par une table rase,

47. Paul Chamberland, « Nous avons choisi la révolution », *Parti pris*, vol. 1, no 5, février 1964, p. 3.
48. Une troisième hypothèse, celle-là encore plus féconde, ne semblant pas avoir été retenue, consiste à percevoir la stratégie de démystification comme imbriquée dans une action simultanée d'identification. La conscience se construit à même son processus de rejet. Mais là encore, la même opposition demeure dans la mesure où la nouvelle identité est construite ou induite.

un degré zéro d'identité collective ; ou bien, il existe un fond d'authenticité, une identité vraie — par opposition à une fausse identité assumée depuis la Conquête — où la conscience peut se retrouver. Dans le premier cas, la collectivité se définit selon un processus d'identité qui se construit dans le temps et peut-être au travers d'une pratique ; dans le second, le sens d'une certaine fidélité s'impose puisqu'il y préexiste une identité de base. Le choix de *Parti pris* n'est pas absolument tranché ; il fait sienne la première hypothèse mais sans complètement nier la seconde, si bien que, dans ses visées les plus profondes, demeurera toujours sous-jacente la nostalgie d'un véritable « nous » irréductible à l'artifice des hommes.

Après avoir proposé le démembrement non seulement d'une structure idéologique clérico-bourgeoise, mais, dans la pratique, de toute une culture, *Parti pris* affronte la réalité d'une nouvelle identité à créer ou encore à susciter. Or cette identité il la veut *totalité* dans son essence même :

> Le nationalisme, écrit Chamberland, est le seul mode de *conscience homogène*, et *totalisant* de la société québécoise[49].

Il est clair que le nationalisme s'affirme pour lui comme la seule forme d'identité collective à l'abri de toute division ou sectionnement de son univers social. Il se veut évidemment répartie à la parcellisation, sinon à l'atomisation de la société citélibriste. D'ailleurs *Parti pris* ne cesse de redire son opposition à l'homme abstrait, universel et citoyen du monde que *Cité Libre* s'était fixé comme idéal[50]. Tout en étant consentante à rejoindre les autres hommes, la revue mise avant tout sur l'édification de l'être québécois, réalité différenciée et exclusive à un milieu. Mais pour y parvenir, elle ne saurait se fonder sur un processus préétabli ; là prend forme une vibrante sollicitation à l'émergence du groupe en fusion :

> Une pensée révolutionnaire ne peut pas se réduire à une théorie préfabriquée : c'est le groupe en fusion qui, en prenant conscience de soi, dépasse ses aliénations et définit ses aspirations, invente son avenir en se libérant de son passé[51].

---

49. Paul Chamberland, « Les contradictions... » *op. cit.*, p. 13.
50. Camille Limoges, « Éditorial — l'homopoliticus à nous », *Parti pris*, vol. I, nos 9-10-11, été 1964, pp. 2-5.
51. Pierre Maheu, « De la révolte à la révolution, *Parti pris*, vol. 1, no 1, octobre 1963, p. 16.

C'est ainsi que dès la première livraison, Maheu revendique, pour reprendre ses termes, une définition du groupe par lui-même. S'y insère une vive préoccupation d'authenticité dans les rapports sociaux que vicient les structures par leur médiatisation déformante. C'est une convocation à retrouver un *nous* véritable fondé sur la fécondité des rapports directs, type de rapports qui en définitive mise sur l'intersubjectivité des consciences. De là l'importance du «regard d'autrui» qui a pour fonction ultime de devenir pour chacun «une confirmation de sa liberté»[52]. Langue d'inspiration sartrienne qui qualifie on ne peut mieux le *lieu* que vise ce discours, à savoir bien sûr, la *conscience*. Ce qui compte donc en premier, c'est l'idée qu'on se fait des choses, et forcément des autres. De la sorte, la société nouvelle se constitue selon un rapport de *reconnaissances* librement consenties entre des êtres qui, ce faisant, deviennent «camarades» et «frères»[53], relation par excellence de communion. De Miron, Chamberland rappelle avoir appris que le «salut individuel» est impossible et qu'il mène au «marais intérieur» à la manière de Saint-Denys Garneau. Ma liberté est donc liée à la libération commune, le *je* et le *nous* se trouvent engagés dans un même élan, qui fera éclater «ce vrai *qui est nous-mêmes,* en assumant le particularisme et l'exceptionnel qui nous séparent des autres (...)[54]. Au-delà d'une identité nationale réintégrée, il y a recherche d'un homme québécois réintégré lui aussi à une «collectivité réelle»[55].

À l'instar du nationalisme classique de Bourassa et Groulx, *Parti pris* dépasse le simple moment des solidarités nationales pour embrasser un projet social qui se veut inversion du libéralisme imposé par l'adversaire. À l'abstraction juridique de l'homme en société que le libéralisme propulse sous le nom de citoyen, *Parti pris* répond par un refus de la réduction à l'économisme dans l'explication du social[56]. Il lui substitue une vue globalisante tendant à restituer l'homme comme partie prenante à la collectivité, aspiration qui évoque la récupération d'une harmonie perdue. Pierre Maheu, par exemple, entretient «la nostalgie de la collectivité réelle, d'une humanité enfin réconciliée, qui serait la totali-

52. Pierre Maheu, *ibid.*, pp. 16-17.
53. Pierre Maheu, *ibid.*, p. 17, termes repris dans J.-M. Piotte «Autocritique de *Parti pris*», *Parti pris*, vol. 2, no 1, septembre 1964, p. 41.
54. Paul Chamberland, «Dire ce que je suis — (notes)», *op. cit.*, pp. 37-38.
55. Pierre Maheu, «Inventer l'homme (notes)», *Parti pris*, vol. 4, nos 9-10-11-12, mai-août 1967, p. 198.
56. Paul Chamberland, «Les contradictions...», *op. cit.*, p. 15.

sation vécue en intériorité des consciences singulières poursuivant leur épanouissement dans la réalisation de la communauté »[57].

Du libéralisme, *Parti pris* récuse évidemment tout son rationalisme. Celui dont serait extrait une objectivité qui a pour faculté de figer les objets[58]. Chamberland propose de conjurer cette rationalité à l'état pur par son dépassement au profit d'un pari sur l'action et la création, bref sur l'homme qui se fait. L'homme selon lui, a la faculté de se transformer en faisant sourdre l'irrationnel et plus précisément le pré-rationnel où se logent ses désirs fondamentaux[59]. Là s'engage l'histoire. La réalité dans sa totalité ne saurait se réduire au monde divisé, parcellisé et brisé des spécialistes qui tentent par des lois infaillibles de la soustraire aux « surprises de la liberté »[60] ; univers technocratique de choses et non plus de personnes. La décolonisation procède d'une « décision globale » qui ne s'est soumise à l'analyse qu'en second. Elle se situe en premier lieu au niveau de l'*intuition*, donc relève du « souhait » plutôt que du « constat ». L'opposition est par nature irréductible entre l'analyste et l'agent de l'histoire. Le premier étant perçu comme arrêté aux *données* présentes, aux *faits* d'aujourd'hui, qui ne sont que les retombées de combats passés, de situations antérieures. Pour le second, le *fait* s'oppose à l'*utopie* comme à son dépassement. Il y a donc incommunicabilité entre ces deux réalités qui tiennent des langages décalés. L'*utopie* ne se vérifiera que dans des faits nouveaux qui auront été sa réalisation. Tout est dans un futur qui est renversement du présent : « nous nous *exilons*, écrit Chamberland, mais dans l'*avenir* »[61]. Le présent incarne cette option vécue comme immédiateté (indépassable) avec ce qu'elle comprend de compromission ne serait-ce qu'au nom du réalisme politique. L'avenir par contre doit compter sur le virtuel, il fait confiance à la vie comme choix[62].

Faire l'histoire c'est assumer le « projet global de *praxis révolutionnaire* » qui est appelé à réaliser sur le plan social la « transcendance humaine »[63]. Cette praxis révolutionnaire tire ses origines non plus d'un

---

57. Pierre Maheu, *op. cit.*, p. 198.
58. Paul Chamberland, « Nous avons choisi la révolution », *Parti pris*, vol. 1, no 5, février 1964, pp. 2-5.
59. Paul Chamberland, « De la damnation à la liberté », *op. cit.*, pp. 54-55.
60. Paul Chamberland, *ibid.*, pp. 54-55.
61. Paul Chamberland, « Nous avons choisi la révolution » *op. cit.*, p. 3.
62. Paul Chamberland, « De la condamnation... », *op. cit.*, p. 82.
63. Paul Chamberland, « Nous avons choisi la révolution », *ibid.*, p. 2.

bilan raisonné qui serait le lot du statu quo, mais de ce qui est ressenti par la conscience comme impératif d'action. Elle tire sa légitimité d'un «fondamental refoulé» qui rompt ses fers dans un «irrépressible sursaut des énergies d'un peuple asservi à un ordre qui les dilapide»[64]. Ce n'est plus là que «volonté obstinée de notre société pour sa liberté et la création de son être, selon un accord premier, *natal*, avec *la* nature, avec *sa* nature»[65]. Ainsi se trouve implicitement posée une réalité sousjacente qui serait une identité propre à la collectivité en devenir. Tout au long de ce discours, il est possible de suivre le tracé imaginaire vers un «nous authentique»[66] qui infère un réel préexistant, une solidarité vraie, c'est-à-dire conforme à un lien social précis mais pour le moment indistinct — et peut-être indicible.

Ici s'insère à nouveau la production du poète qui par sa vision prospective ouvre sur l'aire du devenir collectif[67]. Pour Chamberland cette intervention poétique en est une d'avant-garde:

> Ce que j'appellerais les «praticiens» du délire, de la voyance, sont, devraient être les éclaireurs, à demi-sacrifiés, qui précèdent le gros de la troupe dans les forêts vierges de l'inconnu, de l'interdit, car l'interdit est toujours social dans sa réalité sinon dans son langage[68].

Qu'il s'agisse de refoulement, d'énergies comprimées, ou de volonté en voie de s'affirmer, ce sont toutes des références à une «existence nationale»[69] tantôt blottie au creux d'un subconscient en veilleuse, tantôt en passe de franchir le seuil de sa concrétisation révolutionnaire. Elle intéresse un vécu que le *nous* sera censé porter en sa *conscience*. Par rapport à la catharsis qui la précède, la conscience nationale prend un caractère nettement collectif. Alors que la démystification se déroulait en vérité au niveau de consciences individuelles, l'affirmation de la solidarité nationale touche un *nous* se saisissant comme *nous*. Cela ne se veut aucunement une somme d'adhésions individuelles, mais plutôt une conscience communautaire. À ces deux niveaux, la conscience indivi-

---

64. Paul Chamberland, «De la condamnation...», *ibid.*, p. 57.
65. Paul Chamberland, *ibid.*, p. 56.
66. Paul Chamberland, «Nous avons choisi la révolution», *ibid.*, p. 3.
67. Pierre Maheu, «Le poète et le permanent», *op. cit.*, pp. 4-5.
68. Paul Chamberland, «Faire le voyage, entretien avec Claude Péloquin», *Parti pris*, vol. 2, no 9, avril 1966, p. 40.
69. Paul Chamberland, «Nous avons choisi la révolution», *ibid.*, p. 3.

duelle ou collective est la première concernée. La raison comme regard critique n'occupe aucune place ; on peut même avancer qu'à toute fin utile, elle est, à ce stade, exclue d'office. Elle n'est finalement appelée à réintégrer la réflexion partipriste qu'à l'étape subséquente dans l'ordre de l'analyse, au moment de l'aménagement du socialisme.

Vers un collectif socialiste

La révolution socialiste renvoie au second versant de la démarche partipriste. Aux problèmes d'identité et de conscience de soi se substituent les faits sociaux considérés sous l'optique de l'analyse critique. Passées les affres de l'avènement du *nous-nation,* nouvelle collectivité de référence, la revue adopte le ton du discours rationnel. Le temps venu d'assurer un contenu social à la révolution nationale, elle se porte vers une observation moins subjective de notre condition.

Autant reconnaître tout de suite que l'appréciation de *Partis pris* touchant la réalité économique, qui est tout de même considérée à l'occasion comme le fondement du social, s'en tient à des généralités. La critique se veut marxiste en la matière, ou du moins prétend-elle à l'occasion s'en inspirer. Ce qui n'empêche pas Jean-Marc Piotte d'admettre bien honnêtement n'être jamais venu à bout du *Capital*[70]. Or, il a été de tous les collaborateurs, un de ceux qui se sont le plus rapprochés de la démarche marxiste. Mis à part les rarissimes articles sur la situation économique du Québec comme les quelques « notes sur le milieu rural » de Piotte[71] qui ébauchent une monographie critique de l'exploitation du milieu rural, *Parti pris* se tient amplement à l'écart du travail entendu comme pratique. D'ailleurs, les grèves retenues aux fins d'exposés seront celles qui affectent généralement les cols blancs ou encore la production intellectuelle, comme par exemple les conflits syndicaux au magasin Dupuis Frères et à *La Presse.* La revue semble démunie face à la notion de travail alors qu'elle excelle dans la description du colonisé. D'ailleurs, il reviendra aux collaborateurs de la dernière heure (1966-67) de faire ressortir le rôle dominant comme nous le verrons, de l'impérialisme américain. Ce n'est que dans les dernières livraisons que

70. Jean-Marc Piotte, « Le Traité d'économie marxiste de Mandel », *Parti pris,* vol. 3, nos 1-2, août-septembre 1965, pp. 108-109.
71. Jean-Marc Piotte, « Notes sur le milieu rural », *Parti pris,* vol. 1, no 8, mai 1964.

le Québec est vraiment situé comme région du développement capitaliste dans le continent nord-américain où effectivement le contrôle est détenu par des monopoles étatsuniens[72]. Précédemment, le revue s'en tenait à l'archétype classique de l'opposition entre anglophones et francophones, elle ne s'en est détournée, et partiellement, que dans les derniers moments. Entre temps elle s'est satisfaite de solutions plus ou moins reçues[73]. Par contre, sur le plan de la dynamique sociale, le discours se voudra d'une autre envergure.

Tout au long de son existence, *Parti pris* aborde l'organisation de la société en termes d'opposition de classes. Il y aura inévitablement des variantes et des différences d'accent, dépendant des divers auteurs. Mais dans l'ensemble, le lecteur parvient à trouver un fil conducteur, se soustrayant ainsi au jeu facile des contradictions réelles ou apparentes entre auteurs d'un même mouvement.

Mario Dumais exprime très bien les visées de la revue lorsqu'il explique les intentions sous-jacentes à une analyse fondée sur la dynamique des classes sociales : c'est de découvrir les forces en présence et leurs intérêts politiques. L'examen se veut donc plus « opérationnel » que rigoureusement scientifique — du moins c'est ainsi qu'on l'envisage — puisque c'est l'action qu'on privilégie et c'est en fonction d'elle qu'on dresse le constat[74]. Axée sur la notion fondamentale de travail — instrument de domination sur la nature et de réalisation de l'histoire — la production en tant qu'assignatrice de *place* sert de « base objective » à l'émergence des classes sociales. Se développe par la suite une conscience d'appartenance qui, comme on le sait, relève de la dimension subjective du même phénomène. Autant dire tout de suite que la problématique dans la reconnaissance de ces classes n'est que fort peu retenue. Les critères de *place* en particulier sont très rarement évoqués. Ce qui intéresse l'équipe c'est évidemment de pouvoir engager un combat à la

72. G. Bourque, M. Pichette, N. Pizarro, L. Racine, « Organisation syndicale, néocapitalisme et planification », *Parti pris*, vol. 4, nos 7-8, mars-avril 1967, pp. 5-27.

73. Ce manque de vigilance explique peut-être pourquoi on permit à Yordan Kostakeff qui avait déjà publié un ouvrage *Qu'est-ce que le crédit social?* Montréal, Éditions du jour, 1962, ouvertement favorable au crédit social, de tenter sur une vingtaine de pages une réconciliation des thèses du Major Douglas avec la politique monétaire de l'URSS et l'économie contemporaine dans son ensemble. « Marxisme et crédit social », *Parti pris*, vol. 3, no 8, mars 1966, pp. 33-51.

74. Mario Dumais, « Les classes sociales au Québec », *Parti pris*, vol. 3, nos 1-2, août-septembre 1965, p. 43.

suite d'une évaluation (progressiste) des belligérants. Il ne faudrait surtout pas y voir une tentative de très grande subtilité dans la détermination des forces en présence. Là n'étaient définitivement pas les intentions de la revue.

Parti pris part, comme il se doit, de l'opposition irréductible (classique) entre la bourgeoisie et la classe dite des « travailleurs »[75]. Identifiée aux trusts et aux empires industriels et financiers, la grande bourgeoisie constitue de par sa nature une classe très restreinte, regroupant quelques centaines de personnes tout au plus. C'est l'« élite du pouvoir »[76] ; univers fermé, elle réunit des personnes qui, de mêmes origines sociales, se partagent les conseils d'administration de la grande entreprise. Au Québec, cette grande bourgeoisie serait en bonne part étrangère, incluant sur la marge une cinquantaine de francophones dont les membres du haut clergé qui par l'importance de leurs capitaux se placeraient à ce niveau.

Opposée et associée en même temps à cette classe, se profile, selon la revue, une nouvelle bourgeoisie, celle-là autochtone, étroitement liée de par ses intérêts au gouvernement Lesage. Industriels et hommes d'affaires québécois, ils forment une bourgeoisie nationale désireuse de se tailler une place dans l'économie du Québec. Au moyen de l'État comme levier, elle mise sur l'édification d'un secteur secondaire qui, actuellement entre les mains d'étrangers, lui serait dans l'avenir davantage accessible. La nationalisation de l'électricité, le lancement de la Société générale de financement et la mise sur pied d'une sidérurgie en seraient dans une certaine mesure les premiers jalons[77]. L'accession de cette néobourgeoisie correspondrait au niveau des représentations idéologiques, à une intention d'industrialisation concurrente à une décléricalisation du milieu. Bref, le régime libéral de l'époque correspondrait tout à fait aux besoins d'une couche sociale anxieuse d'arriver après avoir supplanté une petite bourgeoisie traditionnelle.

Effectivement, cette dernière se trouve, suivant la revue, à péricliter sérieusement après avoir connu son heure de gloire sous l'Union nationale. Il demeure toujours une petite bourgeoisie qui exploitant son propre travail rassemble des éléments, en apparence du moins, assez

75. « Manifeste 1965-1966 », *Parti pris*, vol. 3, nos 1-2, août-septembre 1965, pp. 2-4.
76. *Ibid.*, p. 10.
77. Paul Chamberland, « Les contradictions... », *op. cit.*, p. 16 et s.

hétérogènes : petits commerçants, petits industriels, « managers » (de par leur situation dans l'entreprise et leur salaire élevé...), propriétaires terriens, bas clergé (de par son idéologie). Ils auraient en commun de profiter de la situation en tant qu'individus. Leur rôle éminemment secondaire ne demande guère qu'on s'y attarde.

Le gros de la troupe appartient, il va sans dire, à la classe laborieuse. Comment est-elle analytiquement circonscrite ? Précisons d'abord que *Parti pris* parle plutôt de travailleurs que d'ouvriers : pour lui cette classe recouvre tous les salariés qui vendent leur travail au profit (plus-value) d'un employeur[78]. Elle atteint non seulement les ouvriers et les « collets blancs » mais aussi les travailleurs ruraux et les cultivateurs dont les terres hypothéquées et les instruments achetés à crédit ne rendent pas aptes à la propriété. Sont également inclus les intellectuels c'est-à-dire, les traducteurs, les journalistes, les fonctionnaires, les instituteurs... La distinction que la revue retient porte sur le caractère spécialisé ou non-spécialisé du travail accompli. Quoique exploités, les premiers ont une occupation plus humaine et plus intéressante ; leurs salaires seraient également plus « raisonnables ». Tout en retenant l'aspect exploitation au profit du capitaliste, *Parti pris* s'attache davantage à la dimension déshumanisante du travail parcellaire et automatisé qui n'est source d'aucune satisfaction pour l'exécutant. Sans contrôle sur la production, ce dernier est réduit à l'état d'« instrument ». Voilà pour la production. Au versant de la consommation, ce même travailleur est ramené aux coordonnées de l'homme conditionné par une société qui suscite constamment des besoins nouveaux. Sa culture est bien, à son dire, celle d'une culture de masse imposée de l'extérieur à des fins commerciales. Ainsi le travailleur contribue à la prospérité de l'Amérique du Nord. Pour son malheur, sa conscience de classe est tenue en veilleuse par le confort, l'« american way of life » et le cortège des avantages offerts par cette société.

L'unité d'intérêts propre à cette classe deviendra de plus en plus évidente avec la stratégie de conscientisation. *Parti pris* souligne bien que « l'unité de la classe travailleuse n'est pas donnée, (qu') elle est à faire »[79]. Là se loge le coeur de son programme social.

De ce tableau sur les classes sociales au Québec, *Parti pris* dégage une

78. « Manifeste 1965-1966 », *ibid.*, p. 7 et s.
79. « Manifeste 1965-66 », *ibid*, p. 9.

tension bi-polaire privilégiée qui met aux prises la nouvelle bourgeoisie nationale en ascension avec une concertation des classes populaires. Déjà à ce stade, se dessine en fonction de l'enjeu ultime, qui sera politique, l'opposition entre l'État néo-bourgeois et le parti des travailleurs. Pour le moment, tenons-nous en au niveau des grands ensembles. Il apparaît assez clairement que le gonflement de la classe des travailleurs n'est pas fortuit. Il répond à un double impératif beaucoup plus nationaliste que socialiste d'inspiration. D'une part, la tentative de se rapprocher le plus possible d'une classe hyperenglobante, à la limite d'une classe-nation, est loin d'être absente. Le concept de travailleur selon l'acception de la revue englobe à toute fin utile presque tous les Québécois, laissant contre eux une infime minorité de bourgeois. Ce découpage prend toutes les allures d'une ligne de démarcation entre grands et petits, où se démarqueraient les vrais Québécois identifiés à cette superclasse. Il est significatif qu'à l'été 67, donc après trois ans de publication régulière, on retrouve sous la plume de Philippe Bernard et Gaétan Tremblay, la conviction que l'égalitarisme caractéristique de la société québécoise a permis à cette dernière de se percevoir et finalement d'être une collectivité formant une seule classe sociale[80]. Ici on rejoindrait la classe ethnique...[81]. Sans arriver à la conclusion d'une telle réduction chez *Parti pris*, il est évident que son analyse du social est sérieusement affectée par ses préoccupations nationalistes. Il lui est pour le moins utile (sinon davantage) que la lutte sociale coïncide le plus possible avec la lutte nationale. D'autre part, cette même extension de la classe laborieuse aux intellectuels offrira l'avantage manifeste de légitimer par la suite une place de choix, ne serait-ce que par le truchement du parti.

Cette mise en place des classes permet l'accès de plain-pied au lieu ultime de leur affrontement, le politique. L'enjeu porte alors sur l'État, c'est-à-dire, ses fins, son organisation, ses titulaires. La fonction critique que s'est assignée la revue, la conduit naturellement à instruire le procès de la démocratie libérale. Le plus versé en la matière sera Pierre Maheu

---

80. Philippe Bernard et Gaétan Tremblay, « Facteurs culturels et décolonisation », *Parti pris*, vol. 4, nos 9-10-11-12, mai-août 1967, p. 118.
81. La thèse de la classe ethnique défendue dans : Jacques Dofny et Marcel Rioux, « Les classes sociales au Canada français », *Revue française de sociologie*, juillet-septembre 1962, et nuancée dans Marcel Rioux, « Conscience nationale et conscience de classe » *Cahiers internationaux de sociologie*, vol. XXXVIII, janvier-février 1965, pp. 99-108.

qui à au moins deux occasions va vraiment étayer l'argumentation politique de *Parti pris*[82].

Maheu s'attache à mettre en relief l'individualisme forcené qui sert de principe et de ressort à la démocratie bourgeoise, celle-ci s'articulant (en théorie) sur la fiction juridique du citoyen-individu. Dans cette dynamique, l'homme affirme sa liberté dans sa séparation d'avec ses semblables. Fondée sur le chacun pour soi, la libre concurrence etc., cette conception de l'aménagement social projette le modèle d'un collectif divisé, atomisé et parcellisé. Ce qui donne pour résultat, l'assimilation de la société à une *somme* et non à une réalité *sui generis*. C'est ainsi qu'au sommet de cette construction idéologique siège un parlement «formé par la totalisation des solitudes aliénées dans l'acte du vote»[83], conséquence logique du scrutin qui consacre dans la pratique cette intention toute libérale de renvoyer l'individu à lui-même, au moment même où il devrait s'exprimer comme totalité. L'élection précise Maheu, se situe hors d'une pratique collective, de groupes réels de production, donc hors d'une «totalisation réelle de la société», d'un «nous véritable»[84]. Or, cette conception toute abstraite du politique remplit précisément une fonction mystificatrice. Car à la dispersion des individus-citoyens répond la domination de forces qui,elles, sont concertées. C'est toute la logique de la domination du capitalisme en démocratie libérale. Elle sert à la classe possédante qui agit à l'unisson et selon ses intérêts tout en interdisant une prise de conscience collective de la classe laborieuse. À remarquer à nouveau, combien l'auteur insiste sur l'aspect mystification de la conscience et par rebondissement, sur l'effet de dispersion occasionnée par ce conditionnement des esprits. La démocratie libérale est perçue comme obstacle premier à la prise de conscience «collective»; on est sans trop s'en apercevoir, à un pas de la conscience nationale...

Dans le concret canadien, l'État démocratique bourgeois devient «la forme et le moyen de sujétion nationale du Québec au Canada anglais»[85]. La règle démocratique réduit la nation québécoise à une

---

82. Pierre Maheu, «Leur démocracy», *Parti pris*, vol. 1, no 6, mars 1964, pp. 5-23. Pierre Maheu, «Éditorial, une arme à deux tranchants», *Parti pris*, vol. 3, no 7, février 1966, pp. 2-7.
83. Pierre Maheu, «Leur démocracy», *ibid.*, p. 8.
84. Pierre Maheu, *ibid.*, p. 7.
85. Pierre Maheu, «(Éditorial), une arme à deux tranchants»..., *op cit.*, p. 4.

minorité dans le grand tout canadien et la constitution assigne au Québec le rôle de demi-État, dépourvu des compétences de première grandeur. Bref, l'appareil d'État est l'instrument tout désigné de la domination coloniale. Ainsi le voudrait la grande bourgeoisie, celle qui parle plutôt anglais. À ce niveau évoluent ces forces hyperfédéralisantes que la centralisation favorise et que la sécession affaiblirait. Mais déjà dans la pratique politique admise, *Parti pris* croit détecter l'émergence progressive de cette nouvelle bourgeoisie nationale qui tente de tirer profit du néo-capitalisme suscité par le nouveau régime[86]. Sans être hostile d'aucune manière au capitalisme, cette classe fraîchement portée au pouvoir se met en bonne position d'insertion dans le système présent mais cette fois par le truchement d'un État interventionniste susceptible de jouer en sa faveur. Ainsi s'expliquerait au niveau gouvernemental, l'emprise croissante d'une technocratie en voie de consolider ce nouveau pouvoir. S'il s'oppose au gouvernement central ce n'est qu'en vue d'obtenir des compétences accrues ; l'indépendance ne se présente que sous le jour d'une virtualité même si, au dire de *Parti pris*, elle est, aux fins de ces intérêts, inévitable. L'État québécois en voie de surgir sera nécessairement bourgeois quel que soit son statut sur le plan international. Ainsi apparaît aux yeux de la revue l'effort d'une bourgeoisie autochtone dont les ambitions politiques n'ont rien de compatibles avec la classe des travailleurs. Pour *Parti pris* ce serait, au mieux, une indépendance-bidon. Si, dans le cadre des stratégies, on prévoit une place à la bourgeoisie, ce ne serait qu'une alliance passagère, donc à dépasser. *Parti pris* ne veut surtout pas être la victime d'un marché de dupes. Dès le manifeste de 1964-1965, il affirme son opposition au capital qu'il soit québécois, canadian ou yankee... À remarquer finalement combien au niveau politique s'estompe la dichotomie majoritaire-minoritaire (Canadian-Québécois) à l'avantage d'une lutte plus interne à la société québécoise. Le débat se déplace au contact d'une lutte plus

---

86. « Manifeste 1964-65 », *Parti pris*, vol. 2, no 1, septembre 1964, pp. 2-17.
« Manifeste 1965-66 », *ibid.*, pp. 2-41.
Paul Chamberland, « Bilan d'un combat », *Parti pris*, vol. 2, no 1, septembre 1964, pp. 20-35.
Paul Chamberland, « Les contradictions de la révolution tranquille », *Parti pris*, vol. 1, no 5, pp. 6-29.
Gérald Godin, « Jean Lesage et l'État béquille », *Parti pris*, vol. 2, nos 10-11, juin-juillet 1965, pp. 2-4.
Robert Maheu, « Chronique de bourgeois (1), les affaires », *Parti pris*, vol. 2, no 3, novembre 1964, pp. 54-56.

concrète. Jusqu'au seuil du politique, les agents sociaux étaient cernés d'après des affrontements abstraits qui se logeaient à divers paliers de la *conscience*. L'arène politique force en quelque sorte la revue à remanier, à son insu, la nature du combat. L'échiquier n'est plus le même et correspond en dernière analyse au duel ultime entre deux forces proprement québécoises en conflit pour l'obtention du pouvoir. Ce sont d'une part une « avant garde » qui se porte à la défense des travailleurs. Ainsi se découvrent un peu plus les intérêts que met aux prises le projet partipriste. Sa vision de la cité future et les moyens d'y parvenir contribueront à les expliciter davantage.

Un peu de l'extérieur, intervient une présence encombrante que la revue retient mais très souvent pour l'ignorer par la suite, c'est ce qu'il est convenu d'appeler l'impérialisme américain. Il fait fréquemment figure de vague arrière-plan, et même parfois davantage, c'est alors une ligne d'horizon, un rappel pour ne pas l'oublier... Chamberland l'illustre très bien lorsqu'il identifie l'*autre* comme constituant le « tout anglo-saxon », domination économique et culturelle des U.S.A. et des Canadians (le Canada n'étant à cet égard qu'une fiction juridique)[87]. Là c'est l'*autre* comme réalité *ethnique* supportée par une dynamique économique. À la vérité, l'impérialisme américain n'est reconnu dans son ampleur qu'à partir de l'année 66-67. Cette reconnaissance coïncide d'ailleurs avec l'intervention de nouveaux collaborateurs. On peut presque dire que c'est par la bande que *Parti pris* se sensibilise vraiment à cette dimension et que c'est définitivement sur le tard. Avec l'article de Bourque, Pichette, Pizarro et Racine[88], la revue prend, qu'elle en soit consciente ou non, un virage important, mais à la toute dernière heure — pour ce qui est du moins de la première série —. Grâce à une base théorique mieux assise, ces auteurs introduisent une problématique qui dans une certaine mesure renverse l'optique première de *Parti pris*. Le Québec est désormais situé suivant les grands axes du développement capitaliste en Amérique du Nord, dont il ne constitue qu'une région, assujettie en outre à l'extérieur[89]. Il est qualifié d'abord par sa position économique, à savoir, son imbrication à l'économie nord-américaine.

87. Paul Chamberland, « De la condamnation... », *op. cit.*, p. 84.
88. G. Bourque, M. Pichette, N. Pizarro, L. Racine, « Organisation syndicale, néo-capitalisme et planification », *Parti pris*, vol. 4, nos 7-8, mars-avril 1967, pp. 5-27.
89. Gabriel Gagnon, membre également de cette nouvelle vague, en annonce l'amorce dans « Les leçons de l'Amérique latine », *Parti pris*, vol. 4, nos 3-4, novembre-décembre 1966, pp. 103-107.

Et suite à un processus historique de moyenne durée, le contrôle presque total de ses secteurs primaire et secondaire est maintenant exercé par des monopoles installés aux États-Unis. L'État (le Québec ou le Canada) n'a plus comme restes que des services comme l'éducation, l'information etc. Rien d'étonnant donc à ce que la classe dirigeante au Québec ne puisse, quoi qu'elle fasse, reprendre le contrôle d'une économie qui structurellement lui échappe. Et dans le respect du présent régime toute action par le recours à l'État ne sera susceptible que de couvrir des secteurs en définitive très limités. À partir de cette impasse le groupe sera conduit à tenter de lever l'hypothèque, mais cette fois avec des actions qui visent des finalités proprement économiques et sociales.

Le socialisme et la révolution

Le socialisme de *Parti pris* s'insère dans l'économie révolutionnaire comme préoccupation *seconde* sans être pour autant négligeable. Il sert presque toujours à qualifier la révolution nationale qui sans lui se trouverait dépourvue de contenu. On ne pourrait affirmer que ce contenu se soit imposé au tout premier plan des interrogations sur le Québec. Il est néanmoins *condition* et garant de la réussite révolutionnaire.

La réflexion partipriste sur le social se retrouve pour une très large part dans les textes de Pierre Maheu auxquels viennent se greffer quelques considérations de Chamberland. Au terme de son équipée, la revue précise sa problématique grâce à l'apport d'une nouvelle vague moins sensible à l'existentialisme et plus à l'écoute de la sociologie. Le discours se déroule donc en deux temps dont le premier couvre évidemment la période la plus longue, soit en gros, de 1963 à 1966. Cette première tranche correspond davantage, nous semble-t-il, à l'esprit d'ensemble de tout le mouvement. Elle prolonge et précise harmonieusement les intentions nationalistes de l'équipe. Elle confirme l'intention d'identité récupérée, et de réconciliation — sinon de « retrouvailles » — avec le social.

Il est convenu au départ qu'on ne saurait s'embarrasser de problèmes abstraits en confrontant des modèles qui seraient par exemple, le castrisme, le stalinisme, le maoisme etc. La situation d'un Québec industrialisé diffère nettement des sociétés non industrialisées qui ont connu la révolution socialiste. « Le socialisme que nous avons à édifier, écrit

Maheu, ne sera ni russe, ni chinois, ni cubain, il devra être et ne pourra être que québécois »[90]. L'ennui c'est que la revue mettra pas mal de temps à se rendre compte combien même cette option pouvait être exigeante. Dans la pratique, *Parti pris* se tient volontairement à l'écart des grands débats théoriques au profit d'une pensée plus porteuse d'unanimité ou enfin, de large concensus. Elle refuse ce qu'elle croit probablement être académisme au nom d'une option unificatrice qui évince tout élément *diviseur*. Tout en se réclamant du marxisme-léninisme qui, précise Maheu, n'est qu'une méthode, l'équipe se porte spontanément vers une vision presque exclusivement humaniste[90].

La société à faire s'offre comme volonté d'humanisation du travail et plus globalement de la « condition du peuple »[91]. Elle rejoint chez Chamberland la vie quotidienne qui tend, à titre de lieu de vérité, vers la « vie authentique »[92].

> Notre but, poursuit Maheu, c'est l'instauration d'une société proprement humaine, d'une société qui soit consciente d'elle-même et se donne comme seule finalité la communauté humaine[93].

De là l'impérative nécessité d'un renversement du mode de production, c'est-à-dire, du socialisme qui « fait passer dans la réalité l'humanisme que l'idéologie bourgeoise pose abstraitement sans le réaliser concrètement »[94]. À remarquer qu'il ne s'agit nullement d'une culture prolétarienne mais tout simplement de représentations bourgeoises reprises par le peuple (entendu dans un sens universellement abstrait) et poussées à leurs conclusions logiques. Si Maheu par exemple pose la matérialité, pour reprendre son expression, comme fondement du social, il n'en tire aucunement les conclusions qui s'imposent. Bien au contraire, il postule une finalité idéale vers laquelle aspireraient naturellement les hommes en société. Il faut, au dire de Maheu, « poser la

90. Pierre Maheu, « Notes pour une politisation », *Parti pris*, vol. 2, no 1, septembre 1964, p. 47.
91. Pierre Maheu, *ibid.*, p. 48 et « Leur democracy », *op. cit.*, p. 159.
92. Vision plus ou moins inspirée de Henri Lefebvre ; Paul Chamberland, « Aliénation culturelle... » et l'éditorial, « La révolution, c'est le peuple », *Parti pris*, vol. 1, no 8, mai 1964, pp. 4-5.
93. Pierre Maheu, « La protection de l'État, » *Parti pris*, vol. 3, nos 3-4, octobre-novembre 1965, p. 8.
94. Pierre Maheu, *ibid.*, p. 8. Il s'agit d'un commentaire sur le socialisme chinois.

collectivité humaine comme (...) fin », c'est-à-dire, poser les « priorités réelles »[95]. Et pour reprendre ses termes, nous en serions au point où après « l'humanisation des conditions de vie » qui nous sont désormais plus ou moins acquises, c'est à l'« humanisation de la société » qu'il faudrait s'attaquer[96]. Selon l'auteur, c'est « l'état de la matérialité » qui l'exigerait, même si au fond le raisonnement correspond à la démarche inverse[97]. Par ce cheminement on atteint aisément la « démocratie réelle » imbriquée à la « justice » économique et sociale celle-là fondée sur l'« égalité réelle »[98]. Pour y parvenir, s'ouvre une voie à forte capacité d'évocation, l'autogestion.

Il revient à Pierre Maheu d'avoir ouvert ce champ que bien d'autres viendront préciser par la suite. À l'origine il est préoccupé à garantir une adéquation entre ce qu'il convient d'appeler les *groupes réels* et la structure de pouvoir[99]. De la solidarité populaire devrait déboucher la concrétisation d'un pouvoir. Elle ne se réalise évidemment que par la propriété et la gestion des moyens de production. La participation à tous les niveaux de la société se trouve à en découler : conseils ouvriers dans les usines etc. L'important c'est de permettre à la « base » de s'exprimer grâce à la participation généralisée. À ce stade de la démarche, l'exposé s'en tient à des généralités qui ont quand même pour qualité de bien se couler dans un contenant à finalité nationaliste. L'action se veut et demeure unanime.

Quant à l'aspect théorique, il est délibérément mis de côté. Il semble perçu comme un exercice académique. Rien ne sert de construire dans l'abstrait une société nouvelle, le socialisme de demain au Québec ou encore tout simplement l'État idéal. Ce serait, convient Maheu, verser dans l'utopisme[100]. L'essentiel pour le moment, c'est de renverser l'état de chose présent. Tout porte à croire que les forces vives, la praxis révolutionnaire aidant, seront à cette occasion en mesure d'édifier un monde nouveau, mais à partir d'une action concrète. La menace quelquefois évoquée par Maheu d'un centralisme autoritaire comme l'ont connu des sociétés socialistes, est vite conjurée dans son esprit par le fait

95. Pierre Maheu, *ibid.*, pp. 12-14.
96. Pierre Maheu, *ibid.*, pp. 12-14.
97. Pierre Maheu, *ibid.*, pp. 12-14.
98. Pierre Maheu, « Éditorial, une arme à deux tranchants »... *op. cit.*, p. 5.
99. Pierre Maheu, « Leur democracy », *op. cit.*, p. 23.
100. Pierre Maheu, *ibid.*, p. 22.

rassurant que le Québec, contrairement aux autres, jouit d'un développement industriel qui le dispense d'une étape plutôt coercitive[101]. Cette objection étant levée, il ne reste plus pourrait-on dire qu'à s'engager dans la voie de l'autogestion.

En mars 65, Maheu resitue cette autogestion dans une perspective un peu plus théorique[102]. Il est apparent que la nécessité d'un certain encadrement s'impose. La notion de contrat s'y fait jour. Avec les articles de Gabriel Gagnon, au cours de 66-67, s'exprime une génération plus sensible aux contraintes inhérentes à la pratique économique. Les finalités demeurent les mêmes ; en dernière instance, l'auteur mise sur l'utopie socialiste, projet global idéal. Sur le plan des moyens il parie également volontiers sur la spontanéité et la participation, instruments à l'achèvement d'un « socialisme d'abondance » propre à une société industrielle avancée[103]. Il se distingue de la première génération par un souci d'insertion dans un réel bien circonscrit en termes d'espace, de temps et plus globalement, de conjoncture. Le voisinage américain y est toujours présent même si au fond Gagnon ne parvient pas à formuler une stratégie qui en tienne vraiment compte. Par contre, son action se propose en fonction d'une *séquence*. Au lieu de la rupture qu'implicitement du moins il met de côté, l'auteur s'attache plutôt à fixer un scénario un peu plus concret vers la réalisation autogestionnaire qui, à son terme, devrait être totale. Il propose à cette fin, une amorce dans le secteur public qui, par la suite, serait appelée à prendre de l'ampleur. Le recours plus appliqué à des auteurs et à des expériences sur la question démarque Gagnon de ses prédécesseurs. Sans aller très loin, ce souci de précision confère à l'action sociale une facture différente, elle se déroule selon des axes déterminés et non plus uniquement d'après une aspiration abstraite vers l'homme renouvelé. Ce mode de raisonnement traduit un changement de trajectoire ; il marque un moment plus théorique mais aussi plus critique dans l'existence même de la revue. *Parti pris* première formule s'évanouit ou la rigueur commence à temporiser le

101. Pierre Maheu, « Notes pour une politisation » *op. cit.*, pp. 47-48.
Pierre Maheu, « Que faire ? » (3) *Parti pris*, vol. 1, nos 9-10-11, été 1964, p. 159.
102. Pierre Maheu, « Que faire ? Pas de révolution par procuration », *Parti pris*, vol. 1, no 7, mars 1965, pp. 52-55.
103. Gabriel Gagnon, « Les voies de l'autogestion », *Parti pris*, vol. 4, nos 7-8, mars-avril 1967, pp. 56-72.
Gabriel Gagnon, « Pour un socialisme décolonisateur », *Parti pris*, vol. 4, no 1, septembre-octobre 1966, pp. 40-56.

discours. L'enthousiasme des débuts fait place elle aussi dans les derniers temps à une stratégie plus modeste dans ses desseins immédiats.

Quelle que peut être à divers moments sa position théorique, la revue demeure constamment éveillée à la nécessité d'une organisation formelle dans l'aménagement de son action. Sa volonté à prolonger sa réflexion abstraite dans la pratique politique la conduit à poser l'impératif d'une présence à l'histoire : le parti.

Le parti

Contrairement à *Cité Libre* et à combien d'autres mouvements avant lui, *Parti pris* table très tôt sur l'efficacité d'une action entreprise par le truchement d'un parti. Le Rassemblement pour l'Indépendance nationale (R.I.N.) opte un peu avant lui pour le passage de simple mouvement politique qu'il était, à une formation axée sur le militantisme électoral. Il n'est donc pas étonnant qu'un groupe bien plus à gauche découvre les qualités inhérentes à l'action concertée. D'ailleurs, le processus décolonisateur dans bon nombre de pays antérieurement assujettis aux métropoles européennes s'était auparavant réalisé sous la direction d'un parti, et le socialisme inspiré de Marx et de Lénine en prescrit, on le sait, la fondation. À la différence du RIN cependant, *Parti pris* lui assigne une fonction qui, opposée à l'électoralisme, déborde amplement le cadre des formations politiques en général ; comme parti de masse, il est appelé à orienter globalement l'action de la collectivité québécoise en devenir.

Or le noeud de la question porte non pas tellement sur certaines intentions de discipline vaguement inspirées du centralisme démocratique revenant de temps à autres dans le discours, mais plutôt sur les agents animateurs de ce parti idéal en voie de formation. Qui, en d'autres mots, sera investi de la responsabilité de ce devenir québécois ? Il ne fait pas de doute à la lecture de *Parti pris* que la voie royale est à cette fin ouverte aux intellectuels.

La légitimation de leur présence (nécessaire) se fonde sur la fonction démystificatrice du parti, qui avant même d'engager le combat doit se livrer, dans la conjoncture québécoise, à une action de sensibilisation. Le premier pas vers la révolution consiste à faire passer cette société d'un état d'aliénation, d'atomisation et de « non-conscience politique » à un état de conscience lucide, et par le fait même, active[104]. Ce processus de solidarisation des couches exploitées par l'identification d'une conscience de classe militante ne saurait prendre forme sans une certaine action concertée de mise en situation. Là s'insère le rôle de catalyseur dévolu aux intellectuels[105].

Plusieurs articles s'appliquent à justifier l'apport déterminant d'une intelligentsia révolutionnaire. Il est d'abord établi que les partis révolutionnaires ont presque toujours été dynamisés par des intellectuels[106]. L'important c'est qu'ils soient progressistes et donc liés aux intérêts des masses. Leur statut de « désembourgeoisés »[107] en virtualité leur confère pourrait-on dire une position hors-classes, presque transcendante. Ainsi est-il possible à Chamberland d'affirmer :

> Nous sommes relativement « désintéressés » dans notre lutte : nous ne luttons pas en tant que groupe social ou économique mais nous nous dépassons vers la nation ou vers une classe sociale extérieure à la nôtre, celle des travailleurs[108].

Pour atteindre cette fin, nombreuses sont les recommandations en vue d'un contact constant avec la réalité concrète. Car il demeure toujours une sourde appréhension de ne s'en tenir qu'à la saisie abstraite des événements. Tout en revendiquant une place de choix dans la définition des objectifs sociaux, *Parti pris* se préoccupe de son emprise sur le réel. De là, la nécessité de permettre par le biais du parti un point de correspondance avec le « peuple ». L'alliance des intellectuels révolutionnaires et des travailleurs « éclairés » se réalise dans le parti qui à son tour encadre les « classes objectivement révolutionnaires »[109]. Au stade où en est *Parti pris* dans ses rapports avec les classes laborieuses, il est presque

---

104. Pierre Maheu, « Que faire ? » (2), *Parti pris,* vol. 1, no 7, avril 1964, p. 38.
Gaétan Tremblay, « Le peuple contre le peuple », *Parti pris,* vol. 4, no 1, septembre 1966, p. 20.
Ces propos rejoignent d'une certaine manière les interrogations de Lénine dans *Que faire ?* et un peu sans s'en rendre compte celle de Gramsci.
105. Pierre Maheu, « Leur democracy », *op. cit.,* p. 27.
Jean Racine, « Travail en milieu ouvrier », *Parti pris,* vol. 3, no 7, février 1966, pp. 51-52.
106. Jean-Marc Piotte, « Notes sur le milieu rural », *Parti pris,* vol. 1, no 8, mai 1964, p. 25.
107. Pierre Maheu, « Que faire » (3), *op. cit.,* p. 158.
108. Paul Chamberland, « Bilan d'un combat », *Parti pris,* vol. 2, no 1, septembre 1964, p. 29.

entendu que le gros du travail revient à l'intelligentsia qui devra affranchir les consciences encore mystifiées. En théorie, une réciprocité est appelée à présider au fonctionnement du parti, car si à des fins d'efficacité, une division du travail s'impose entre intellectuels révolutionnaires et «praticiens», ces deux éléments doivent demeurer en relation constante. Il faut, au dire de Chamberland, que la pensée informe l'action sinon cette pensée s'enlise dans l'intellectualisme et la pratique des autres vire à l'activisme[110]. Et suivant cette même logique, le parti devra s'assurer une coïncidence avec le «peuple»; alors se trouvera réalisé *l'unanimité*, est-il affirmé, entre les dirigeants et le peuple[111]. L'équation à triple composante: intellectuels, parti, et peuple, atteint enfin un équilibre parfait. Bref, se trouve atteinte une «praxis populaire authentique»[112]. Reste à savoir quel type d'action la revue compte entreprendre par la suite.

Comme telle, la violence destinée soit aux fins du renversement de l'État, soit encore à celles de la mobilisation n'a jamais été récusée par la revue. Si en général elle en a refusé le recours c'est qu'elle jugeait inopportun au point de vue tactique, de le faire. Dans la conjoncture, son emploi était jugé comme une sollicitation inutile à la répression policière, donc une erreur tactique, sans plus. La lutte armée, la guérilla et autres moyens de même nature sont surtout considérés comme les recours ultimes à la prise du pouvoir après être passé par la lutte clandestine et la lutte ouverte (ou légale), cette dernière permettant par le truchement de l'affrontement parlementaire (sans verser dans l'électoralisme comme seule voie d'accès au gouvernement) ou autrement, la diffusion de la propagande[113].

La révolution dicte comme nécessité la prise du pouvoir par le renversement de l'ordre établi; son exercice exclut donc d'office le respect des règles reconnues par l'État bourgeois. Le monde est conçu comme foncièrement violent: la lutte et le combat sont les instruments

---

109. Gaétan Tremblay, «Le Québec politique: le PSQ et le pouvoir des travailleurs», *Parti pris,* vol. 4, nos 5-6, janvier-février 1967, p. 71.
Paul Chamberland, «Pas une goutte de sang...» *Parti pris,* vol. 2, no 4, décembre 1964, p. 8.
110. Paul Chamberland, «Aventuriers ou responsables», *Parti pris,* vol. 2, nos 10-11, juin-juillet 1965, p. 85.
111. Paul Chamberland, «La révolution, c'est le peuple», vol. 1, no 8, mai 1964, p. 2.
112. Pierre Maheu, «Leur democracy» *op. cit.,* p. 22.
113. «Manifeste 1965-1966», *Parti pris,* vol. 3, nos 1-2, pp. 2-41.

de l'histoire. La révolution repose sur cette constatation mais professe en même temps sa foi en un sens de l'histoire qui conduit à la suppression des antagonismes. La violence est invitée à juguler la violence dans la mesure où elle en oblitère les causes[114].

Le débat a toujours porté finalement sur l'imminence du grand soir et sur l'opportunité d'un recours ouvert aux armes. Par intermittence, et non seulement au tout début, *Parti pris* croit les temps approcher. Il y a toujours des auteurs pour faire une lecture «catastrophique» de la conjoncture. En guise de contrepoids, il y en aura toujours d'autres pour temporiser cet enthousiasme. Nombreux sont les rappels à une interprétation plus froide des événements. L'usage des grands moyens est évalué d'après cette même optique. En fait, *Parti pris* s'est beaucoup plus préoccupé de prendre ses distances vis-à-vis du RIN et de constamment mettre ses membres en garde contre la séduction du jeu parlementaire libéral que de réprouver la violence. Il ne faut pas oublier qu'il s'est toujours réclamé d'une certaine solidarité avec le FLQ des premières heures dont il veut assurer tout simplement une continuité *éclairée*. Plus activiste que réflexif[115], le groupe terroriste n'avait commis, selon la revue, qu'une erreur majeure dans l'appréciation de la réalité: son action dissociée des dispositions des classes laborieuses ne tenait pas compte de la non-disponibilité de la conscience populaire et se condamnait par le fait même à l'inefficacité.

Pour sa part, Paul Chamberland embrasse volontiers la cause de «l'outrance» et de la «démesure». De la violence verbale qui répond à une pulsion presque incoercible de hurler sa colère aux instruments plus perturbateurs de l'ordre établi, il fait sien ce délire qui traduit le «futur raturé» d'une nation lige[116]. Qu'il s'agisse du terrorisme felquiste ou d'autres manifestations qualifiées d'irrationnelles, il faudrait y voir selon lui, l'expression évidente du désespoir qui bien aiguillé conduit

114. Paul Chamberland, «Aliénation culturelle et révolution nationale», *Parti pris*, vol. 1, no 2, novembre 1963, p. 12.

115. À propos du refus de la violence exprimé par certains Québécois en réaction à l'action du FLQ, Chamberland y détecte une «secrète angoisse» de la violence originelle, celle de la Conquête (premier traumatisme), confirmée par celle de 1837. Mais cette angoisse serait à son dire, un désir refoulé de revivre cet événement, car la violence en l'occurrence tiendrait lieu de catharsis, d'«opération d'exorcisme»... L'auteur rejoint ici la vision psychanalytique que nous exposions au début. «De la condamnation...» *op. cit.*, pp. 75-77.

116. Paul Chamberland, «Dire ce que je suis — notes», *op. cit.*, p. 33.
Paul Chamberland, «Nous avons choisi la révolution», *op. cit.*, pp. 3-4.

non à un fatalisme atavique mais à la colère et à la révolte, conditions de la formation d'un parti révolutionnaire; (position qui plus tard est atténuée dans un article-virage sur la morale révolutionnaire du militant)[117]. Pierre Maheu rejoint Chamberland lorsqu'il reconnaît aux terroristes une stature de héros qui par leur sacrifice individuel auront servi à une prise de conscience collective. D'ailleurs, pour autant que *Parti pris* se pose comme précurseur d'une formation disciplinée et structurée, suivant une ligne directrice axée sur la démystification et la provocation, il se veut continuité dans ce processus d'affirmation sociale et nationale. Et comme un « prophète » il lui est permis d'invoquer la révolution au-delà de la rationalité. Ainsi est-il indiqué, d'après Maheu, de « dire et (d)'appeler la révolution jusqu'à la susciter enfin; nous disons, ajoute-t-il, nous écrivons des choses qui ne sont pas tout à fait vraies, pour qu'elles le deviennent »[118].

Lorsque fondé, le parti devra aussitôt noyauter les structures-clés des milieux agricoles et ouvriers afin d'insuffler par l'agitation et la propagande, une nouvelle conscience de classe. L'agitation servira en particulier à secouer l'inertie et le fatalisme des masses; elle suscitera la colère contre l'exploiteur et l'espoir en une tout autre société. Les manifestations de forces auront pour principal effet de rendre plausible la prise du pouvoir par le peuple[119].

À cette étape de la réflexion, *Parti pris* vise exclusivement la formation du parti qui cristallise autour de lui sensiblement toutes les énergies et par le fait même exerce à plus ou moins long terme un monopole politique. À cette époque, la revue fonde sensiblement tous ses espoirs sur ce collectif-pivot. Il n'est nullement question à ce moment-là de compter sur les syndicats ouvriers : hier c'était la FTQ qui couchait avec le pouvoir — sous l'Union nationale —, aujourd'hui, avec Jean Mar-

117. Paul Chamberland, « L'Individu révolutionnaire », *Parti pris*, vol. 3, no 5, décembre 1965, pp. 6-31. Article où l'auteur débouche sur une éthique du sujet accordée à l'option révolutionnaire comme à son objet. Conforme à l'ensemble d'une démarche axée sur la prise de conscience, ce texte aboutit au fond à une vision conséquente avec ses prémisses. Suite à cet écrit, J.-M. Piotte voit juste lorsqu'il estime que cette morale utopique révèle le pessimisme de situations vécues comme indépassables : perception annonciatrice de moments plus difficiles. Nous sommes en mars 1966. « Éditorial, D'une autre perspective de morale révolutionnaire », *Parti pris*, vol. 3, no 8, p. 2.

118. Pierre Maheu, « Que faire ? », *Parti pris*, vol. 1, no 5, février 1964, pp. 44-45 et « Que faire ? (5), Perspectives d'action », *Parti pris*, vol. 2, no 3, novembre 1964, pp. 12-15.

119. « Manifeste 1965-1966 », *op. cit.*, pp. 39 et s.

chand à sa tête, c'est au tour de la CSN de s'acoquiner au gouvernement libéral. Les appareils supérieurs, pour être plus spécifique, sont tenus responsables du clivage qui les tient éloignés des véritables aspirations ouvrières[120]. Ils sont donc en situation fausse. Ce temps du mépris vis-à-vis des centrales syndicales correspond en gros à la période au cours de laquelle *Parti pris* mise sur le succès du parti, émanation directe faut-il ajouter, de ses propres structures. Les années 64 et surtout 65 marquent l'apogée du rayonnement partipriste : le club *Parti pris* et le Mouvement de Libération populaire (deux de ses propres créations) rendent compte d'une activité qui laisse présager l'émergence prochaine du parti. Avec le ralliement de *Révolution québécoise* (animée par Pierre Vallières et Charles Gagnon), du Groupe d'action populaire et de la Ligue ouvrière socialiste à *Parti pris*, la revue atteint le paroxysme de son attraction idéologique. Après avoir dans le passé fait des appels du pied au RIN présidé par Pierre Bourgeault, la revue tente de se rapprocher plutôt du Parti socialiste québécois, quoiqu'il lui reproche son option fédéraliste. L'imminence d'un parti révolutionnaire « authentique » n'a jamais semblé plus grande ; avec le Manifeste de l'été 1965 le mouvement sert vraiment de carrefour à une bonne part de la gauche québécoise. La conjoncture politique d'alors le favorise : les milieux intellectuels demeurent, du moins en esprit, sur la lancée de l'aggiornamento de 1960 ; seule donne des signes d'essoufflement, l'équipe libérale qui en l'occurrence sert d'excellent repoussoir ; il ne vient à l'esprit de quiconque qu'en moins d'un an elle puisse céder sa place — suite à un vice flagrant de la carte électorale et à une « régionalisation » du vote —, à l'Union nationale de jadis.

Le syndicalisme puis la récupération du culturel

Au point de vue tactique, l'année 66 marque un revirement des choses. À l'été, la revue prend officiellement ses distances vis-à-vis de tous les mouvements et formations quels qu'ils soient, se gardant de la sorte une marge critique. Avec le scrutin de 1966, les jeux apparaissent bien différents. Le ton change ; la porte est ouverte à de nouveaux collaborateurs et aussi à de nouvelles alliances. Le temps ne se prête pas

---

120. Jean-Marc Piotte, « Bilan syndical », *Parti pris*, vol. 2, no 6, février 1965, pp. 2-4. Paul Chamberland, « Bilan d'un combat », *Parti pris*, vol. 2, no 1, septembre 1964, p. 31.

à l'intransigeance. Si Jean-Marc Piotte avait déjà prévu en 1965 une évolution possible dans la mentalité des syndicats, suite à une syndicalisation massive de cols blancs (incluant les fonctionnaires) plus au fait d'une politisation possible dans l'avenir, il semble bien que ce soit le tournant de 1966 qui néanmoins ait permis le coup de barre en faveur d'organisations qu'auparavant la revue croyait presque irrécupérables[121]. Le relais syndical gagne largement en importance auprès de la nouvelle vague d'auteurs[122] qui perçoit dans celui-ci un lieu de socialisation privilégié dans l'action politique. La jonction directe tant recherchée auprès des classes laborieuses passe désormais par la médiation des syndicats. Le parti s'estompe, du moins implicitement, à l'avantage de ces derniers qui en viennent à prendre une place quasi prépondérante. Même si ce virage est susceptible d'avoir été influencé par l'apport de la sociologie française qui à l'époque suscite un vif intérêt à l'endroit du phénomène *travail* comme objet d'observation, il n'en demeure pas moins que l'expérience des dernières années renforcée par l'échec libéral aux mains de la conservatrice Union nationale, rendait presque inévitable une réorientation dans les moyens d'atteindre et de mobiliser les forces vives. La nouvelle génération de collaborateurs s'insère dans cette nouvelle conjoncture politique un peu déprimante. L'union syndicale parfois évoquée dans le passé prend maintenant un caractère d'urgence : l'espoir d'une conscience sociale régénérée se fonde sur une action concertée au ras du travail.

Cet aiguillage vers la pratique participe à certains succès obtenus dans le milieu étudiant. Avec la fondation de l'Union générale des étudiants québécois, la jeune intelligentsia acquiert un levier syndical qu'elle est loin de sous-estimer. À l'origine du comité intersyndical réunissant les cinq grandes centrales de l'époque contre le projet de loi qui enjoignait les enseignants à retourner au travail, l'UGEQ fait figure d'élément catalysateur. Du parti largement dominé par la présence nécessaire d'intellectuels, on passe au niveau plus immédiat de la lutte syndicale comme lieu de conscientisation, *mais* forte de l'appoint étudiant qui est en somme perçu comme pièce dynamisante dans ce nouvel aménagement. Le rôle d'avant-garde imparti aux agents du savoir demeure sensiblement le même ; seuls diffèrent les structures et le niveau d'action. Le risque d'idéalisation du combat en est donc pour autant

121. Jean-Marc Piotte, « Bilan syndical... », *op. cit.*, pp. 2-4.
122. Voir numéro spécial sur le syndicalisme, *Parti pris*, vol. 4, nos 7-8, mars-avril 1967.

grandi. En contrepartie à un rapprochement tactique vers la pratique économique, l'intention (problablement inconsciente) demeure de laisser au même type d'agents, l'initiative et la définition de l'action. Malgré une sensibilisation accrue au concret, la revue maintient une structure idéologique fermement tournée à l'avantage de l'intellectuel comme agent porteur. Or ces considérations correspondent à un tout discursif globalement axé sur la *culture* et la *socialisation*.

Loin de viser à une saisie plus étroite du concret, le réveil douloureux de l'année 66-67, dernière de la première série, se traduit par une préoccupation très poussée des valeurs d'ordre strictement abstrait. La livraison de septembre-octobre (1966) pose l'urgence d'une réflexion théorique sur le «socialisme décolonisateur», objectif reformulé qui intégrerait en une synthèse les deux éléments fondamentaux demeurés encore distincts: la lutte des classes et la décolonisation. Après une ère de consignes portant sur la stratégie, *Parti pris* s'oriente vers une définition théorique de lui-même. Cette noble intention dérape assez rapidement dans le sens d'une nouvelle campagne de démystification et de reconscience de soi. La victoire (en termes de sièges et non en termes de voix)[123] de l'Union nationale est interprétée par la revue comme celle des forces de la réaction cléricale. D'instinct, ou presque, on se retourne contre ce pouvoir que l'illusion aurait fait croire moribond. Le débat s'ouvre donc à nouveau sur les représentations qui mystifient la conscience. Cette dernière reprend la place de choix qu'elle s'était vue assignée aux premiers temps de la revue.

Pierre Maheu explique qu'au Québec on a cru pour un moment que la déconfessionnalisation s'engageait comme d'elle-même, jusqu'à ce que le récent scrutin ramène à l'évidence même les plus optimistes[124]. Avec intelligence, il souligne l'aspect *subi* et non *voulu* de cette déconfessionnalisation. Sans s'en rendre compte, le Québec s'est retrouvé après avoir tenté de le nier en une société industrialisée et urbaine, c'est-à-dire, pourvue d'une économie moderne mais encore imprégnée d'une culture traditionnelle en voie d'effritement et structurée d'après des institutions dominées par le clergé. La civilisation nord-américaine s'est

123. Faut-il rappeler que l'UN poursuit sa chute amorcée en 1960: de 52% des voix en 1956, elle passe à 46% en 1960, à 42,1% en 1962 et à 40,9% en 1966.

124. Pierre Maheu, «Laïcité 1966», *Parti pris*, vol. 4, no 1, septembre-octobre 1966, pp. 58-78. Article inspiré parfois de la brochure de Jacques Godbout. *Le mouvement du 8 avril*, collection MLF, no 1.

d'emblée imposée à nous et notre culture conçue comme son contraire ne peut plus rien contre elle. Cependant, ce mouvement de négation aux valeurs cléricales n'a pas de fin propre affirme Maheu : il ne se greffe ni n'appartient à aucun projet, à aucune volonté explicite ; ce qui lui permet d'affirmer que « la déconfessionnalisation n'est pas notre oeuvre » et qu'« elle ne mène nulle part »[125], hormis une mixture d'américanisation et de vestiges cléricaux. De cette constatation, il tire la conclusion qui s'impose, à savoir que pour être véritable, la laïcité doit correspondre à un *esprit* et à une *morale* nouvelle, propres à une société qui se propose de rendre l'homme à lui-même. C'est dire qu'il faut *créer* une nouvelle culture ; elle sera québécoise, non un sous-produit du capitalisme car elle s'accomplira en s'appuyant sur les forces populaires et révolutionnaires du Québec ; elle appartiendra à l'utopie dans la mesure où elle s'identifie à une forme d'art. Le laïcisme devient partie prenante à une pensée révolutionnaire dont il apparaît être le préalable ; la société laïque s'impose comme condition à la société socialiste. La voie est ouverte à un effort de nature volontariste ; en opposition au déterminisme, de l'industrialisation à l'américaine qui a conditionné l'amorce de la décléricalisation au Québec, répliquons par une action d'abord démystificatrice où la structure idéologique cléricale sera rompue sous les coups d'une approche intégrée de l'homme nouveau, socialisé etc. Par ce contenu, Maheu referme la boucle : il renoue avec la conscience, agent moteur du changement social ; le changement dans les institutions garde toute son importance mais à titre d'aboutissement, semble-t-il, d'une conversion au niveau des représentations. Ainsi ressurgit dans le discours la désaliénation envisagée comme le grand processus à mettre en branle : cheminement réservé à la conscience en route vers son émancipation, comme à sa limite idéale. Ce faisant, il favorise encore la gent intellectuelle, « animateurs culturels »[126], groupe tout naturellement destiné à cette fonction.

Outre de nombreux articles suscités par l'orientation décléricalisante de la revue, la dernière livraison de l'année 66-67 (mai-août) clôt magnifiquement cette opération de retour aux sources, même si les auteurs empruntent un cheminement plus marxiste. Intitulée « numéro centrentenaire, aliénation et dépossession », elle s'intéresse presque exclusive-

125. Pierre Maheu, *ibid.*, p. 60.
126. Pierre Maheu, « Inventer l'homme » (notes) *Parti pris*, vol. 4, nos 9-10-11-12, mai-août 1967, p. 201.

ment à la culture, mais, cette fois, comme *production* intellectuelle ; elle fait ressortir entre autres le rôle des *producteurs*, éléments créateurs agissant sur la société. Sensible aux positions de classes inhérentes à l'organisation de toute production quelle qu'elle soit, la nouvelle génération s'applique plus que ses prédécesseurs à justifier son action par rapport à l'ensemble de la collectivité. Selon elle, les intellectuels progressistes trouvent leur légitimité auprès de la classe laborieuse qui constitue son collectif de référence. À ce titre, la classe des travailleurs non-manuels a pour mandat de « réorienter dans le sens de la collectivité la production et la diffusion des oeuvres d'art »[127]. Dans un esprit assez didactique, cette « transformation de la production culturelle »[128] comporte un changement dans le contenu et dans la forme des oeuvres tout autant que dans leur mode de diffusion ; elle vise l'émergence d'une conscience de classe (des travailleurs) plus cohérente dont une « culture populaire authentique »[129] serait l'expression.

En riposte au caractère extrêmement bien organisé de la culture bourgeoise qui, par le moyen de la culture (abrutissante) dite de masse, maintient le contrôle idéologique de la classe dominante sur les couches populaires, on propose de rétorquer par une production intellectuelle tout autant organisée mais cette fois par son intégration dans le monde réel des travailleurs. Étroitement liée à ce premier jalon (analytique) vers une restructuration des rapports de production en ce domaine, se distingue l'intention fermement affirmée de constituer un syndicat réunissant les travailleurs non-manuels (fonctionnaires, enseignants, chercheurs, étudiants etc) en vue d'une concertation de leurs intérêts. Regroupés, ces travailleurs pourraient engager leur jonction avec l'ensemble de la classe laborieuse et à la fois se ménager par le truchement de l'appareil étatique une place dans la cité. L'article sert finalement d'illustration à l'intention d'une couche de la société, qui, grossissant en nombre dans les années 60, revendique progressivement une fonction de plus en plus importante dans la société.

Cette vive préoccupation des derniers temps envers la culture et ses agents-porteurs (qu'il s'agisse cette fois de la culture prise dans son sens sociologique de valeurs, représentations, normes etc, ou encore enten-

---

127. L. Racine, N. Pizzaro, M. Pichette, C. Bourque, « Production culturelle et classes sociales au Québec », *Parti pris*, vol. 4, nos 9-10-11-12, mai-août 1967, pp. 62-63.
128. *Ibid.*, p. 67.
129. *Ibid.*, p. 69.

due plus communément comme manifestation intellectuelle d'une société) renforce et confirme l'orientation que la revue a toujours retenue, malgré, à l'occasion, des incursions plus ou moins timides dans le concret.

Conclusion

En dépit des apparences, *Parti pris* reprend dans ses grandes lignes la problématique de Lionel Groulx. La Conquête sert aux deux d'événement premier dans l'explication de l'être collectif francophone. Événement d'abord de rupture, il a vite fait d'engendrer un rapport de domination entre le conquérant et le conquis. L'anglophone est oppression de par le mode d'organisation économique et politique qu'il instaure : le capitalisme et la démocratie libérale font l'objet d'un désaveu formel. Mais il y a encore davantage, et là *Parti pris* et Groulx se rejoignent encore plus profondément : le conquérant de par sa présence est facteur de dislocation des consciences. Tout l'élan groulxiste est tendu vers le recouvrement de notre conscience brisée.

Pour Lionel Groulx, le ressaisissement national, comme il l'appelait, allait puiser tout naturellement à la légitimité de nos origines, c'est-à-dire à une idéalisation de l'Ancien Régime, pour y extraire nos deux composantes maîtresses, la francité (de la vieille France) et la catholicité. Ces deux réalités s'étant évanouies depuis, *Parti pris* se trouve aux prises avec une identité à reconstituer. De là son application à vouloir recréer dans les meilleurs délais un corpus de valeurs et de représentations propres au milieu québécois. Les agents de ce recouvrement appartiennent sensiblement à la même couche sociale que ceux retenus par Groulx : des enseignants autrefois seul groupe de poids dans le monde de la pensée, on passe avec *Parti pris,* à un élargissement qui englobe plus largement les intellectuels. Guides de l'histoire en voie de se faire, ils ont pour mandat de produire une culture de même qu'une morale et une esthétique.

Comme ses prédécesseurs, la revue attache une grande importance à la production de nature intellectuelle. *Parti pris* a été une occasion sinon un lieu littéraire dont la qualité d'ailleurs nous semble indéniable. Le *dire* et les modes d'expression qui y conduisent ont occupé une place déterminante. La tendance à mettre de l'avant des interrogations d'intellectuels a menacé constamment sa démarche. Bon nombre s'en rendaient compte et tentaient d'y pallier. Il n'en demeure pas moins que la revue s'est attachée surtout à relever dans les différents secteurs de la production les problèmes qui mettaient en cause des «travailleurs» affectés aux choses de l'esprit — le terme «non-manuel» serait ici trop extensible —, ce seront avant tout les diffuseurs à quelque niveaux qu'ils soient : éducation, mass média etc. Il est assez frappant de constater qu'en dernière analyse, la situation ouvrière a été fort peu observée comme telle. Les classes laborieuses servent sans doute d'élément légitimateur mais font l'objet d'un nombre restreint d'articles les abordant de plain-pied. Dans les faits, *Parti pris* s'applique à désigner le *nous* exprimé par le milieu de l'enseignement (enseignants et enseignés), le cinéma, la télévision, la presse etc. La gent intellectuelle est toute destinée à devenir le maître d'oeuvre dans le recouvrement de l'identité collective. Comme dans le modèle groulxiste, le problème se pose au niveau des consciences et des dispositions de l'esprit.

En conformité avec l'esprit du nationalisme traditionnel, *Parti pris* est irrémédiablement entraîné vers l'utopie d'une sociéte-communion. Pierre Maheu compte parmi les plus représentatifs dans cette veine communautariste : nous devons nous identifier à la totalité de la nation et non à une classe[130]. Le caractère indivis de la nation rend nécessaire une indifférenciation où se trouve réunie sous l'acception de travailleurs la presque totalité du peuple, terme employé très souvent comme son synonyme. À l'homogénéité rurale de naguère, on substitue une nouvelle homogénéité plus accordée aux temps présents. Vient s'imbriquer une mystique discrète du grand ralliement qui, en dépit de l'affirmation de Chamberland selon laquelle «la révolution nationale ne se fait pas au nom d'une mystique instinctuelle, messianique ou raciste»[131], s'insinue au gré du discours : elle n'est certes par raciste ni problablement instinctuelle, elle est néanmoins partie prenante à un espoir de relative spontanéité dans les retrouvailles à venir.

Au-delà de notre vraie nature (collective, il va sans dire) enfin restituée, il ne reste plus grand chose à dire. L'élaboration d'une réflexion proprement théorique sur la cité nouvelle a souvent été reportée à plus tard. Peut-être était-ce tout simplement réalisme ? Au nom de ce

130. Pierre Maheu, «L'oedipe colonial...» *op. cit.*, p. 29.
131. Paul Chamberland, «Aliénation culturelle...», *op. cit.*, p. 17.

réalisme, on se refusait même à traiter du cheminement organisationnel qui devait y conduire. Il est vrai que la revue a toujours vécu dans l'attente du parti auquel il serait revenu d'éclairer la voie. À partir de quelques bribes retrouvées çà et là, il se dégage l'impression d'un certain anarchisme — entendu dans son sens noble — dans les fins poursuivies : le groupe en fusion serait en mesure d'édifier la société renouvelée. Si le socialisme de *Parti pris* a été à l'origine d'une critique de la société bourgeoise — avec des instruments parfois grossiers, — il est demeuré fort peu développé au chapitre des fins poursuivies. Telle qu'elle avait été posée au début, la problématique partipriste n'incitait guère à une réflexion en ce sens. On reconnaîtra à l'occasion la nécessité d'un « minimum » théorique mais rarement davantage. Quelques auteurs appartenant à la seconde génération feront écho à l'idéal autogestionnaire. C'est déjà une amorce mais aussi la concrétisation d'un objectif qui, non explicité, risque fort de restituer à son corps défendant, l'univers harmonieux du corporatisme social (et non politique), panacée d'un nationalisme de naguère.

La pensée nationaliste de Groulx débouche, pour sa part, sur une forme d'anarchisme de droite qui à la limite réalise l'homme en dehors du politique, tout étant plus ou moins grâce (nationale). En contre équilibre, *Parti pris* lui aussi renvoie à un univers de même nature dans l'organisation du social. Les *contenus* bien sûr varient, mais la *structure* demeure sensiblement la même. Là où la revue se distingue nettement de la vision traditionnelle c'est dans l'ordre des *moyens*, et à cet égard, elle rejoint le mouvement amorcé par la JEC et *Cité Libre*. Malgré une forte inclination dont témoigne en particulier Chamberland, vers une stratégie de conversion des consciences comme l'avait tenté dans le passé le nationalisme groulxiste, il est manifeste que *Parti pris* fait sien un aperçu *organisé* de l'action collective comme implication dans le concret. À cet égard, il est prolongement et dépassement des idéologies de rupture précédentes.

Le discours de *Parti pris* est ambivalent parce que divisé. La ligne de partage entre son nationalisme et son socialisme ne nous paraît pas tellement significative. L'épisode partipriste raconte davantage la tentative de fusion entre deux optiques qui se nient l'une l'autre ; d'une part, un vouloir vivre collectif inspiré dans ses principales coordonnées d'une structure qui ressortit à un communautarisme (nationaliste et socialiste)[132], et d'autre part une intention parfois timide d'agir avec méthode sur le concret. La plupart des collaborateurs ont tenté à un moment ou à un autre de greffer leur réflexion sur une action pouvant être le point de départ d'une stratégie étroitement ajustée à la pratique. Leur option marxiste le commandait. Mais peu y sont parvenus vraiment. J.-M. Piotte a bien fait contrepoids, à l'occasion, par ses exhortations en faveur d'un cadre analytique plus rigoureux. Et le MLP a certes contribué par son militantisme à ancrer ses membres à un concret : certaines de ses activités entreprises en milieu ouvrier avait tout lieu de les y rapprocher. Quelques mises en garde comme celle par exemple, contre la tentation toujours présente de l'anarchisme, participent également à cette même tendance[133]. Plus globalement, certaines orientations tactiques tel le compromis strictement conjoncturel proposé au début avec la néo-bourgeoisie, s'inspirent du même esprit[134]. Il y a donc eu, par moments, une volonté exprimée de rejoindre un concret, au-delà ou en-deça du communautarisme de première instance.

La JEC et *Cité Libre* se sont engagées dans l'action avec pour tout bagage théorique soit leurs bonnes intentions soit des rudiments sans assises profondes. *Parti pris* au contraire, se pourvoit d'un appareil idéologique plus lourd qui satisfait un besoin plus grand de cohérence. Il faut bien voir que les temps ont changé. *Cité Libre* s'est définie en opposition puis a partagé avec d'autres la visée rationaliste des libéraux fraîchement arrivés au pouvoir. *Parti pris* en représente dans une certaine mesure la suite pour autant que constatant la dimension accrue des possibles sociaux en perspective, il ressent l'urgence de leur intégration en un corpus idéologique qui en serait la synthèse. Or, la seule vision globale qui fut disponible en notre milieu était celle qu'encore l'école avait tenté de transmettre vaille que vaille, c'est-à-dire le nationalisme triomphant de l'entre-deux-guerres. Que les collaborateurs de *Parti pris* n'aient à la rigueur jamais parcouru une seule ligne du chanoine Groulx n'affecte en rien notre hypothèse ; car au fond, le modèle groulxiste

---

132. À bien des égards, le socialisme de *Parti pris* est à son nationalisme, comme le corporatisme fut au nationalisme traditionnel ; ils ont en commun l'idée d'une concertation greffée à l'unanimité de la nation.

133. René Beaudin, « Critique des fondements théoriques de la stratégie anarchiste », *Parti pris*, vol. 3, no 6, janvier 1966, pp. 9-23.

134. Jean-Marc Piotte, « Parti pris, le RIN, et la révolution », *Parti pris*, vol. 1, no 3, décembre 1963, pp. 2-6.
« Un appui critique à la bourgeoisie », *Parti pris*, vol. 2, no 3, novembre 1964, pp. 6-9.

synthétise en une structure idéale et parfaitement cohérente un ensemble de valeurs demeurées jusque-là à un état d'intégration moindre. Sans prêter foi à un déterminisme idéologique implacable qui à la limite conduirait à croire en l'impuissance de tout changement , il y a tout lieu d'examiner le poids parfois saisissant de représentations qui fixent dans une certaine mesure le spectre des possibles au-delà desquels seules des modifications très profondes dans la pratique permettraient l'accès. À l'inverse de l'enthousiasme qui accompagne les mutations sociales de l'envergure de celles qu'a connues le Québec depuis la mort de Maurice Duplessis en 1959, nous posons l'hypothèse qu'en dépit de changements multiples dans l'organisation de la société, les manières de percevoir l'action collective risquent fort de respecter parfois plus qu'on le croirait à prime abord, des modèles plus anciens. Les apports extérieurs ne sauraient être négligés mais encore faut-il en évaluer, dans la mesure du possible, l'emprise véritable.

Il est bien entendu que *Parti pris* s'engage de par son discours dans le sillage de la décolonisation telle qu'elle avait été vécue par l'Afrique noire et l'Algérie. Sans prétendre retrouver une réplique exacte de la condition du colonisé africain, il arrivera parfois à la revue d'opérer des rapprochements qui faisaient abstraction de la différence de conditions. Donc, certains propos révèlent un acquis idéologique nouveau, du moins en apparence. Pourquoi en apparence ? Parce que finalement les auteurs auxquels on se référait appartenaient de par leurs origines ou leur écriture à la tradition européenne, c'est le cas de Berque et Memmi d'une part, et de Fanon d'autre part. Très marqués par l'existentialisme français, Memmi et Fanon en particulier réfléchissent bon gré mal gré une vision toute occidentale de la colonisation comme phénomène. On pourrait sans doute épiloguer longuement sur leur ascendant auprès des *partipristes,* mais il est certain que bien des aspects n'ont pas été retenus. Si par exemple plusieurs reprennent la démarche psychanalytique de Fanon, *aucun* partipriste n'a fait l'apologie de la violence qui pourtant constitue l'élément moteur de la catharsis que cet auteur propose aux masses. Pas plus que l'exaltation de l'énergie du fascisme mussolinien n'a touché l'intelligentsia corporatiste de l'immédiat avant-guerre, pas plus celle de la violence n'a pénétré le discours de *Parti pris.* (On n'a jamais proposé la violence comme catalyseur de la conscience nationale).

Revenant au mode d'inspiration psychanalytique comme instrument de libération, on se doit d'admettre que la psychanalyse en tant qu'instrument de libération personnelle avait été reconnue par la génération citélibriste, et ce depuis même l'époque des « cahiers gris ». Il n'y a donc pas en ce domaine une totale innovation. La différence, et elle est de taille, porte sur le *sujet* visé par cette démarche : à la suite de Fanon, *Parti pris* la transpose à la société dans sa globalité. Que la psychanalyse ait exercé une certaine séduction était relativement conforme à l'impératif nationaliste : elle offrait la possibilité de récupérer une identité plus ou moins enfouie dans l'inconscient collectif. L'insertion de cette dimension n'est donc probablement pas fortuite à l'opposé du nationalisme classique qui lui se reconnaissait dans une image de sa propre confection (francité et catholicité). Il fallait à la revue, suite à l'éclatement de cette image, recouvrer une nouvelle perception du « nous ». Pour cette raison, la conformité de situation avec la dépossession d'identité, inhérente à la colonisation, où qu'elle soit, prenait tout son sens. En outre, la nature communautaire de la démarche avait tout pour renforcer sa qualité d'attraction.

Absorbé de la sorte par une vision introspective du « nous », il était plus difficile d'aborder tout de go le « nous » producteur. Le projet comme contenu concret est très réduit ; il en est ainsi de l'évaluation des possibles et leur insertion dans le réseau nord-américain de production. Il se dégage aisément l'impression d'une certaine autarcie qui était le propre du nationalisme de naguère. La lecture partipriste de l'économie est somme toute assez courte parce qu'elle ne sert que d'appoint dans l'élaboration de son discours. Il en a été un peu de même de son marxisme qui était censé servir de fondement à sa réflexion.

Parti pris s'est toujours affirmée d'obédience marxiste et son entourage, de même que ses adversaires, se sont empressés de le reconnaître à l'unisson. Gérard Pelletier parle volontiers de gens qui ne font que démarquer les grandes lignes du marxisme-léninisme[135]. Encore aujourd'hui il y en a, comme Léon Dion, qui les situent de cette école[136]. L'ironie du sort veut qu'il soit revenu aux collaborateurs de la revue eux-mêmes de mettre en doute assez souvent leur conformité à la méthode marxiste. À l'automne de 66, c'est-à-dire au terme de la

135. Gérard Pelletier, « *Parti pris* ou la grande illusion », *Cité Libre,* no 66, avril 1964, p. 4.
136. Léon Dion, *Nationalismes et politique au Québec,* Montréal, Éditions H.M.H., 1975, pp. 94-95.

période la plus intense et à la suite de l'échec du MLP, Chamberland convient qu'en dépit de sa profession de foi marxiste, la revue n'a jamais été, en la matière, très rigoureuse[137]. À titre de simple indice, les références à Marx dans *Parti pris* se comptent presque sur le bout des doigts. La revue est certes plus marxisante en 1967, c'est-à-dire vers la fin, et encore là, la méthode sert plutôt à une critique de la production culturelle, sous l'influence de Lukacs et L. Goldmann. À l'occasion d'une rétrospective-éclair sur ce qu'avait été pour les divers collaborateurs l'expérience *Parti pris,* J.-M. Piotte met au moins implicitement en doute le caractère vraiment marxiste de la revue[138]. Compte tenu du fait que la notion même de marxisme prête à bien des malentendus et à autant d'exclusives, on est en droit à tout le moins de s'interroger sérieusement sur l'assise marxiste de la réflexion partipriste. Par contre, il ne fait aucun doute que la revue a vraiment lancé le débat au grand jour et ce faisant s'est trouvé à l'origine d'une démarche qui a été reprise et approfondie en d'autres lieux.

Parti pris représente une production bien ancrée au Québec. Au-delà des apparences de rupture totale, il est possible d'y discerner une construction qui sous bien des aspects respecte des impératifs plus anciens. Par surcroît, *Parti pris* occupe à son époque une place qui n'est pas sans ressemblance avec celle que s'était aménagée dans le passé le nationalisme classique. Ce dernier s'était dirigé en opposition officieuse aux forces gouvernementales ; hors de l'arène électorale, il s'offrait malgré son apolitisme, comme seule option valable de remplacement, *Cité Libre,* plus tard, avait pris un peu la relève auprès de l'administration Duplessis. *Parti pris* par la suite incarne une nouvelle classe d'intellectuels qui elle aussi se heurte à une classe politique mais cette fois, agrandie ; celle-ci n'englobant plus seulement les députés et leur halo d'organisateurs, mais également tout une technocratie en voie de formation. Cette tension entre l'intelligentsia et les gestionnaires de l'État se poursuit donc jusqu'au moment où d'autres, moins audacieux dans leurs projets mais plus tournés vers une réalisation concrète à moyen terme, tenteront de combler le fossé en dotant l'État québécois d'une fonction émancipatrice.

---

137. Paul Chamberland, « Exigences théoriques d'un combat politique » *Parti pris,* vol. 4, no 1, septembre-octobre 1966, p. 7.
138. « Jean-Marc Piotte », *La Barre du jour,* nos 31-32, hiver 1972, pp. 146-148.

Conclusion

Conclusion

Les quatre idéologies-carrefours que nous avons retenues révèlent une progression depuis la crise économique jusqu'au milieu des années 60. Effectivement, les trois premières se reconnaissent comme des produits de la «dépression». De *la Relève* à *Cité libre*, en passant par le mouvement jéciste, c'est toujours sensiblement la *même génération*, quand ce ne sont pas parfois les mêmes personnes qui s'expriment. Au-delà donc d'une pratique politique enténébrante, prennent forme des représentations qui, en antithèse, rendent compte, suivant des structures diverses, d'une situation sociale désormais différente. L'urbain et l'industriel sont parties prenantes à leurs discours respectifs, même si ces idéologies ne parviennent que rarement à les situer. Elles sont témoins, parfois médusés, mais témoins quand même d'une réalité sociale que la crise, la guerre et l'après-guerre rendent évidente. Elles prennent surtout du relief par rapport au discours politique officiel tenu par des agents qui ont tout intérêt à reproduire une structure idéologique dépassée.

Or, pour accéder à cet univers nouveau, pour opérer cette rupture du champ idéologique traditionnel, le discours des premières heures a dû se pourvoir de *visas* permettant le déplacement vers des représentations antérieurement interdites. Pour se dégager de l'emprise cléricale, il a nécessairement recours à des voies soumises à une caution ecclésiastique. Et plus l'effort d'affranchissement aura été grand, plus peut-on croire, ce discours devra s'être doté des insignes d'une garantie morale.

C'est ainsi que *la Relève* engage un propos de rupture mais dont les *conséquences* idéologiques n'ont aucune commune mesure avec la JEC qui, elle, pousse l'audace jusqu'à *laïciser* son aperçu du social. Toute autre idéologie non couverte par l'autorité ecclésiastique n'aurait pu tenir un tel écart de langage sans, à l'époque, être vouée à l'échec ou plongée dans la marginalité. Au fond, *Cité libre* n'a fait qu'approfondir, à cet égard, un processus déjà fortement engagé par la JEC. Elle intervient d'ailleurs plus tard. *Cité libre*, par contre, se pose comme la première à véhiculer une pensée relativement laïcisante par le truchement d'un appareil lui-même exclusivement laïc. D'ailleurs elle ne recourt pas directement aux *visas* quoiqu'elle se dise d'emblée religieuse dans son aperception globale du monde — surtout à ses débuts.

Parti pris, de son côté, offre le visage contradictoire de ruptures plus importantes et en même temps, de récupérations inattendues. Il est rupture d'abord à un double titre. En premier lieu, *Parti pris* se distingue des trois idéologies précédentes, en ce qu'il représente une génération absolument différente en termes d'expérience et de vécu. Le point de référence de ses trois prédécesseurs portait sur la crise, génératrice de remises en question ; alors que pour la génération partipriste insérée, qu'elle le veuille ou non, dans une société de relative abondance, l'événement catalyseur avait été le renversement de l'Union nationale en 1960. Événement politique qui, dans ses conséquences, ouvrait définitivement l'éventail des *possibles* et, de ce fait, posait de manière implacable le problème angoissant d'une identité collective à découvrir ou encore à définir.

En second lieu, *Parti pris* est la seule idéologie complètement laïque dans ses *intentions*. Elle s'impose sans visa[1]. *Mais* par contre, elle se révèle à la longue la plus récupératrice des quatre. *La Relève* et, à un degré beaucoup moindre la JEC se réclamaient d'un certain esprit communautaire, mais qui demeurait fixé au niveau des consciences. *Parti pris* rouvre le dossier communautaire laissé pour compte par *Cité libre* et tente de lui donner une extension qu'on n'avait jamais même entrevue auparavant. La communion est laïque mais rejoint largement les impératifs d'unanimité, de reconnaissance des uns par les autres : le consensus prend alors le pas sur le conflit.

1. Il est bien entendu qu'un mouvement comme le MLF (fondé en 1961) lui avait passablement tracé la voie.

En termes de point d'appui social, les idéologies observées se meuvent en fonction de l'enjeu clérical. Le processus de laïcisation engagé par la JEC et *Cité libre* reflète l'intérêt qu'entretient toute une strate de la société qui se propose d'agrandir son aire d'action. L'intention du moins implicite porte en premier lieu sur un remplacement du clergé dans les fonctions qui ne sont pas dévolues en tant que telles aux ministres du culte, c'est-à-dire, le monde de la connaissance et certains services comme les établissements hospitaliers. En second lieu, elle tend à réorienter la fonction de l'État dans le sens d'un certain réalignement des rôles lors de la définition des choix publics : une nouvelle classe politique prend forme se posant comme substitut aux notables de province.

Quant à *Parti pris,* il se porte malgré lui à la défense d'une nouvelle intelligentsia qui, officiellement affranchie de l'ascendant clérical, tente de prendre la *place* autrefois occupée par les nationalistes traditionnels : fonction de critique, d'opposition officieuse et parfois virulente, à l'action gouvernementale mais, plus souvent qu'autrement, hors de la pratique politique proprement dite. Les multiples efforts pour rejoindre cette pratique ont plus ou moins échoué. On pourrait en dire autant de *Cité libre* à cet égard, car ces deux publications ont, chacune à leur tour, donné lieu à des formations politiques éphémères — quoique bien différentes, il va sans dire. En fait *Parti pris* a surtout misé sur des qualités et des manières d'*être,* mettant un peu en veilleuse la dimension du *faire*[2]. Et lorsqu'il s'y est intéressé, il a surtout réussi en fonction d'un *faire* artistique ou littéraire, qui revient en dernière analyse à une expression intéressant l'*être* au premier chef. Tout en étant objets de critique, l'économie et le politique demeuraient néanmoins éloignés et en bonne part insaisis.

En dépit de leurs nombreuses divergences, les quatre idéologies de rupture ont en commun de privilégier presque exclusivement l'action sur la *conscience,* stratégie amplement utilisée dans le passé par le nationalisme traditionnel. Elles seront conduites, de par la logique de ce monde d'opération sur le social, à se soustraire de la pratique économique de leur temps. La condition ouvrière, par exemple, ne fait au

2. Jean-Marc Piotte convient dans la livraison de septembre 1964 que « la revue qui se définit avant tout comme politique est formée de littéraire », dans « Autocritique de Parti pris », Parti pris, vol. 2, no 1, p. 39.

mieux que figure de référence justificatrice de l'action, et de la sorte, demeure plutôt à l'écart du champ de perception comme du champ d'intervention[3]. *Parti pris* a certes sensibilisé tout un public au socialisme mais plutôt comme idéal total : abstraction globale qui s'est ajustée merveilleusement bien à un projet décolonisateur de même ampleur.

Se succédant, souvent en chevauchement, ces quatre idéologies-carrefours dominent et monopolisent l'aire des représentations réservée à l'intelligentsia. Autrefois occupée par une structure à teneur cléricale qui s'imposa comme cadre de référence exclusif et monolithique, cette aire est progressivement envahie par des éléments de rupture, si bien que la fin de la guerre emporte avec elle le nationalisme classique et son cortège de valeurs périmées. La lecture traditionnelle que ce nationalisme clérical fait d'un Québec ébranlé par la crise puis soumis à l'industrialisation intense depuis la guerre, manifeste au grand jour son caractère désormais dépassé. L'intelligentsia ne peut évidemment plus y être sensible. Deux idéologies pourvues de visas cléricaux ont déjà engagé une profonde opération de sabotage des représentations reçues. *Cité libre*, par la suite, agrandit cette brèche au point de léguer à *Parti pris* un collectif de référence, un *nous*, abstrait. À cette abstraction, *Parti pris* rétorque par une manoeuvre de récupération, en dépit d'un contenu socialiste en rupture totale avec ses prédécesseurs.

Dernière idéologie-carrefour à laquelle s'est rapportée l'intelligentsia, *Parti pris* débouche à son terme sur l'option indépendantiste en tant que processus d'accès au socialisme. Dès l'hiver 1967 l'émancipation nationale prend le pas, ne serait-ce que chronologiquement, sur la révolution sociale. Auparavant elle s'imposait comme préalable et comme condition à l'avènement du socialisme, mais toujours avec beaucoup de réserves et de restrictions. Avec des titres comme « l'Indépendance au plus vite » en éditorial[4], la retenue est évidemment moindre, et pour cause. La situation politique a changé ; entre le RIN voué à l'affranchis-

3. Par voie de contraste, (pour ne prendre qu'un exemple), l'éphémère revue *Révolution québécoise* (1964-65), sous la direction de Pierre Vallières et Charles Gagnon, se distingue de *Parti pris* par son contenu presque exclusivement orienté sur la condition des classes laborieuses. Il y aura même au moins un conflit ouvert entre les deux revues, Charles Gagnon accusant *Parti pris* et son « joual » de « sombrer dans la littérature ». « Quand le « joual » se donne des airs », volume 1, no 6, février 1965, p. 24.

4. Gaétan Tremblay et Pierre Maheu, « L'Indépendance au plus vite », *Parti pris*, vol. 4, nos 5-6, janvier-février 1967, pp. 2-5.

sement national mais perçu comme peu radical sur les autres plans et, par ailleurs, le PSQ gagné à la cause socialiste mais presque indéfectible dans son attachement au fédéralisme canadien, *Parti pris* doit choisir. Il y a des années que durent les tergiversations et les missions de reconnaissances. La décision est pénible car chacune des parties semble avoir durci ses positions : le RIN, croit-on, s'éloigne de plus en plus de l'option socialiste telle que l'entend en tout cas la revue, le départ d'Andrée Ferretti en témoignerait éloquemment ; le PSQ pour sa part, se renfrogne dans son refus de l'indépendantisme, l'exclusion des Jeunesses socialistes québécoises serait significative. Après avoir multiplié les efforts de rapprochement avec l'un et l'autre, appelant de tous ses voeux le RIN au socialisme véritable et le PSQ à l'indépendantisme, *Parti pris* opte finalement pour un ordre de priorité et à la fois, peut-être à son corps défendant, pour la cause qui implicitement du moins risque d'ouvrir la voie à un relâchement dans la revendication sociale. En dépit de rectifications de parcours comme l'éditorial de Gabriel Gagnon et Luc Racine qui réitère l'appel à l'unité de la gauche au Québec[5], la tangente vers l'indépendance d'abord sera appelée à se maintenir.

La formation du Parti québécois[6] coïncide avec la chute de *Parti pris* et plus globalement avec la fin des grandes idéologies-carrefours qui, de nationalistes traditionnelles à l'origine, font éclater plus tard leur armature cléricale. Le PQ rétablit semble-t-il la jonction entre les plans idéologique et politique. Avec lui, le débat se déroule désormais dans l'arène politique comme au temps des Rouges. Il n'y a plus un parti au pouvoir et, à un autre niveau, une opposition officieuse ; l'opposition s'exerce en un lieu politique, et atteint finalement le pouvoir. La lutte ne s'engage plus à des niveaux décalés. Le politique s'articule autour d'options opposées qui polarisent l'opinion — laissant place si nécessaire à l'expression de tierces-idéologies — et absorbent sensiblement toutes les énergies. Il monopolise l'action idéologique dont le PQ se pose comme principal agent. Par sa présence même, cette nouvelle formation restitue au politique son contenu intrinsèquement conflic-

5. Gabriel Gagnon et Luc Racine, « Que faire ? », *Parti pris*, vol. 4, nos 9-10-11-12, mai-août 1967, pp. 3-6.
6. Officiellement fondé à l'automne 1968, le PQ succède à sa formation-mère, le Mouvement Souveraineté-Association lancé de la scission de René Lévesque (et quelques membres à sa suite) d'avec le Parti libéral, un an auparavant. Le RIN a peut-être préparé la voie, ou du moins disposé les esprits, mais sans jamais galvaniser un public suffisamment large.

tuel. Il referme la boucle en renouant dans une certaine mesure avec la tradition des Rouges. Compte tenu des temps qui de toute évidence ne sont plus les mêmes, on peut se demander si le PQ ne rejoint pas sensiblement la même classe politique qu'autrefois. Si ce n'est pas le même type de classe sociale qui, bloquée dans ses aspirations économiques et politiques, revendiquerait au nom du peuple la même place dans l'établissement des choix sociaux.

Cette réhabilitation du politique se solde par une dépréciation sinon une évacuation pure et simple du champ exclusivement idéologique (tel qu'il s'imposait autrefois) : il n'existe plus de grande idéologie à la marge du politique.

Mais l'idéologie sécrétée par le PQ est sujette par la force des choses à s'adapter à la conjoncture. Dans la mesure où le parti s'est axé sur la prise du pouvoir, et y est parvenu, il se doit d'accepter les règles du jeu qui ont pour effet certain d'édulcorer son projet. Bon gré ou mal gré, il contribue à embrouiller le champ idéologique tout en clarifiant jusqu'à un certain point les choix électoraux.

Le champ strictement idéologique n'offre donc plus l'aspect que d'un domaine fortement marginalisé par les grandes options politiques. Cependant, la réunification opérée par le PQ entre le politique et l'idéologique est concomitante à une prise de conscience plus globale de la dimension politique du social.

Synchroniquement à l'émergence du PQ sur la scène québécoise, se place l'action syndicale qui est en passe elle aussi de s'imposer au même titre, et de constituer une nouvelle matrice idéologique d'aussi grande importance. Avec la fin des grands systèmes abstraits de représentations, surgissent des idéologies issues cette fois de la pratique ; outre les syndicats s'y sont retrouvés à un moment donné les comités de citoyens.

Au double niveau de l'idéologie et du politique s'activent désormais diverses formes de marxisme qui tendent à s'approprier une bonne part de l'univers critique. Avec ces mouvements s'ouvre une ère différente : la théorie et la pratique se veulent en étroite dialectique. Le sont-elles toujours ? De ces nouvelles productions d'où qu'elles émergent il y aura encore lieu de faire la part entre les ruptures et les continuités.

Le temps clérical officiellement aboli ouvre sur un espace politique dont l'extension se révèle, au gré de crises susceptible d'être à la fois percées inédites et tentatives de récupération.

Bibliographie

Akzin, Benjamin, *State and Nation,* Londres, Hutchison University Library, 1964.

Allemagne, André d', *Le RIN et les débuts du mouvement indépendantiste québécois,* Montréal, Éd. L'Étincelle, 1964.

Le colonialisme au Québec, Montréal. Éd. Renaud-Bray, 1966.

Allemagne, André d', *Le RIN et les débuts du mouvement indépendantiste québécois,* Montréal, Éd. L'Étincelle, 1964.

Angers, F.-A., « Pierre-Elliott Trudeau et la *grève de l'amiante* » (six tranches), *L'Action nationale,* vol. 47, 48, septembre 1957 à septembre-octobre 1958.

Anjou, Marie-Joseph, « Le cas de Cité Libre », *Relations,* Vol. XI, no 123, mars 1951, pp. 69-70.

Apter, David E., *Ideology and Discontent,* Glencoe, Free Press, 1964.

Aquin, Hubert, « La fatigue culturelle du Canada français », *Liberté,* no 23, mai 1962, pp. 299-325.

Archambault, J.-P., *L'Action catholique d'après les directives pontificales,* Montréal, École sociale populaire, 1938.

Arguin, Maurice, *La Société québécoise et sa langue, jugée par cinq écrivains de « Parti pris »*, Québec, DES, Université Laval, 1970.

Association des professeurs de l'Université de Montréal, *La crise de l'enseignement au Canada français,* Mémoire présenté à la commission royale d'enquête sur l'enseignement, Éd. du Jour, 1961.

Association des professeurs de l'Université de Montréal, *L'Université dit non aux Jésuites,* Montréal, Éd. de l'Homme, 1961.

Barbeau, Raymond, *J'ai choisi l'indépendance,* Montréal, Éd. de l'Homme, 1961.

La Barre du jour, « Parti pris », hiver 1972, nos 31-32.

Baudelot, C., R. Establet et J. Malemort, *La Petite bourgeoisie en France,* Paris, François Maspéro, 1974.

Beauregard, Hermine, « So what, lettre ouverte à M. P.-E. Trudeau », *Liberté,* no 24, juin-juillet 1962, pp. 451-456.

Bell, David V.J., *Methodological Problems in the Study of Canadian Political Culture,* communication (polycopiée) à l'Association canadienne de science politique, Toronto, juin 1974.

Benda, Julien, *La Trahison des clercs,* Paris, Grasset, 1927.
Benot, Yves, *Idéologies des indépendances africaines,* Paris, François Maspéro, 1972.
Bergeron, Gérard, *Le Canada français après deux siècles de patience,* Paris, Éd. du Seuil, 1967.
Bergeron, Gérard, « Le Canada français : du provincialisme à l'internationalisme » dans Hugh L. Keenleyside, *The Growth of Canadian Policies in External Affairs,* Durham N.C. Duke University Press, 1960, pp. 99-130.
Bergeron, Gérard, *Du Duplessisme à Trudeau et Bourassa,* Montréal, Parti pris, 1971.
Bergeron, Gérard, *La philosophie politique du Canada français,* (polycopié), Québec, 1965.
Bernard, Jean-Paul, *Les idéologies québécoises au 19e siècle,* Trois-Rivières, Boréal-Express, 1973.
Bernard, Jean-Paul, *Les Rouges, libéralisme, nationalisme et anticléricalisme au milieu du XIXe siècle,* Montréal, PUQ, 1971.
Berque, Jacques, « Contenu et forme dans la décolonisation », *Perspectives de la sociologie contemporaine,* Paris, PUF, 1968.
Berque, Jacques, *Dépossession du monde,* Paris, Éd. du Seuil, 1964.
Blain, Jean, « L'historien Jean Blain, impliqué dans le conflit, expose son point de vue », *Magazine Maclean,* vol. 4, no 5, mai 1964, p. 77.
Blais, Jacques, *De l'Ordre et de l'Aventure, la poésie au Québec de 1934 à 1944,* Québec, PUL, 1975.
Blais, Jacques, *Présence d'Alain Grandbois,* Québec, PUL, 1974.
Bonenfant, Joseph, *Index de « Parti pris » (1943-1968)* Sherbrooke, CELEF, Université de Sherbrooke, 1975.
Borduas, P.-É., « Manières de goûter une oeuvre d'art », *Amérique française,* Tome II, no 4, janvier 1943, pp. 31-44.
Borduas, P.-É., *Projections libérantes,* Montréal, Mithra-Mythe, 1949.
Borduas, P.-É., *Le Refus global,* Montréal, Mithra-Mythe, 1948.
Bouchard, T.-D., *L'Instruction obligatoire,* St-Hyacinthe, Imprimerie Yamaska, 1912.
Bouchard, T.-D., *Mémoires de T.-D. Bouchard,* 3 vol. Montréal, Beauchemin, 1960.
Bourassa, Henri, *La Crise... trois remèdes,* Québec, L'Action sociale, 1932.
Bourque, Gilles et N. Laurin-Frenette, « Classes sociales et idéologies nationalistes au Québec (1760-1970), *Socialisme québécois,* no 20, 1970, pp. 13-36.

Bourque, Gilles et Nicole Laurin-Frenette, « La structure nationale québécoise », *Socialisme québécois,* nos 21-22, avril 1971, pp. 109-155.

Bouthillier, Guy et Jean Meynaud, *Le choc des langues au Québec,* Montréal, PUQ, 1972.

Brault, Jacques, *Alain Grandbois,* Montréal, Fides, 1958.

Breton, Albert, « The Economics of nationalism », *Journal of Political Economy,* LXXII, avril 1964, pp. 376-386.

Brunet, Michel, *Canadians et canadiens,* Montréal, Fides, 1954.

Brunet, Michel, *La présence anglaise et les canadiens,* Montréal, Beauchemin, 1958.

Brunet, Michel, *Québec, Canada anglais : deux itinéraires, un affrontement,* Montréal, HMH, 1968.

Brunet, Michel, « Trois dominantes de la pensée canadienne-française : l'agriculturisme, l'anti-étatisme et le messianisme », *Écrits du Canada français,* Montréal, tome III, 1957, pp. 33-117.

Bunzel, John H., *Anti-Politics in America : Reflections on the anti-political Temper and its Distortions of the Democratic Process,* New York, Alfred A. Knopf, 1967.

Carrier, André, « L'idéologie politique de la revue Cité libre », *Revue canadienne de science politique,* vol. 1, no 4, décembre 1968, pp. 414-428.

Chamberland, Paul, *L'afficheur hurle,* Montréal, Éd. Parti pris, 1969.

Chamberland, Paul, *Genèses,* Montréal, AGEUM, 1962.

Chamberland, Paul, *L'Inavouable,* Montréal, Éd. Parti pris, 1967.

Chamberland, Paul, *Terre-Québec,* Montréal, Déom, 1964.

Chamberland, Paul et al., *Le Pays,* Montréal, Déom, 1963.

Chaput, Marcel, *Pourquoi je suis séparatiste,* Montréal, Éd. du Jour, 1961.

Charbonneau, Robert, *Chronique de l'âge amer,* Ottawa, Éd. du Sablier, 1967.

Charbonneau, Robert, *Les désirs et les jours,* Montréal, Éd. de l'Arbre, 1948.

Charbonneau, Robert, *Fontile,* Montréal, Éd. de l'Arbre, 1945.

Charbonneau, Robert, *La France et nous, journal d'une querelle,* Montréal, Éd. de l'Arbre, 1947.

Charbonneau, Robert, *Ils possèderont la terre,* Montréal, Éd. de l'Arbre 1941.

Christian, W. et C. Campbell, *Political Parties and Ideologies in Canada,* Montréal, McGraw-Hill Ryerson, 1975.

Clément, Gabriel, *Histoire de l'Action catholique au Canada français,* Commission d'étude sur les laïcs et l'Église (Dumont), Montréal, Fides, 1972.

Cloutier, Normand, «La contestation dans le nouveau-roman canadien-français», *Culture vivante,* no 2, 1966, pp. 9-15.

Comeau, Robert, *Économie québécoise,* Montréal, PUQ, 1969.

C.S.N., *En grève,* Montréal, Éd. du Jour, 1963.

Cook, Ramsay, *Le Sphinx parle français,* Montréal, HMH, 1966.

Corbett, Edward M., *Quebec confronts Canada,* Baltimore, John Hopkins Press, 1967.

Cousineau, Jacques, *Réflexions en marge de « La Grève de l'Amiante »,* Montréal, Institut social populaire, 1958.

Dansereau, Pierre, *Contradictions et Biculture,* Montréal, Éd. du Jour, 1964.

Delos, J.T., *Le Problème de civilisation, la nation,* tomes I et II, Montréal, Éd. de l'Arbre, 1944.

Desbiens, Jean-Paul (Frère Untel), *Les insolences du frère Untel,* Montréal, Éd. de l'Homme, 1960.

Desrosiers, Richard, *Le Personnel politique québécois,* Montréal, Boréal-Express, 1972.

Dessaulles, L.-A., *La grande guerre ecclésiastique,* Montréal, Alphonse Doutre, 1873.

Dessaulles, L.-A., *Réponse honnête à une circulaire assez peu chrétienne, suite à la grande guerre ecclésiastique,* Montréal, Alphonse Doutre, 1873.

Dion, Gérard et Louis O'Neill, *Le chrétien et les élections,* Montréal, Éditions de l'Homme, 1960.

Dion, Léon, *Le Bill 60 et la société québécoise,* Montréal, HMH, 1967.

Dion, Léon, *Nationalismes et politique au Québec,* Montréal, Hurtubise HMH, 1975.

Dion, Léon, *La prochaine révolution,* Montréal, Éd. Leméac, 1973.

Dofny, J. et M. Rioux, «Les classes sociales au Canada français», *Revue française de Sociologie,* vol. 3, no 3, juillet-septembre 1962, pp. 290-300.

Doré, Gérald, *La gauche des années 40,* polycopié, Québec, Institut supérieur des sciences humaines, Université Laval, 1971.

Dubuc, Alfred, « Les classes sociales au Canada », *Annales, Economies, Sociétés, Civilisations,* XXII, 4, (juillet-août 1967), pp. 829-844.

Dubuc, Alfred, « The Decline of Confederation and the new nationalism », *Nationalism in Canada.* Toronto, McGraw-Hill, 1966.

Dubuc, Alfred, « Une interprétation économique de la constitution », *Socialisme 66,* no 7 janvier 1966, pp. 3-21.

Ducrocq-Poirier, Madeleine, *Robert Charbonneau,* Montréal, Fides, 1972.

Duhamel, Roger, *Bilan provisoire,* Montréal, Beauchemin, 1958.

Duhamel, Roger, « Lettres canadiennes-françaises, les grands départs d'une seule année », *Revue des deux mondes,* 15 janvier 1968, pp. 237-244.

Dumont, Fernand, « L'étude systématique de la société globale canadienne-française », *Recherches sociographiques,* vol. III, nos 1-2, janvier-août 1962, pp. 277-292.

Dumont, Fernand, « Idéologie et savoir historique », *Cahiers internationaux de sociologie,* XXXV, 1963, pp. 43-60.

Dumont, Fernand, *Les idéologies,* Paris, PUF, 1974.

Dumont, Fernand, *Idéologies au Canada français 1900-1929,* Québec, PUL, 1974.

Dumont, Fernand, *Le lieu de l'homme,* Montréal, HMH, 1971.

Dumont, Fernand, « Notes sur l'analyse des idéologies », *Recherches sociographiques,* vol. IV, no 2, mai-août 1963, pp. 155-165.

Dumont, Fernand, *Pour la conversion de la pensée chrétienne,* Montréal, HMH, 1964.

Dumont, Fernand, « La représentation idéologique des classes au Canada français », *Cahiers internationaux de Sociologie,* Vol. XXXVIII, janvier-juin 1965, pp. 85-98.

Dumont, Fernand, « Structure d'une idéologie religieuse », *Recherches sociographiques,* vol. 1, no 2, avril-juin 1960, pp. 161-187.

Dumont, Fernand, *La Vigile du Québec,* Montréal, HMH, 1971.

Dumont, Fernand, et J.-C. Falardeau, « Littérature et société canadiennes-françaises », *Recherches sociographiques,* vol. V, nos 1-2, janvier-août 1964.

Dumont, Fernand, J. Hamelin et J.-P. Montminy, *Idéologies au Canada français, 1850-1900,* Québec, PUL, 1971.

Dumont, Fernand, P. Lefebvre et M. Rioux, « Le Canada français, édition revue et corrigée », *Liberté,* nos 19-20, janvier-février, 1962, pp. 24-53.

Dumont, F., et J.-P. Montminy, *Le Pouvoir dans la société canadienne-française,* Québec, PUL, 1966.

Dumont, Fernand et Guy Rocher, « Introduction à une sociologie du Canada français », *Recherches et Débats,* Cahier no 34, mars 1961, pp. 13-38.

Dupont, Antonin, *Les relations entre l'Église et l'État sous Alexandre Taschereau 1920-1936,* Montréal, Guérin, 1973.

Durocher, René et Paul-André Linteau, *Le « Retard » du Québec et infériorité économique des Canadiens français,* Trois-Rivières, Boréal-Express, 1971.

Esprit, « Le Canada français », (numéro spécial), 20e année, nos 8-9, août-septembre 1952.

Ethier-Blais, Jean, « Une nouvelle littérature », *Études françaises,* vol. 1, no 1, février 1965, pp. 106-110.

Éthier-Blais, Jean, *Signets II,* Montréal, Cercle du Livre de France, 1967.

Éthier-Blais, J. et F. Gagnon, *Ozias Leduc et Paul-Émile Borduas,* Montréal, PUM, 1973.

Falardeau, Jean-Charles, « Antécédents, débuts et croissance de la sociologie au Québec », *Recherches sociographiques,* vol. XV, nos 2-3, pp. 35-165.

Falardeau, Jean-Charles, « Les Canadiens français et leur idéologie » dans Mason WADE (édit), *La dualité canadienne, essais sur les relations entre Canadiens français et Canadiens anglais,* Québec, PUL, 1960, pp. 20-38.

Falardeau, Jean-Charles, « Des élites traditionnelles aux élites nouvelles », *Recherches sociographiques,* VII, nos 1-2, Janvier-août 1966, pp. 131-145.

Falardeau, Jean-Charles, *Essais sur le Québec contemporain,* Québec, PUL, 1953.

Falardeau, Jean-Charles, *L'Essor des sciences sociales au Canada français,* Québec, Ministère des Affaires culturelles, 1964.

Falardeau, Jean-Charles, *Notre société et son roman,* Montréal, HMH, 1967.

Falardeau, Jean-Charles, « L'Origine et l'ascension des hommes d'affaires dans la société canadienne-française », *Cahiers internationaux de sociologie,* vol. XXXVIII, janvier-juin 1965, pp. 109-120.

Falardeau, Jean-Charles, « Réflexion sur nos classes sociales », *La nouvelle revue canadienne,* vol. 1, no 3, juin-juillet 1951, pp. 1-9.

Fanon, Frantz, *Les damnés de la terre,* Paris, François Maspéro, 1961.

Fanon, Frantz, *Peau noire masques blancs,* Paris, Éd. du Seuil, 1952.

Fanon, Frantz, *Pour la révolution africaine : écrits politiques,* Paris, François Maspéro, 1964.

Filion, Gérard, *Confidences d'un commissaire d'école,* Montréal, Éd. de l'Homme, 1960.

Fortin, Gérald, « Milieu rural et milieu ouvrier, deux classes virtuelles », *Cahiers internationaux de Sociologie,* vol. XXXVIII, janvier-juin 1965, pp. 121-130.

Fortin, Gérald, « Le nationalisme canadien-français et les classes sociales », RHAF, vol. XXII, no 4, 1969, pp. 525-535.

Fournier, Marcel, « Histoire et idéologie du groupe canadien-français du Parti communiste (1925-1945) », *Socialisme 69,* no 16, janvier-mars 1969, pp. 63-78.

Fournier, Marcel, « L'Institutionnalisation des sciences sociales au Québec », *Sociologie et sociétés,* vol. 5, no 1, mai 1973, pp. 27-56.

Fournier, Marcel, « La Sociologie québécoise contemporaine », *Recherches sociographiques,* vol. XV, nos 2-3, pp. 167-199.

Gagnon, Charles, « Classe et conscience de classe », *Socialisme 69,* no 18, juillet-août-septembre 1969, pp. 66-74.

Gagnon, Charles, « Le Parti québécois et la révolution », *Socialisme 69,* no 17, avril-juin 1969, pp. 130-133.

Gagnon, Ernest, *L'Homme d'ici,* Montréal, HMH, 1963.

Gagnon, Gabriel et Luc Martin, *Québec 1960-1980, la crise de développement, matériaux pour une sociologie de la planification et de la participation,* Montréal, Éd. Hurtubise HMH, 1973.

Gagnon, J.-L., *Vent du large,* Montréal, Parizeau, 1944.

Gagnon, Marcel-A., *Jean-Charles Harvey, précurseur de la révolution tranquille,* Montréal, Beauchemin, 1970.

Gagnon, Marcel-A., *La lanterne d'Arthur Buies,* Montréal, Éd. de l'Homme, 1964.

Gagnon, Nicole, « L'Idéologie humaniste dans la revue l'Enseignement primaire », *Recherches sociographiques,* vol. IV, no 2, mai-août 1963, pp. 167-200.

Garigue, Philippe, *L'option politique du Canada français,* Montréal, Éd. du Lévrier, 1963.

Garrone, G.M., *L'Action catholique, son histoire, sa doctrine,* Paris, Fayard, 1958.

Gaudrault, P.-M., *Neutralité, non-confessionnalité et l'École sociale populaire,* Ottawa, Éd. du Lévrier, 1946.

Gauvin, Lise, *Parti pris littéraire,* Montréal, PUM, 1975.

Giguère, Roland, *L'âge de la parole,* Montréal, L'Hexagone, 1965.

Girouard, Laurent, *La Ville inhumaine,* Montréal, Éd. Parti pris, 1964.

Godin, Gérald, *Les Cantouques,* Montréal, Parti pris, 1966.

Godin, Gérald, « Télesse », *Écrits du Canada français,* tome XVII, 1964.

Godbout, Jacques, *Le mouvement du 8 avril,* Montréal, Collection MLF, no 1, 1966.

Grandbois, Alain, *Poèmes,* Montréal, Éd. de L'Hexagone, 1963.

Grandmaison, Jacques, *Nationalisme et religion,* 2 vol. Montréal, Beauchemin, 1970.

Grandpré, Pierre de, *Dix ans de vie littéraire au Canada français,* Montréal, Beauchemin, 1966.

Grandpré, Pierre de, *Histoire de la littérature française du Canada* (4 tomes), Montréal, Beauchemin, 1967-1969.

Grandpré, Pierre de, « Notre civilisation, le social et le national », *L'Action nationale,* vol. XLVI, no 2, octobre 1956, pp. 126-141.

Gravel, Jean-Yves, *Le Québec et la guerre,* 1867-1960, Montréal, Boréal express, 1974.

Groulx, Lionel (et autres), *L'Avenir de notre bourgeoisie,* Montréal, Éditions Bernard Valiquette, 1939.

Groulx, Lionel, *Mes mémoires 1940-1967,* T. IV, Montréal, Fides, 1974.

Guimont, Pascale, *Le Jour* (polycopié), Québec, Institut supérieur des sciences humaines, Université Laval, 1970.

Guindon, Hubert, « The social evolution of Québec reconsidered », *CJEPS,* vol. XXVI, no 4, novembre 1960, pp. 536-551.

Guindon, Hubert, « Social unrest, Social class and Québec's Bureaucratic Revolution », *Queen's Quarterly,* vol. LXXI, été 1964, pp. 150-162.

Hamelin, Jean et André Beaulieu, « Aperçu du journalisme québécois d'expression française », *Recherches sociographiques,* vol. VII, no 3, septembre-décembre 1966, pp. 305-348.

Hartz, Louis, *Les Enfants de l'Europe,* essais historiques, Paris, Éd. du Seuil, 1968.

Hartz, Louis, *The Liberal tradition in America,* New York, Harcourt, Brace & World Inc., 1955.

Harvey, J.-C., *Les grenouilles demandent un roi,* Montréal, Le Jour, 1944.

Hayes, Carlton J.-H., *Essays on Nationalism,* New York, Russell and Russell, 1946.

Hayes, C.J.H., *Nationalism : A Religion,* New York, Macmillan, 1960.

Hébert, Anne, *Torrent,* Montréal, HMH, 1964.

Hébert, Jacques, *J'accuse les assassins de Coffin,* Montréal, Éd. du Jour, 1963.

Hébert, Jacques, *Scandale à Bordeaux,* Montréal, Éd. de l'Homme, 1959.

Hébert, Jacques et P.-E. Trudeau, *Deux innocents en Chine rouge,* Montréal, Éd. de l'Homme, 1961.

Hertel, François, *Journal philosophique et littéraire,* s.l. Éd. de la diaspora française, 1961.

Hertel, François, *Leur inquiétude,* Montréal, Éditions Albert Lévesque, 1936.

Hertel, François, *Nous ferons l'avenir,* Montréal, Fides, 1945.

Hertel, François, « Plaidoyer en faveur de l'art abstrait », *Amérique française,* novembre 1942, T. II, no 3, pp. 8-16.

Hertel, François, *Pour un ordre personnaliste,* Montréal, Éd. de l'Arbre, 1942.

Horowitz, Gad., *Canadian Labour in Politics,* Toronto, Toronto University Press, 1968.

Horowitz, Gad., « Conservatism, liberalism and socialism in Canada : an interpretation », *Revue canadienne de science politique,* vol. XXXII, no 2, mai 1966, pp. 143-171.

Hugues, Everett-C., *French Canada in Transition,* Chicago, University of Chicago Press, 1943.

Hulliger, Jean, *L'enseignement social des évêques canadiens de 1891 à 1950,* Montréal, Fides, 1958.

Hurtubise, Pierre et autres, *Le laïc dans l'Église canadienne-française de 1830 à nos jours,* Montréal, Fides, 1972.

Institut canadien des affaires publiques, *Le Canada face à l'avenir, un pays s'interroge,* Montréal, Éd. du Jour 1964.
L'Éducation, 1956.
L'Église et le Québec, Montréal, Éd. du Jour, 1961.
Nos Hommes politiques, Montréal, Éd. du Jour, 1964.
L'Occident et le défi du tiers-monde, 1960.
Le peuple souverain, Ste-Marguerite, 1954.
Le Rôle de l'État, Montréal, Éd. du Jour, 1962.

Institut canadien de Montréal, *Annuaire de l'Institut canadien pour 1866-1868,* Montréal, Imprimerie du journal « Le Pays », 1866, 1868.

Jones, Richard, *Community in Crisis : French Canadian Nationalism in Perspective,* Toronto-Montréal, McClelland, 1967.

Kedourie, Élie, *Nationalism,* New York, Frederick A. Praeger, 1961.

Kohn, Hans, *Nationalism, its meaning and History,* Princeton, N.J. Van Nostrand, 1965.

Kornhauser, William, *The Politics of Mass Society,* Glencoe, Ill., Free Press, 1959.

Laflèche, L.-F., *Quelques considérations sur les rapports de la société avec la religion et la famille,* Montréal, Sénécal, 1866.

Lajeunesse, Marcel, *L'Éducation au Québec, 19e et 20e siècles,* Montréal, Boréal Express, 1971.

Lamontagne, Maurice, *Le fédéralisme canadien : évolution et problème,* Québec, PUL, 1954.

Lapalme, Georges-Émile, *Mémoires,* tomes I, II et III, Montréal, Leméac, 1969, 1970, 1973.

Lapalme, Victor et Bernard Normand, *Travailleurs québécois et lutte nationale,* CEQ, 1973.

Larocque, Paul, *L'Ordre* (polycopié), Québec, Institut supérieur des sciences humaines, Université Laval, 1970.

Latouche, Daniel, « La vraie nature de... la Révolution tranquille », *Revue canadienne de Science politique,* vol. VII, no 3, septembre 1974, pp. 525-536.

Laurendeau, André, *La crise de la conscription,* Montréal, Éd. du Jour, 1962.

Laurendeau, André, « Déclaration au sujet du Bloc populaire canadien », *Action nationale,* vol. XX, no 3, novembre 1942, pp. 165-174.

Laurendeau, André, « Sur cent pages de P.-E. Trudeau », *Le Devoir,* les 6, 10 et 11 octobre 1956.

Laurendeau, Marc, *Les Québécois violents,* Montréal, Boréal-Express, 1974.

Lauzon, Adèle, «Crise à *Cité libre*», *Magazine Maclean,* vol. 4, no 5, mai 1964, pp. 77-78.

Lazure, Jacques, *La jeunesse du Québec en révolution,* Montréal, PUQ, 1970.

Leclerc, Gilles, *Journal d'un inquisiteur,* Montréal, Éd. de l'Aube, 1960.

Lefèbvre, Henri, *Critique de la vie quotidienne,* t. II, Paris, L'Arche, 1962.

Lefèbvre, Henri, *Introduction à la modernité,* Paris, Éd. de Minuit, 1962.

Lefèbvre, J.-P., *En grève !,* Montréal, Éd. du Jour, 1963.

Lefèbvre, J.-P., *La lutte ouvrière,* Montréal, Éd. de l'Homme, 1960.

Léger, Jean-Marc, «Aspects of French Canadian Nationalism», *University of Toronto Quarterly,* vol. XXVII, no 3, avril 1958, pp. 310-329.

Lemieux, V., M. Gilbert, A. Blais, *Une élection de réalignement, l'élection générale du 29 avril 1970 au Québec,* Montréal, Éd. du jour, 1970.

Lemieux, Vincent, *Quatre élections provinciales au Québec,* Québec, PUL, 1969.

Le Moyne, Jean, *Convergences,* Montréal, HMH, 1961.

Lenine, *Que faire ?,* Paris, Éd. du Seuil, 1966.

Lévesque, G.-H., «La non-confessionnalité des coopératives», *Ensemble,* vol. VI, no 10, décembre 1945.

Lévesque, René, *Option-Québec,* Montréal, Éd. de l'Homme, 1968.

Levitt, Joseph, *Henri Bourassa and the Golden Calf,* Ottawa, Éditions de l'Université d'Ottawa, 1969.

Levitt, Kary, *La capitulation tranquille,* Montréal, Ré-édition-Québec, 1972.

Lipset, Martin S., *The First New Nation,* New York, Basic Books, 1963.

Loranger, J.-G., «Québécitude et socialisme québécois», *Socialisme 69,* no 18, juillet-septembre 1969, pp. 42-59.

Maheu, Robert, *Les Francophones du Canada 1941-91,* Montréal, Parti pris, 1970.

Maheu, Arthur, «French Canadians and Democracy» *University of Toronto Quarterly,* vol. XXVII, no 3, avril 1958, pp. 341-351.

Maheu, Arthur, «Pourquoi sommes-nous divisés», Radio-Canada, 1943.

Maheu, Arthur, *Problems of Canadian Unity,* Québec, s.é. 1944.

Maistre, Joseph de., *Considérations sur la France,* Oeuvres complètes, tome I, Lyon, Vitte, 1884.

Major, André, *Le Cabochon,* Montréal, Éd. Parti pris, 1964.

Major, André, *La chair de poule,* Montréal, Éd. Parti pris, 1965.

Major, André, « Grandeur et misère de la jeunesse », *Le Devoir,* 30 déc. 1967, p. 14.

Mannheim, Karl, *Ideology and Utopia,* New York, Harcourt, Brace & Co., 1936.

Marcotte, Gilles, *Une littérature qui se fait,* Montréal, Éd. HMH, 1962.

Maugey, Axel, *Poésie et société au Québec 1937-1970,* Québec, PUL, 1972.

Memmi, Albert, *Portrait du colonisé,* Montréal, L'Étincelle, 1972.

Milner, S.H. & H., *The Decolonization of Québec. An analysis of left wing Nationalism,* Toronto, McClelland & Stewart, 1973.

Miner, Horace, *St. Denis. A French Canadian Parish,* Toronto, University of Toronto Press, 1963.

Miron, Gaston, *L'Homme rapaillé,* Montréal, PUM, 1970.

Monière, Denis, *Le développement de la pensée de gauche au Québec à travers trois revues : Cité libre, Socialisme et Parti pris,* thèse de maîtrise, Université d'Ottawa, 1970.

Morin, Françoise, *Laurentie, la souveraineté nationale,* polycopié, Québec, Institut supérieur des sciences humaines, Université Laval, 1971.

Mounier, Emmanuel, *Qu'est-ce que le personnalisme ?,* Paris, Éd. du Seuil, 1946.

Murrow, Casey, *Henri Bourassa and French canadian nationalism, Opposition to Empire,* Montréal, Harvest House, 1968.

Nadeau, Jean-Marie, *Carnets politiques,* Montréal, Parti pris, 1966.

Nadeau, Jean-Marie, *Entreprise privée et socialisme,* Montréal, Valiquette, 1944.

Nadeau, Jean-Marie, *Horizons d'après guerre,* Montréal, Parizeau, 1944.

Nicolet, Claude, *Le Radicalisme,* Paris, PUF, 1957.

O'Connell, M.P., « The Ideas of Henri Bourassa », *Canadian Journal of Economics and Political Science,* vol. XIX, no 3, août 1953, pp. 361-376.

Oliver, Michael, «Québec and Canadian Democracy», *Canadian Journal of Economics and Political Science,* vol. XXIII, no 4, novembre 1957, pp. 504-515.
Oliver, Michael, *The Social and Political Ideas of French Canadian Nationalists 1920-1945,* thèse de doctorat, Université McGill, Montréal, 1957.
Ouellet, Fernand, *Éléments d'histoire sociale du Bas-Canada,* Montréal, Hurtubise HMH, 1972.
Ouellet, Fernand, «Étienne Parent et le mouvement du catholicisme social 1848», *Bulletin des recherches historiques,* 1955.
Ouellet, Fernand, «Les fondements historiques de l'option séparatiste dans le Québec», *Liberté,* vol. IV, no 21, mars 1962, pp. 90-112.
Ouellet, Fernand, *Histoire économique et sociale du Québec 1760-1850,* 2 tomes, Montréal, Fides, 1971.
Ouellet, Fernand, «Nationalisme canadien-français et laïcisme au XIXe siècle», *Recherches sociographiques,* vol. IV, no 1, janvier-avril 1963, pp. 47-70.
Ouellette, Fernand, «Journal dénoué», Montréal, PUM, 1974.

Paquet, Mgr. L.-A., *Le Bréviaire du patriote canadien-français,* Montréal, Bibliothèque de l'Action française, 1925.
Paquet, L.-A., *Discours et allocutions,* Québec, Imprimerie franciscaine missionnaire, 1915.
Parti pris, *Les Québécois,* Paris, F. Maspéro, 1967.
Pelletier, Gérard, *La crise d'octobre,* Montréal, Éditions du Jour, 1971.
Pelletier, Gérard, «Procès de nos ferveurs», *Amérique française,* tome V, mars 1946, pp. 10-17.
Pelletier, Jacques, «*La Relève:* une idéologie des années 1930», *Voix et images du pays,* V, Cahiers de l'Université du Québec, Montréal, PUQ, 1972.
Piotte, Jean-Marc, *La Pensée politique de Gramsci,* Montréal, Parti pris, 1970.
Piotte, Jean-Marc, *Sur Lénine,* Montréal, Éd. Parti pris, 1972.
La poésie et nous, Montréal, L'Hexagone, 1958.
Portelli, Hughes, *Gramsci et le bloc historique,* Paris, PUF, 1972.
Poulantzas, Nicos, *Les classes sociales dans le capitalisme aujourd'hui,* Paris, Éd. du Seuil, 1974.
Poulantzas, Nicos, *Pouvoir politique et classes sociales,* Paris, François Maspéro, 1970.

Poulin, Hélène, « *La Relève* » *: analyse et témoignages,* thèse de maîtrise, Université McGill, Montréal 1968.

Préfontaine, Yves, « Parti pris », *Liberté,* no 23, mai 1962, pp. 291-298.

Quinn, Herbert F., *The Union nationale : A Study in Québec Nationalism,* Toronto, University of Toronto Press, 1967.

Racine, Claude, *L'anticléricalisme dans le roman québécois 1940-1965,* Montréal, Hurtubise HMH, 1972.

Racine, L., et R. Denis, « La conjoncture politique québécoise depuis 1960 », *Socialisme québécois,* nos 21-22, 1971, pp. 17-78.

Raymond, Maxime, *Politique en ligne droite,* Montréal, Éditions du Mont-Royal, 1943.

Raynauld, André, *Croissance et structure économique de la province de Québec,* Québec, Ministère de l'Industrie et du Commerce, 1961.

Reid, Malcolm, *The Shouting Signpainters,* New York, Monthly Review Press, 1972.

Renaud, Jacques, *Le cassé,* Montréal, Éd. Parti pris, 1964.

Rey, Pierre-Philippe, *Les alliances de classes,* Paris, François Maspéro, 1973.

Richard, Jean-Jules, *Le Feu dans l'amiante,* s.l., s.é. 1956.

Rieff, Philip, *On Intellectuals,* New York, Doubleday & Co., 1969.

Riel-Fredette, Marquita, *Analyse d'un mouvement social : la JEC,* thèse de maîtrise, Montréal, Université de Montréal, 1962.

Rioux, Marcel, « Conscience nationale et conscience de classe au Québec », *Cahiers internationaux de Sociologie,* vol. XXXVIII, janvier-juin 1965, pp. 99-108.

Rioux, Marcel, *La nation et l'école,* Montréal, Collection MLF no 2, 1966.

Rioux, Marcel, *La Question du Québec,* Paris, Seghers, 1969.

Rioux, Marcel, « Sur l'évolution des idéologies au Québec », *Revue de l'Institut de Sociologie,* 1968 / 1, Bruxelles, pp. 95-124.

Rioux, Marcel et Yves Martin, *French-Canadian Society,* Toronto, Carleton Library, McLelland & Stewart, 1965.

Robert, Guy, *L'Art au Québec depuis 1940,* Montréal, Éd. La Presse, 1973.

Robert, Guy, *Borduas,* Montréal, PUQ, 1972.

Robert, Jean-Claude, *Du Canada français au Québec libre,* Paris, Flammarion, 1975.

Robitaille, L.-B., *L'Idée de Littérature dans Parti pris,* thèse de maîtrise, Université McGill, Montréal, 1972.

Rocher, Guy, *Le Québec en mutation,* Montréal, Hurtubise HMH, 1973.

Rumilly, Robert, *Henri Bourassa,* Montréal, Éd. Chanteclerc, 1953, *Histoire de la province de Québec,* tomes XXXIII à XXXIX, Montréal, Fides, 1961-1969,
Maurice Duplessis et son temps, t. I et II, Montréal, Fides, 1973.

Russell, Peter (ed)., *Nationalism in Canada,* McGraw-Hill, 1966.

Ryan, Claude, « Une classe oubliée », *L'Action nationale,* vol. XXXV, no 2, 1950, pp. 93-110,
« Les classes moyennes au Canada français », vol. XXXV, nos 3 et 4, mars et avril 1950, pp. 207-228 et 266-274.

Ryan, Claude, « Un jugement sommaire du chanoine Groulx sur Mgr Charbonneau », *Le Devoir,* 10 décembre 1974.

Ryan, W.F., *The Clergy and Economic Growth in Québec 1896-1914,* Québec, PUL, 1966.

Ryerson, Stanley B., *French Canada, a Study in Canadian Democrary,* Toronto, Progress Books, 1944.

Ryerson, Stanley B., *Unequal Union,* Toronto, Progress Books, 1968.

Saint-Germain, *Une Économie à libérer,* Montréal, PUM, 1973.

Saint-Pierre, C., et D. Brunelle, « Pour un socialisme scientifique québécois », *Socialisme 69,* no 18, juillet-septembre 1969, pp. 3-6.

Sartre, Jean-Paul, *L'Être et le néant,* Paris, Éd. Gallimard, 1943.

Sartre, Jean-Paul, *Critique de la raison dialectique,* Paris, Éd. Gallimard, 1960.

Sartre, Jean-Paul, *Qu'est-ce que la littérature?* Paris, Idées, Éd. Gallimard, 1965.

Sartre, Jean-Paul, *Situations,* V, VI et VII, Paris, Éd. Gallimard, 1964, 1965.

Savard, Louis, *Cité libre et l'idéologie monolithique du vingtième siècle au Canada français,* thèse de maîtrise, Université Laval, Québec 1962.

Savard, Pierre, « La vie du clergé québécois au XIXe siècle », *Recherches sociographiques,* vol. VIII, no 3, septembre-décembre 1967, pp. 259-273.

Séguin, Maurice, *L'Idée d'indépendance au Québec,* Montréal, Boréal-Express, 1968.

Simon, Yves, *La grande crise de la République française,* Montréal, L'Aube, 1941.

Smith, Anthyny D., *Théories of Nationalism,* New York, Harper & Row, 1971.

Snyder, Louis L., *The New Nationalism,* New York, Cornell University Press, 1968.

Suratteau, Jean-René, *L'Idée nationale de la révolution à nos jours,* Paris, PUF (SUP), 1972.

Sylvain, Philippe, « Libéralisme et ultramontanisme au Canada français : affrontement idéologique et doctrinal (1840-1865) » dans Morton, William L. (éd), *Le Bouclier d'Achille,* Montréal, McClelland and Stewart, 1968, pp. 111-138, 220-255.

Tardivel, Jules-Paul, *Mélanges ou recueil d'études religieuses, sociales, politiques et littéraires,* tomes I, II et III, Imprimerie L.D. Demers et Frère, 1901.

Taylor, Charles « Nationalism and the political intelligentsia », *Queen's Quarterly,* LXXII, no 1, printemps 1965, pp. 150-168.

Teeple, Gary (ed) *Capitalism and the National Question,* Toronto, University of Toronto Press, 1972.

Thibault, Pierre, *Savoir et pouvoir. Philosophie thomiste et politique cléricale au XIXe siècle,* Québec, PUL, 1972.

Tiberghien, P., *L'action catholique, expériences passées, vues d'avenir,* Montréal, Fides, 1947.

Touraine, Alain, *Sociologie de l'action,* Paris, Éd. du Seuil, 1965.

Tremblay, Grégoire, « *La Relève* » Québec, (polycopié), 1970.

Tremblay, Maurice, *La pensée sociale au Canada français,* (polycopié), 1950.

Tremblay, Maurice, « Réflexions sur le nationalisme », *Écrits du Canada français,* Montréal, Tome V, pp. 11-43.

Tremblay, Maurice et Albert Faucher, « L'enseignement des sciences sociales au Canada français », *Les arts, les lettres et les sciences au Canada,* Ottawa, Imprimeur du roi, 1951.

Tremblay, L.-M., *Le syndicalisme Québécois : idéologies de la CSN et de la FTQ, 1940-1970,* Montréal, PUM, 1972.

Tremblay, Rodrigue, *L'Économie québécoise,* Montréal, PUQ, 1976.

Trudeau, Pierre-Elliott, *Les cheminements de la politique,* Montréal, Éd. du Jour, 1970.

Trudeau, Pierre-Elliott, « La démocratie est-elle viable au Canada français ? », *Action nationale,* vol. 44, no 3, novembre 1954, pp. 190-200.
Trudeau, Pierre-Elliott, *Le fédéralisme et la société canadienne-française,* Montréal, Éd. HMH, 1967.
Trudeau, Pierre-Elliott, *La grève de l'amiante,* Montréal, Éd. du Jour, 1970.
Trudeau, Pierre-Elliott, *Réponses de Pierre-Elliott Trudeau,* Montréal, Éd. du Jour, 1968.

Vachon, André, « Parti pris : de la révolte à la révolution » *Relations,* vol. 23, no 275, novembre 1963, pp. 326-328.
Vadeboncoeur, Pierre, « Apologie du préjugé », *Amérique française,* tome II, no 1, septembre 1942, pp. 36-37.
Vadeboncoeur, Pierre, *L'Autorité du peuple,* Québec, Éditions de l'Arc, 1965.
Vadeboncoeur, Pierre, *La dernière heure et la première,* Montréal, Parti pris, 1970.
Vadeboncoeur, Pierre, *Indépendances,* Montréal, L'Hexagone-Parti pris, 1972.
Vadeboncoeur, Pierre, *Lettres et colères,* Montréal, Parti pris, 1969.
Vadeboncoeur, Pierre, *La Ligne du risque,* Montréal, HMH, 1963.
Vallet, André, *Marxisme, « marxistes québécois », et question nationale,* thèse de maîtrise, Université de Montréal, Montréal, 1974.
Vallières, Pierre, *Nègres blancs d'Amérique,* Paris, François Maspéro, 1969.
Vallières, Pierre, *L'Urgence de choisir,* Montréal, Éd. Parti pris, 1971.
Van Schendel, Michel, « Pour une théorie du socialisme québécois », *Socialisme 69,* no 17, avril-juin 1969, pp. 7-26.

Wade, Mason, *Les Canadiens français,* Montréal, Cercle du livre de France, 2 vol., 1963.
Wade, Mason, *La dualité canadienne,* Québec, PUL, 1960.

Achevé d'imprimer
sur les presses de
L'Action Sociale, Limitée
4e trimestre 1977